BRAZZAVILLE
PLAGE

Du même auteur

Un Anglais sous les tropiques
roman, 1984

Comme neige au soleil
roman, 1985

La Croix et la Bannière
roman, 1986

Un Anglais sous les tropiques
roman
coll. « Points Roman » 222

Comme neige au soleil
roman
coll. « Points Roman » 252

Les Nouvelles Confessions
roman, 1988

La Chasse au lézard
nouvelles, 1990

WILLIAM BOYD

BRAZZAVILLE PLAGE

roman

TRADUIT DE L'ANGLAIS
PAR CHRISTIANE BESSE

ÉDITIONS DU SEUIL
27, rue Jacob, Paris VIe

Titre original : *Brazzaville Beach*.
Éditeur original : Sinclair-Stevenson, Londres.
ISBN original : 1-85619-026-9.
© 1990, William Boyd

ISBN 2-02-012509-9.

pour Susan.

« La vie que l'on ne soumet pas à l'examen ne vaut pas d'être vécue. »

SOCRATE

Prologue

Prologue

J'habite Brazzaville Plage. Brazzaville Plage, au bord de l'Afrique. C'est là que j'ai échoué, que je me suis posée, si vous voulez, comme un bois d'épave, fiché pour un bout de temps dans le sable chaud, juste au-dessus de la ligne des hautes marées.

La plage n'avait pas de nom jusqu'à l'année dernière. On l'a alors baptisée en l'honneur de la fameuse *Conferençia dos Quadros* qui se tint à Brazzaville en 1964. Personne ne peut dire pourquoi, mais, un beau jour, sur la route de latérite qui descend au rivage, des ouvriers ont dressé ce panneau : « Brazzaville Plage » avec, écrit en dessous, ce « *Conferençia dos Quadros*, Brazzaville, 1964 ».

C'est une indication, disent certains, que le gouvernement devient plus modéré, qu'il tente de guérir les blessures de notre propre guerre civile en reconnaissant un moment historique dans les luttes de libération d'un autre pays. Qui sait? Qui connaît jamais les réponses à ces questions? Mais le nom me plaît, comme il plaît à tous ceux qui vivent par ici. En moins d'une semaine, nous l'utilisions tous spontanément. Où habitez-vous? A Brazzaville Plage. Ça paraissait parfaitement naturel.

J'habite dans une maison de plage remise à neuf. J'ai une grande salle de séjour fraîche avec une paroi de portes coulissantes grillagées qui donnent sur une large terrasse en planches. Il y aussi une chambre, une généreuse salle de bains avec baignoire et douche, et une minuscule cuisine obscure, sur l'arrière. Sur l'arrière aussi, mon jardin : de l'herbe pelée, sablonneuse, quelques buissons sans intérêt, un lopin de légumes et une haie d'hibiscus, couverte de fleurs rouge vif.

13

La plage a connu des jours meilleurs, c'est vrai, mais je sens que ses années de déclin ont pris fin. A présent, j'ai des voisins : le directeur allemand des mines de bauxite — mon patron, somme toute — et, de l'autre côté, un gros Syrien farceur qui gère une affaire d'import-export et deux restaurants chinois en ville.

Ils ne viennent qu'aux week-ends, et j'ai donc plus ou moins l'endroit à moi durant la semaine. Encore que je ne sois jamais seule ; il y a toujours du monde sur la plage : pêcheurs, joueurs de volley-ball, colporteurs, chineurs. Des familles européennes aussi. Français, Portugais, Allemands, Italiens. Pas d'hommes, uniquement des femmes, la plupart enceintes, et des marmots bruyants. Les enfants jouent, les femmes bavardent, fument, se bronzent et enguirlandent leurs gamins. Si la plage est déserte, elles enlèvent parfois en douce le haut de leur bikini pour exposer leurs seins tendres et pâles au soleil africain.

Derrière la maison, au-delà de la palmeraie, se trouve le village — version atténuée d'un bidonville de cases et de cabanes qui occupent la bande de terrain broussailleux entre la frange d'arbres du rivage et la route principale de l'aéroport. Je vis seule — ce qui me convient parfaitement —, mais il y a toujours assez d'animation alentour pour m'empêcher de me sentir solitaire.

J'ai désormais un amoureux — dans un sens. Je suppose qu'on peut le qualifier ainsi, bien que rien de même vaguement charnel ne se soit jamais passé entre nous. Nous dînons ensemble une fois ou deux par semaine à l'Hôtel de l'Aéroport. Il s'appelle Gunther Neuffer ; c'est un homme d'environ trente-cinq ans, timide, morose, dégingandé, porteur d'un Sonotone. Il est le directeur des ventes des mines de bauxite. Il n'est là que depuis six mois, mais me paraît déjà hagard, épuisé par l'Afrique, son énergie et son animation féroce, ses frustrations brutales et son impitoyable matérialisme. Il se languit de la fraîcheur et de l'ordre de son Göttingen natal. Je lui rappelle sa petite sœur Ulricke, prétend-il. Je soupçonne parfois que c'est l'unique raison pour laquelle il me fréquente : je suis un lien fantôme avec sa vie passée, le rêve de l'Europe assis en face de lui.

14

Mais je ne dois pas m'égarer : Gunther ne joue pas de rôle significatif dans cette histoire. Je ne le présente que pour expliquer ma situation actuelle. Gunther me donne du travail. Je gagne ma vie en faisant pour lui des traductions commerciales qu'il me paie beaucoup trop bien. En réalité, sans Gunther, je ne pourrais pas habiter Brazzaville Plage. Ce que je ferai quand il partira, je n'en ai pas la moindre idée. Entre-temps, un repas mélancolique à l'Hôtel de l'Aéroport n'est nullement punitif.

J'adore la plage, mais parfois je me demande ce que je fabrique ici. Je suis jeune, célibataire, j'ai de la famille en Angleterre, je possède toutes sortes d'impressionnantes qualifications universitaires. Pourquoi donc la plage est-elle devenue mon port d'attache... ?

Comment vous l'expliquer ? Je suis ici parce que j'ai traversé deux séries d'événements étranges et extraordinaires, et que j'ai eu besoin d'un peu de temps pour les peser, les évaluer. Il faut que je trouve un sens à ce qui m'est arrivé avant de pouvoir reprendre ma vie dans le monde, si je puis dire. Connaissez-vous ce sentiment ? Le besoin de faire une halte, de dire : allez, assez, ralentissons, lâchez-moi les baskets.

Deux séries d'événements, donc. La première en Angleterre, la seconde en Afrique. Deux histoires à raconter. J'ai fui en Afrique pour échapper à ce qui s'était passé en Angleterre et puis, comme il s'y emploie souvent, le continent noir m'a entraînée plus loin.

Mais ce n'est pas ainsi qu'il me faut commencer.

Autre problème : comment débuter ? Comment m'y prendre pour vous raconter ce qui m'est arrivé ?

Je m'appelle Hope Clearwater... Ou : « Hope Clearwater est cette grande jeune femme qui habite Brazzaville Plage. » Ce n'est pas si facile. Quelle voix adopter ? J'étais différente à l'époque ; et je ne suis pas la même aujourd'hui.

Je suis Hope Clearwater. Elle est Hope Clearwater. Tout est moi, en réalité. Essayez de vous en souvenir, bien que ce puisse être un peu compliqué au début.

Où débuterai-je ? En Afrique, je pense, oui, mais loin de Brazzaville Plage.

Un dernier point : le facteur important dans tout ceci, c'est la franchise, autrement il n'y aurait pas de raison de commencer. Donc : démarrons par le jour où j'étais avec Clovis. Rien que nous deux. Oui, c'est un bon début...

Brazzaville Plage

Je n'ai jamais vraiment éprouvé beaucoup d'amitié pour Clovis, il était bien trop stupide pour inspirer une réelle affection, mais il a toujours eu droit à une petite place dans mon cœur, largement — je pense — à cause de sa manière instinctive d'entourer de ses mains ses parties génitales dès qu'il était nerveux ou inquiet. Une attitude plutôt attachante, à mon sens, et qui témoignait d'une vulnérabilité naturelle tout à fait contraire à ses humeurs coutumières : arrogance bravache ou bien égocentrisme total et complet. Aujourd'hui justement, très absorbé par sa personne, il était assis superbement à son aise, le sourcil froncé, la moue aux lèvres — sans me prêter la moindre attention — et, de temps à autre, reniflait distraitement le bout d'un index. Il avait adopté cette attitude depuis plus d'une heure, et ce dans quoi il avait trempé son doigt plus tôt dans la journée devait avoir été extrêmement puissant, pour ne pas dire narcotique et indélébile. Connaissant mon Clovis, je le soupçonnais capable de maintenir cette immobilité pour une éternité. Je consultai ma montre. Repartir maintenant pouvait signifier devoir parler à cette vieille ordure de Hauser... Je pesai le pour et le contre : passer l'heure qui me restait ici, avec Clovis, ou risquer d'avoir à endurer les cyniques cancans de Hauser, tout en insinuations douceureuses et vacheries voilées ?

Devrais-je vous raconter Hauser, maintenant, je me demande ? Non, peut-être pas ; nous nous occuperons de Hauser et des autres à mesure que nous les rencontrerons. Ils peuvent attendre ; retournons à Clovis.

Je changeai de position, décroisai les jambes et les allongeai. Une petite fourmi semblait s'être coincée sous la bretelle de mon soutien-gorge et je perdis quelques minutes à essayer en vain de la localiser. Impassible, Clovis me regarda ôter d'abord mon chemisier et puis mon soutien-gorge. Je ne découvris point l'insecte, mais seulement ses traces — une jolie grappe de piqûres roses sous mon aisselle gauche que je frottais d'un peu de salive avant de remettre mes vêtements. Au moment où je reboutonnais le col de ma chemise, Clovis parut se désintéresser de mon sort. Il se frappa sur l'épaule, brusquement, escalada le mulemba sous lequel il était assis, s'élança avec puisssance et souplesse d'une branche à l'autre, puis sauta dans un arbre voisin et fila, hors de ma vue, vers le nord-est, en direction des hauteurs de l'escarpement.

Je consultai de nouveau ma montre et notai l'heure de son départ. Peut-être allait-il rejoindre les autres membres de son groupe ? Il n'était pas exclu pour Clovis de passer une journée tout seul, mais pas ordinaire non plus — il possédait un instinct très grégaire, même pour un chimpanzé. Je le surveillais depuis trois heures, pendant lesquelles il n'avait fait pratiquement rien de singulier ou d'inhabituel — mais cela aussi, bien entendu, valait la peine d'être noté. Je me relevai, m'étirai et marchai jusqu'au mulemba pour examiner les matières fécales de Clovis. Je sortis un bocal de mon sac et, à l'aide d'une brindille, en ramassai un échantillon. Ce serait mon petit cadeau pour Hauser.

Je repris en sens inverse le sentier qui menait dans la direction générale du camp. La plupart des pistes, dans cette partie de la forêt, avaient été récemment aménagées, on avançait facilement. J'avais fait clouer des repaires et des flèches sur les arbres aux principaux croisements pour m'y retrouver. Cette portion de la réserve, au sud de la grande rivière, était beaucoup moins connue que l'aire principale des recherches au nord.

J'avançais d'un pas régulier — je n'étais pas particulièrement pressée de rentrer — et d'ailleurs je me sentais modérément fatiguée. Le plus gros de la chaleur du jour était passé : je voyais encore le soleil sur la cime des arbres, mais ici, dans le sous-bois de la forêt, tout était sombre. J'aimais bien ces marches de retour au camp à la fin de la journée et je préférais l'horizon confiné de la forêt à des panoramas plus impressionnants — je préférais être enclavée plutôt qu'exposée. J'aimais aussi la proximité de la végétation, les buissons et les branches qui me frôlaient, l'odeur de moisi des feuilles pourrissantes et la teinte neutre voilée, filtrée de la lumière.

Tout en marchant, je sortis une cigarette. Une « Tusker », une marque locale, forte et sucrée. Je l'allumai, inhalai la fumée et songeai à mon ex-mari, John Clearwater. Ceci était l'héritage le plus évident de notre bref mariage — une mauvaise habitude. Il y en avait d'autres, naturellement, d'héritages, mais ils n'étaient pas visibles à l'œil nu.

João m'attendait à environ quinze cents mètres du camp. Assis sur une bûche, il tripotait la croûte d'une vieille plaie à son genou. Il paraissait fatigué et mal en point. João était très noir, avec une peau presque violet foncé. Sa longue lèvre supérieure lui donnait en permanence l'air triste et grave. Il se leva à mon approche. Nous nous saluâmes et je lui offris une cigarette qu'il accepta puis remisa avec soin dans son sac de toile.

« Un peu de chance ? m'enquis-je.

— Je crois, je crois moi avoir vu Lena, dit-il. Elle très grosse présentement. » Il tendit les mains, mimant un ventre plein. « Elle venir très vite maintenant. Mais après elle s'enfuir. »

Il me donna ses notes et, sur le chemin du camp, je lui racontai ma paisible journée en compagnie de Clovis. João était mon assistant à temps complet. Dans les quarante ans, mince, nerveux, diligent et loyal. Alda, son fils cadet, faisait un stage de guetteur chez nous, mais, aujourd'hui, il était en ville, où il essayait de résoudre un problème relatif à son service militaire. Je l'interrogeai sur les progrès d'Alda.

« Je pense qu'il reviendra demain, dit João. On dit la guerre finie bientôt, alors pas besoin d'autres soldats.

— Espérons. »

Nous discutâmes un peu de nos plans pour le lendemain. Nous atteignîmes bientôt la petite rivière que Mallabar — je crois — avait spirituellement surnommée le « Danube ». Elle venait des grandes prairies des plateaux à l'est et descendait en une série de cascades et de bassins le long d'une vallée assez profonde, à travers notre partie de la Semirance Forest, et puis continuait, plus sereine et toujours plus grosse, jusqu'à sa confluence avec le grand fleuve Cabule, à deux cent trente kilomètres de là, en bordure de la plaine côtière.

Au-delà du Danube, au nord, la forêt s'éclaircissait, et le chemin du camp coupait à travers ce qui est connu dans cette région de l'Afrique sous le nom de « savane arborée » : herbe et broussailles, ponctuées çà et là de bouquets d'arbres et de petites palmeraies. Le camp lui-même se dressait sur ce site depuis plus de vingt ans et, à mesure de son développement, la majorité de ses structures avaient été reconstruites sous une forme plus permanente. La toile avait cédé la place au bois et à la tôle ondulée éliminés à leur tour par des briques de ciment. Les hangars et les logements étaient largement séparés et situés de part et d'autre d'une piste de terre battue baptisée la Grand-Rue. Cependant, le premier signe d'occupation humaine que l'on rencontrait en venant du Danube était une vaste clairière de la taille de trois courts de tennis, au milieu de laquelle s'étendait une structure en béton, plutôt basse — à hauteur de hanche — pourvue sur un côté de quatre petites portes en bois. Cela ressemblait à une sorte de cage ou, je pensais alors, à un élément du système d'égouts ou des fosses septiques, mais c'était en fait l'orgueil du Centre de recherches : la zone nourricière artificielle. Elle paraissait déserte au moment où nous passions, João et moi, mais je crus voir quelqu'un assis dans un des affûts de palmes sur le pourtour — Mallabar soi-même, peut-être. Nous poursuivîmes notre chemin.

Le camp proprement dit commençait à la jonction du sentier forestier (menant au sud vers le Danube) avec la Grand-Rue qui n'était qu'une prolongation de la route de Sangui, le village le plus proche, où João et la plupart des assistants et des guetteurs du Centre habitaient. Nous nous arrêtâmes là et, après nous être donné rendez-vous pour le lendemain à six heures du matin, nous nous dîmes au revoir. João ajouta qu'il amènerait Alda si celui-ci revenait à temps de la ville. Et chacun rentra chez soi.

Je regagnai tranquillement ma case. Sur ma gauche, éparpillés entre les palmiers, les nims et de gros massifs d'hibiscus, se trouvaient les principaux bâtiments du camp — le garage et les ateliers, le bungalow de Mallabar, la cantine, la cuisine, les hangars et, derrière eux, le dortoir désormais abandonné des recenseurs. Au-delà, sur la droite, j'apercevais, à travers l'écran d'une haie de plumbago, les toits de chaume ronds du quartier des cuisiniers et du petit personnel domestique.

Je dépassai le gros hagania qui trônait au centre du camp et lui avait donné son nom : grosso arvore. Le Centre de recherches de Grosso Arvore.

De l'autre côté de la piste, en face de la cantine, il y avait le laboratoire de Hauser et, derrière, la cabane en tôle qu'il partageait avec Toshiro. Trente mètres plus loin, le bungalow des Vail, pas aussi grand que celui des Mallabar, mais plus joli, croulait sous le jasmin et les bougainvillées. Et puis, enfin, à la limite nord du camp, ma case. En fait « case » n'était pas l'appellation qui convenait : j'habitais plutôt l'enfant bâtard d'une tente et d'une baraque en tôle, un curieux logis aux murs de tissu et toit de tôle ondulée. Il était normal, je suppose, qu'il me revînt, selon le principe que le dernier arrivé devait occuper l'abri le moins permanent, mais il ne me déplaisait pas et je ne me souciais nullement des éventuels commentaires concernant mon statut. En fait, Mallabar m'avait proposé la baraque du recensement, mais j'avais décliné son offre ; je préférais mon étrange tente hybride et sa situation à la limite du camp.

Je l'atteignis et y entrai. Liceu, le boy qui veillait sur moi, avait mis de l'ordre durant mon absence. Je tirai quelques pichets d'eau d'un bidon dans un coin que je versai dans une cuvette d'étain sur un support, puis ôtai ma chemise et mon soutien-gorge avant de passer une main éponge sur mon torse sale et en sueur. Je me séchai et enfilai un T-shirt. J'envisageai une visite aux latrines, logées à l'extérieur dans une sorte de guérite en feuilles de palme tressées, mais décidai que l'affaire pouvait attendre.

Je m'étendis sur mon lit pliant, fermai les yeux et, comme toujours, à mon retour en fin de journée, m'efforçai de ne pas me laisser envahir par les sentiments. J'avais organisé ma routine de façon à ne pas m'accorder beaucoup de loisir ni de temps avec moi-même, mais ce moment de la journée, les prémices du soir, la lumière orange et laiteuse, avec les premières chauves-souris filant et fonçant entre les arbres, le cric-cric hésitant des premiers grillons annonçant le crépuscule, amenaient toujours à la traîne mélancolie, *cafard* et, dans mon cas particulier, un abominable apitoiement sur moi-même. Je me forçai à me redresser, pris quelques respirations profondes, maudis violemment le nom de John Clearwater et allai m'asseoir au petit bureau pliant sur lequel je travaillais. Je me versai un verre de scotch avant d'entamer la rédaction de mes notes.

Mon bureau était placé devant une ouverture grillagée ménagée dans la paroi de toile que je relevai pour laisser pénétrer le plus d'air possible. J'avais ainsi vue sur l'arrière de la case de Hauser et Toshiro, à quelque quatre-vingts mètres, la guérite des latrines, et la cabine de douche en bois édifiée de ses blanches mains par Hauser, à l'ombre d'un frangipanier. La douche était plutôt élémentaire de conception : un bidon installé haut dans l'arbre alimentait la pomme, le flot étant contrôlé par un robinet. La seule tâche assommante revenait à remplir le bidon, il fallait trimbaler des seaux d'eau sur une échelle, mais c'était un travail que Hauser déléguait volontiers à son boy, Fidel.

Tandis que je regardais, la porte de la douche s'ouvrit et Hauser lui-même apparut, nu et luisant. Il avait manifestement oublié d'apporter une serviette. Je le vis marcher avec précaution sur l'herbe rude jusqu'à sa porte de service. Le rond ferme de son gros ventre luisait et, alors qu'il avançait sur la pointe des pieds, le petit bout blanc de son pénis dansait comiquement. Hauser était coutumier du fait — je veux dire de se balader nu entre la douche et sa case. Il avait une vue complète de ma tente et de ses fenêtres. Il m'était venu souvent à l'esprit qu'il faisait peut-être exprès de s'exhiber ainsi.

La vue du petit zizi de Hauser et le goût du whisky se combinèrent pour me ragaillardir et ce fut avec un regain d'assurance qu'une heure plus tard je descendis la Grand-Rue en direction de la cantine, maintenant éclairée par la lueur trouble des lampes tempête. Au moment où je passais devant sa case, Hauser surgit.

« Ah, Mrs. Clearwater ! Quelle coïncidence ! »

Hauser était chauve et trapu — un gros homme solide —, avec des yeux vitreux aux paupières légèrement tombantes. Durant mes quelques mois à Grosso Arvore, nos rapports n'avaient jamais dépassé une réserve réciproque. Je le soupçonnais de ne pas m'aimer beaucoup. Je n'éprouvais aucune sympathie pour lui. Sur le chemin de la cantine, je lui remis le bocal échantillon contenant les excréments de Clovis.

« Pourriez-vous découvrir ce que celui-ci a mangé ? lui demandai-je. Je pense qu'il pourrait bien avoir été malade.

— *Un amuse-gueule.* » Il inspecta le flacon. « De la merde de chimpanzé, ce que je préfère.

— Vous n'êtes pas obligé de le faire si ça ne vous chante pas.

— Mais c'est pourquoi je suis ici, chère jeune madame, pour pratiquer un art divinatoire généreusement payé. »

Exactement le genre de boutade simili-vieil-intello que je ne pouvais pas supporter. Je gratifiai Hauser d'un regard que j'espérai débordant de pitié sincère avant de lui tourner ostensiblement le dos à l'entrée de la cantine. Je pris mon plateau, mon couteau et ma fourchette, et le cuisinier me servit une platée de poulet garni de patates douces bouillies. Je gagnai le bout de la longue table et m'assis à côté de Toshiro qui me salua d'un signe de tête. Nous étions libres de retourner, si nous le souhaitions, dans nos appartements avec notre nourriture, mais, à cause de la longueur du trajet, je dînai invariablement à la cantine. Dieu merci, nous n'étions sous aucune obligation, officielle ou non, de faire la conversation. Vu le nombre réduit des membres du Centre, nous sentir forcés d'échanger des banalités chaque fois que nous nous rencontrions aurait provoqué des tensions insupportables. Toshiro, au mieux taciturne, mastiquait consciencieusement. Hauser se disputait avec le cuisinier. Personne d'autre n'était encore là. J'attaquai mon poulet insipide sans grand enthousiasme.

Peu à peu, les autres participants au Projet arrivèrent. D'abord Ian Vail et son épouse Roberta qui nous dirent bonjour avant de remporter leurs plateaux chez eux. Puis Eugène Mallabar lui-même fit son apparition, se servit et vint s'asseoir en face de moi.

Même son ennemi le plus acerbe devait concéder que Mallabar était un bel homme. Frisant la cinquantaine, grand, mince, avec un visage aux traits réguliers qui paraissait irradier toutes sortes de fortes qualités : sincérité, honnêteté, constance. Pour

25

une raison quelconque, sa barbichette bien taillée de sorcier, malgré ses connotations de considérable vanité personnelle, ne dépréciait en rien cet intimidant air de fermeté qu'il possédait. Ce soir, il portait un foulard à pois bleu pâle qui seyait admirablement à son teint bronzé.

« Où est donc Ginga ? » m'enquis-je, en essayant de ne pas le fixer du regard. Ginga était son épouse que j'aimais bien malgré son absurde prénom.

« Elle n'a pas faim, répliqua-t-il. Un brin de grippe, peut-être. » Il haussa les épaules et enfourna une grosse bouchée de poulet. Il mastiquait lentement, presque d'un côté sur l'autre à la manière d'un ruminant. Il utilisait beaucoup sa langue, poussant sa nourriture contre son palais, à la recherche de parcelles autour de ses molaires. Je le savais parce que je le voyais : Mallabar mangeait sans fermer la bouche.

« Comment s'est passée votre journée ? dis-je, plongeant le nez dans mon assiette.

— Excellemment, excellemment... » Je l'entendis boire de l'eau et me demandai s'il serait prudent de lever les yeux. « Hum, poursuivit-il, nous en avons eu cinq dans la zone nourricière. Quatre mâles et une femelle en rut. Une fascinante série de copulations.

— C'est bien ma chance ! » Je claquai les doigts, feignant la déception.

« Que voulez-vous dire ?

— Ah ! » Une lassitude intense m'envahit soudain... « Vous savez bien : je suis dans le Sud. Et toute la rigolade est pour ici. »

Il fronça les sourcils, surpris, ne comprenant toujours pas.

« Aucune importance, coupai-je. N'y pensez plus. Alors, Ginga a la grippe ?

— Nous avons tout filmé.

— Quoi donc ?

— Aujourd'hui, dans la zone nourricière.

— Non, Eugène. Je vous en prie. Ça ne fait rien. »

Il sourit d'un air espiègle, en hochant la tête. « Vu. Compris. Vous me taquiniez.

— Écoutez, Eugène... Oh, Seigneur ! »

Il claquait des doigts à son tour : « C'est bien votre veine. Compris. »

Je sentis les muscles de mon cou se nouer.

Il laissa échapper un long gloussement et continua à bâfrer, en quantité.

« Comment s'est passée votre journée à vous ? dit-il au bout d'un moment.

— Oh... Clovis a reniflé son doigt pendant deux heures.

— Clovis ? » Il brandit sa fourchette dans ma direction.

« XNM1. Excusez-moi. »

Mallabar sourit gracieusement à mon erreur et se leva pour aller remplir une fois de plus son assiette. Il faisait partie de ces gens qui peuvent manger autant qu'ils le veulent sans grossir. Sur le chemin du buffet, il passa devant Ian Vail qui revenait avec son plateau chercher le dessert, des tranches de mangues au lait condensé. Vail me sourit. Un gentil sourire. L'adjectif était exact. Il avait un gentil visage aussi, simplement un peu trop poupin, avec des cils pâles et des cheveux blonds et fins. Il posa son plateau et vint s'accroupir près de moi.

« Puis-je te rendre visite ? dit-il doucement pour que Toshiro n'entende pas. Plus tard. S'il te plaît. Juste pour bavarder.

— Non. Tire-toi. »

Il me dévisagea, les yeux pleins de reproches pour ma froideur. Je le fixai à mon tour. Il se leva et partit. Mallabar revint avec une assiette débordante. Il regarda Vail s'éloigner avant de se rasseoir.

« Accompagnez-vous Ian, demain ? dit-il.

— Non, répliquai-je trop brusquement. Non, je retourne dans le Sud.

— Je croyais qu'il avait fait le projet de vous inviter. » Mallabar avait repris son repas avec énergie. Je le contemplai, fascinée. Pourquoi ne lui avait-on jamais fait remarquer qu'il mangeait la bouche ouverte ? Il était trop tard pour qu'il change, je suppose.

« Je ne sais pas, dis-je.

— Que vous racontait-il alors ? Ça n'a pas pris long.

— Qui ça ? » fis-je innocemment. Mallabar était connu pour sa curiosité à l'égard de ses collègues.

27

« Ian. Juste à l'instant.

— Ah... Qu'il était follement amoureux de moi. »

Le visage expressif de Mallabar se figea.

Je le regardai : tête relevée, air innocent, sourcils levés.

Il sourit avec soulagement.

« Elle est bien bonne, s'esclaffa-t-il. Excellente. »

Il rit bruyamment, me montrant encore plus du contenu de sa bouche. Il but de l'eau, toussa, but encore. A l'autre bout de la table, Hauser me fixait d'un œil intrigué.

« Ah, ma chère Hope, dit Mallabar en me caressant la main. Vous êtes incorrigible ! » Il leva son verre vers moi. « A Hope, notre merveilleux tonique à nous ! »

CE QUE J'AIMERAIS FAIRE

Ce que j'aimerais faire avec lui. Nous sommes étendus sur le lit, peu importe quand, la nuit ou le matin, mais il est chaud et somnolent, à moitié endormi et moi réveillée. Je suis allongée contre lui, mes seins écrasés contre son dos, ses fesses pressées contre mes cuisses, mes genoux nichés dans le creux des siens, ses talons sur mes pieds.

Sans bouger, je glisse ma main par-dessus sa hanche et je m'empare de lui très tendrement. Son pénis est doux et flasque. Si léger dans ma main. Aussi léger qu'une pièce de monnaie — un poids, une présence simplement, et c'est tout. Pendant un moment, rien ne se passe. Puis la chaleur de mes doigts en berceau le fait peu à peu grossir. Cette inflation charnelle, cette chaleur revenant maintenant vers moi avec l'afflux tiède du sang qui irrigue le muscle, ce pouvoir que j'ai, cette transformation magique que produit ma caresse, ne manquent jamais de m'exciter. Engorgé, s'épaississant, veiné comme une feuille, son membre repousse lentement la cage souple de mes doigts ; et lui se retourne pour me faire face.

Hope Dunbar avait entendu les gens parler de John Clearwater à l'université bien avant de le rencontrer elle-même. Clearwater.

Le nom lui trottait dans la tête. Clearwater... Elle l'identifia plusieurs fois dans des conversations sans en enregistrer le contexte.

« Qui est ce Clearwater dont tout le monde parle ? demanda-t-elle à son directeur d'études, le professeur Hobbes.

— John Clearwater ?

— Je ne sais pas. J'entends simplement sans cesse prononcer son nom.

— C'est le nouveau chercheur, n'est-ce pas ? Je pense que c'est lui.

— Je l'ignore.

— Un homme incroyablement brillant, ce genre de type. Du moins à ce qu'on dit. Mais on dit toujours ça. Je suis sûr que nous avons tous été " incroyablement brillants " de notre temps. » Il se tut, puis reprit : « Qu'a-t-il fait ?

— Rien. Le nom me rend curieuse. »

John Clearwater.

Quelques jours plus tard, dans sa rue, elle vit un homme, un journal plié à la main, le nez levé vers les maisons. Il portait un imper de gabardine et une casquette de base-ball rouge. Il examina les façades des maisons attenantes d'un air curieux comme s'il songeait à les acheter, puis fit demi-tour.

Hope venait de tourner le coin de Old Brompton Road et l'homme allait dans la direction opposée, elle ne réussit donc pas à bien le dévisager. C'est la conjonction de l'imperméable et de la casquette de base-ball qui le lui rendit singulier d'une certaine manière. La pensée lui vint, spontanément, que cet homme pourrait bien être John Clearwater.

Deux jours après, au collège, Hope empruntait un couloir inhabituel (elle était montée au département informatique chercher l'impression d'un document pour le professeur Hobbes) quand elle passa devant une porte entrebâillée de dix centimètres et portant le nom de « Dr J.L. CLEARWATER ». Elle s'arrêta pour jeter un coup d'œil. De là où elle était, elle apercevait un coin de moquette rouge vermillon, modèle stan-

29

dard du collège, et un mur nu ravagé de traces de papier collant. Dieu sait pourquoi, avec une audace assez peu conforme à son caractère, elle s'avança et poussa la porte.

La pièce était déserte. Les nuages se déplacèrent dans le ciel et le soleil printanier peignit brusquement une fenêtre jaune sur le mur. De fines poussières, récemment soulevées, continuaient à se mouvoir.

Sur le plancher traînaient une douzaine de cartons remplis de livres. Le bureau était vide. Hope le contourna et ouvrit deux tiroirs. Une chaîne de trombones. Un perforateur vert olive. Trois bonbons. Elle examina les autres tiroirs. Vides. L'énervement et l'exaspération montaient en elle.

Que faisait-elle dans le bureau de cet homme ? A quoi jouait-elle ?

Sur le fauteuil, dans le coin, gisait un manteau. Un manteau de lainage, en chevron gris anthracite. Puis, sur la cheminée, au-dessus du radiateur à gaz, Hope aperçut une tasse de café.

Fumante.

Elle la toucha. Chaude.

La bouche sèche, elle s'empara du manteau et en fouilla les poches. Une paire de gants en peau de mouton. Un petit flacon en plastique de pilules marqué Tylenol. De la monnaie.

Elle entendit un bruit à l'entrée.

Elle se retourna. Rien. Personne. La porte pivota mystérieusement sur ses gonds, trois ou quatre centimètres, poussée par un courant d'air nomade errant dans le bâtiment.

Hope reposa le manteau sur le fauteuil. John Clearwater, s'entendit-elle le taquiner dans sa tête, John Clearwater, où eeeeeees-tu ? Ses yeux parcoururent la pièce d'un bout à l'autre à la recherche de quelque chose — elle ne savait pas très bien quoi. Elle n'était pas entièrement sûre des motifs étranges qui la faisaient se conduire ainsi.

Elle prit la tasse de café dont elle but une gorgée. Fort et sucré. Trois cuillerées de sucre, à son avis. Elle la reposa. Sa lèvre inférieure y avait imprimé un croissant rose de rouge à lèvres.

Elle tourna la tasse de manière à ce que la trace soit impossible à ne pas remarquer et partit.

Elle crut le revoir une autre fois. De nouveau, elle n'aurait pas su dire la raison d'un instinct aussi tenace mais elle fut certaine que c'était son homme. Elle ne le recherchait pas délibérément, mais elle découvrit que tout en déambulant dans le collège, vaquant à ses affaires, elle évaluait inconsciemment chaque visage masculin inconnu rencontré. Elle était absolument convaincue qu'elle le reconnaîtrait.

Puis, un soir, en route pour aller dîner chez un ami, elle se trouvait chez un épicier en train d'acheter une bouteille de vin. Il y avait beaucoup de monde et une queue aux deux caisses. Son emplette emballée dans du papier de soie, Hope tendit un billet de dix livres, mais on découvrit que la monnaie manquait. Alors que la caissière plongeait dans le tiroir voisin pour s'y ravitailler en pièces, l'attention de Hope fut brusquement attirée par un homme qui sortait du magasin.

Il était déjà sur le seuil quand elle se retourna. Il avait la tête nue, des cheveux noirs et portait une veste de tweed beige. Une bouteille de vin rouge pointait hors de chacune de ses poches. Il trimbalait sous le bras droit un paquet de journaux et de livres en désordre. Le poids des bouteilles tendait le tissu de la veste sur ses larges épaules. Elle pensa tout d'abord : voilà une bonne méthode pour bousiller une veste. Et puis, presque aussitôt : c'est John Clearwater. Il quitta la boutique et disparut.

La caissière lui rendit laborieusement la monnaie. Quand Hope sortit, il n'y avait plus trace de l'homme. Elle n'éprouva aucune frustration ; elle savait que c'était lui. Et elle possédait la tranquille certitude de finir par le rencontrer. Il y avait tout le temps.

Et elle ne se trompait pas. Ce fut un peu plus long qu'elle ne l'avait calculé, mais leurs trajectoires respectives se rejoignirent finalement à une réception, à la faculté. Elle le vit debout près du bar et sut immédiatement que c'était lui. Elle était quasiment ivre, mais ce n'est pas l'alcool qui lui donna l'audace de traverser la pièce et d'aller se présenter. Simplement, le moment était venu, voilà tout.

31

LE SIMILI-HOMME

Pan Troglodytes. Chimpanzé. Le nom fut utilisé pour la première fois en 1738 dans le London Magazine *« ... Une créature des plus surprenantes a été ramenée d'une forêt de Guinée. Elle est la femelle de la créature que les Angolais appellent " Chimpanzé " ou le simili-homme. »*
Le simili-homme.
Les chimpanzés peuvent sans aucun encouragement développer un goût pour l'alcool. Quand on demanda à Washoe — un chimp élevé chez des humains et à qui on apprit le langage des sourds-muets — de dire ce qu'étaient les chimpanzés qu'il rencontrait pour la première fois, il répondit par signe « Punaises noires ». Les chimpanzés utilisent des outils et peuvent enseigner à d'autres chimpanzés à s'en servir. Des chimpanzés, consumés par la mélancolie, sont morts de chagrin...
Génétiquement, les chimpanzés sont les parents les plus proches des êtres humains. Des comparaisons de l'ADN des deux espèces ont montré une différence de 1,5 à 2 %. Dans le monde de la taxinomie, ceci signifie que les chimpanzés et les êtres humains sont des espèces sœurs et, à dire vrai, la classification devrait en réalité être changée. Nous appartenons au même genre — Homo. Non pas Pan Troglodytes *donc, mais* Homo Troglodytes *et* Homo Sapiens. *Les simili-hommes.*

Je prenais mon petit déjeuner — une chope de thé au lait et une triste tartine de pain et de margarine — quand João arriva accompagné d'Alda. Alda avait dix-huit ans, la minceur de son père et, bizarrement, une peau bien plus claire, d'un ton presque caramel. Il avait aussi un grand visage ouvert et un air attentif, comme curieux de tout ce qu'il voyait. Il n'était pas particulièrement intelligent, mais très enthousiaste. Je lui demandai ce qu'il advenait de son service militaire.

« Non, non, dit-il avec un sourire de soulagement. Trop de soldats présentement. La guerre, lui va terminer bientôt.

— Ah oui ? » Première nouvelle pour moi. « Qu'en penses-tu ? » dis-je à João.

Celui-ci se montra moins optimiste. « Je ne sais pas. » Il haussa les épaules. « On dit que UNAMO est fini... Mais il reste encore FIDE et EMLA.

— UNAMO fini, affirma Alda avec une certaine emphase. Eux attrapés à Luso, près du chemin de fer. Eux beaucoup beaucoup morts.

— Qui les a attrapés ?

— Les Fédéraux... et FIDE. » Il produisit des sons d'avions en piqué, illustrés d'un geste de ses mains couleur caramel. « Bombes d'essence. »

Je réfléchis.

« Mais je croyais que FIDE était contre les Fédéraux.

— Oui, c'est vrai, expliqua Alda patiemment, mais tous les deux eux pas aimer UNAMO.

— J'abandonne, dis-je. Allons-y. »

A cette heure de la matinée, il faisait frais et, parfois, l'espace d'une seconde, je croyais voir mon haleine se condenser. Le ciel était blanc et opaque avec une brume nuageuse, la lumière uniforme, sans jeux d'ombres. Une lourde rosée sur l'herbe fit virer en quelques secondes le brun doré de mes bottines de cuir au chocolat foncé. Nous traversâmes le camp silencieux en direction du sud.

En passant devant la case de Hauser, j'entendis crier mon nom. Je me retournai. Hauser était debout sur le seuil, vêtu d'un vilain peignoir éponge trop court.

« Content de vous attraper au vol », dit-il. Il me tendit mon bocal d'échantillon, propre et vide. « Très amusant. Vous avez imaginé ça toute seule ou bien ce petit génie de Vail vous a-t-il aidée ?

— De quoi parlez-vous ? » répliquai-je avec froideur. Je peux me montrer aussi glaciale que n'importe qui.

« Votre plaisanterie débile. » Il désigna le bocal. « Pour votre gouverne, le dernier repas que votre chimp s'est tapé semble être un chimpburger. » Son petit sourire faux-cul s'évanouit :

33

« Ne me faites pas perdre mon temps, docteur Clearwater. » Il rentra d'un air hautain dans sa case. João et Alda me regardèrent, vivement surpris : ils n'étaient que rarement témoins de nos disputes au camp. Je haussai les épaules, ouvris les mains et mimai l'étonnement. L'affaire méritait réflexion. Nous reprîmes notre chemin.

Eugène Mallabar avait établi le Centre de recherches de Grosso Arvore en 1953. Modestement tout d'abord, une simple étude sur le terrain pour étoffer certains chapitres de sa thèse de doctorat. Mais le travail le fascina et il resta. Il fut rejoint deux ans plus tard par sa femme, Ginga. A eux deux, leurs enquêtes dans la société des chimpanzés sauvages et leurs travaux pratiques, à la fois scrupuleux et originaux, leur valurent très vite un triomphe scientifique et une réputation croissante auprès du grand public. Le tout se transforma en une véritable célébrité pour Mallabar lorsqu'il publia son premier livre *Le Primate pacifique* en 1960. Téléfilms et documentaires suivirent. Grosso Arvore grandit et prospéra en même temps que son télégénique fondateur. Les bourses de recherches se multiplièrent, des candidats au doctorat offrirent avec enthousiasme leurs services et l'influence gouvernementale eut raison de l'impénétrable rempart de ronds-de-cuir qui faisaient barrage jusqu'alors à une substantielle expansion. Bientôt, Grosso Arvore se transforma en un parc national et une réserve animale de pointe, parmi les premières de son genre en Afrique. Puis vint le succès mondial du second livre de Mallabar, *Le Progrès du primate*. Invitations, citations et honneurs se multiplièrent : Mallabar devint le récipiendaire *honoris causa* de treize doctorats à la douzaine. Suivit un cycle biannuel de tournées de conférences lucratives en Amérique et en Europe ; des chaires Mallabar en primatologie furent créées à Berlin, en Floride et au Nouveau-Mexique. La place d'Eugène Mallabar dans les annales de la science et de l'éthologie était assurée.

Le principe de la méthode Mallabar pour l'étude de la société des chimpanzés requérait beaucoup de travail et de temps. Sa première exigence était que l'observateur s'habituât lui-même aux singes qu'il étudiait de façon à ce qu'ils acceptent sa présence dans leur univers sans peur ni aucune inhibition. Une fois ceci acquis (il avait fallu presque deux ans à Mallabar), la deuxième étape consistait à observer et noter. Au fil des années, ce procédé s'était transformé en un système hautement organisé. D'énormes quantités d'informations avaient été rassemblées et analysées. Toutes les observations étaient enregistrées de manière uniforme ; les chimpanzés étaient identifiés, suivis, leurs biographies rédigées et mises à jour sans cesse. Avec pour résultat qu'après vingt ans le projet de Grosso Arvore représentait désormais l'étude la plus complète et la plus fouillée de *toute* société animale dans l'histoire de l'enquête scientifique.

Bien entendu, Mallabar n'était pas seul : il existait en Afrique d'autres centres renommés de recherches sur les primates — à Gombe Stream, au Parc national de Mahale, à Bossou en Guinée —, mais, sans aucun doute, Grosso Arvore était le plus en vue et attirait, grâce à la séduction et l'entregent de son fondateur, une réputation qui ne saurait être mieux décrite que comme prestigieuse.

Dans ce long catalogue de succès et de gloire, Mallabar avait commis une seule importante erreur — mais, en toute justice, il ne pouvait pas la prévoir. Il avait choisi le mauvais pays. La guerre civile, commencée en 1968, avait suscité des problèmes gigantesques sans compter un certain nombre de dangers. Heureusement, les combats se déroulaient toujours à bonne distance, mais la menace de brusques soulèvements et de percées à partir des enclaves rebelles n'en demeurait pas moins. La violence fruste dont usaient les quatre armées en lutte pour le pouvoir, et la nature imprévisible de leur progrès, signifiaient que la belle époque des articles de magazine, sujets de revue et autres documentaires télévisés était finie. Le recensement de la population chimpanzée de la forêt de Semirance (une entreprise aussi coûteuse qu'ambitieuse) devint la première victime des troubles, une fois épuisée la réserve des étudiants en doctorat. Les permis de travail et les visas pour les chercheurs permanents se révélèrent beaucoup plus difficiles à obtenir, et les provisions en tout genre impossibles à se procurer, à mesure que l'opinion internationale et l'intervention des superpuissances imposaient des sanctions économiques officielles et officieuses. Pire encore, la sauvagerie absolue déployée par le gouvernement fédéral dans ses efforts pour écraser les guérillas rivales provoqua la condamnation et l'opprobre en Occident. Crédits et subventions — le moteur sur lequel tournait Grosso Arvore — commencèrent à diminuer de manière alarmante. Eugène Mallabar et Grosso Arvore se retrouvèrent associés, dans l'idée des gens, à un régime en banqueroute à la réputation équivoque. Mallabar, bien entendu, clama partout que les intérêts de la recherche scientifique n'avaient rien à voir avec la politique, mais sans grand succès.

Cependant les jours heureux, affirmait-il à sa manière inimitable, n'étaient pas loin. Une résolution des Nations unies venait d'être ratifiée à une large majorité. La plus radicale des armées rebelles, UNAMO, semblait manquer fatalement d'aide et les deux autres — FIDE et EMLA — parlaient vaguement de réconciliation. Ainsi encouragé, le gouvernement fédéral répondait par des rumeurs d'apaisement et de pardon. Soudain il y avait eu un peu d'argent à disposition mais — malgré l'atmosphère de pacification — personne ne s'était montré enclin à assurer la mission de courte durée que ces fonds étaient censés subventionner. Du moins jusqu'à ce que j'arrive. Pourquoi fus-je amenée à l'accepter ? Je vous le raconterai en temps voulu.

Mallabar avait pratiquement achevé un nouveau livre, une récapitulation du travail de sa vie, destiné à être son *chef-d'œuvre*, le dernier mot sur la société des chimpanzés et ce que les années de travail à Grosso Arvore avaient enseigné au genre humain au sujet de son cousin biologique le plus proche. Il devait aussi servir de couronnement à la célébration du jubilé des vingt-cinq ans du Centre : nous figurions déjà en bonne place sur la carte scientifique, mais le nouvel ouvrage était censé graver le nom de Grosso Arvore dans la pierre.

Mais, alors que s'achevait la rédaction du livre, il s'était produit un schisme déroutant dans la tribu de chimpanzés si soigneusement observée par Mallabar. Pour une raison inconnue, un petit groupe de chimpanzés s'était séparé de l'unité principale pour émigrer au sud du parc de Grosso Arvore et s'établir dans une zone de la forêt jusqu'ici non comprise dans le projet d'étude. Pourquoi étaient-il partis ? Était-ce important ? Cela signifiait-il une étape capitale et non identifiée dans l'évolution de la société des chimpanzés ? Un nouveau poste fut créé pour essayer de répondre à ces questions. Il me revint la tâche d'observer ce petit groupe dissident — les sudistes, ainsi qu'on les baptisa —, de poursuivre l'étude détaillée de leur vie quotidienne jusqu'à l'achèvement de la rédaction du livre, et de découvrir s'il existait une explication à ce départ inopportun. « Et d'ailleurs, avait dit Mallabar dans un moment — rare pour lui — d'anthropomorphisme, ils font partie de notre famille. Nous aimerions savoir pourquoi ils nous ont abandonnés et ce qu'ils deviennent. »

João nous quitta pour aller dans la direction prise la veille par Clovis. Alda et moi avions l'intention de gagner un gros figuier où le groupe sudiste venait souvent se nourrir. Nous suivîmes un sentier qui serpentait dans le sous-bois humide. On attendait pour bientôt les pluies saisonnières, et l'air, lourd de moiteur, était chaud et stagnant. Nous marchions à une allure paisible, mais je me mis très vite à transpirer tout en essayant vainement de chasser les escouades de mouches qui nous escortaient. Alda avançait devant moi, le triangle sombre de sueur sur son T-shirt rose montrant le chemin.

Le figuier se révéla désert excepté pour une petite troupe de singes capucins. Toutefois j'entendis, venant d'assez près, les huées et les cris de chimpanzés excités. Un autre figuier poussait sur une saillie rocheuse à huit cents mètres de là. A en croire le tintamarre, il semblait que le groupe sudiste se trouvât là-bas au complet.

Il nous fallut une demi-heure pour les rejoindre. Alda et moi nous approchâmes avec notre prudence habituelle. J'étais en tête. Je m'accroupis à une trentaine de mètres de l'arbre et sortis mes jumelles. Je vis : Clovis, Mr. Jeb, Rita-Mae avec son bébé Lester, Muffin et Rita-Lu... Alda cocha leurs noms sur la feuille d'analyse journalière à mesure que je les énonçais. Aucun signe de Conrad. Aucun signe de Lena, enceinte. Ils étaient assis assez haut sur les branches du figuier, un *ficus mucosae* en partie déplumé qui, un beau jour, avait dû, je suppose, être frappé par la foudre. Une moitié de l'arbre était morte, figée dans un hiver éternel, tandis que l'autre, comme pour compenser, fleurissait vigoureusement. Les chimps goûtaient distraitement aux fruits rouges mûrs. Ils paraissaient satisfaits et insouciants. Je m'interrogeai sur la raison de leurs cris.

Alda et moi nous installâmes pour une longue période de veille, nos feuilles d'analyse prêtes, nos carnets de notes ouverts. Les chimps nous jetaient un œil de temps à autre, mais ne nous prêtaient pas autrement attention — ils étaient complètement habitués aux observateurs. Je les étudiai individuellement à la jumelle. J'avais le sentiment de les connaître, eux et leur caractère, aussi bien que ma famille. Il y avait Clovis, le mâle alpha du groupe, au pelage dense, inhabituellement épais. Mr. Jeb, un vieux mâle, chauve avec une barbichette grise et un bras atrophié, Rita-Mae, une solide femelle adulte au poil brun. Rita-Lu, sa fille, une adolescente presque adulte. Le fils de Rita-Mae, Muffin, un gamin mal dans sa peau, un névrosé qui n'était heureux qu'en la présence de sa mère et que l'arrivée du nouveau-né Lester avait profondément bouleversé. Manquaient Conrad et Lena. Conrad était un adulte mâle dont les sclérotiques blanches, et non pas marron, lui donnaient un regard étonnamment humain. Lena paraissait dans un état de grossesse avancée, grâce à qui, je l'ignorais. C'était une femelle solitaire venue se rattacher au groupe des sudistes. Parfois elle voyageait avec eux pendant quelques jours, mais elle filait toujours après un bout de temps pour réapparaître une semaine environ plus tard. Elle se tenait plutôt à l'écart, à la frange du groupe, mais les autres semblaient accepter ses allées et venues sans faire d'histoire.

Nous les observâmes pendant plus de deux heures. Muffin épouilla Rita-Mae. Rita-Mae abandonna l'arbre une vingtaine de minutes et revint. La troupe des capucins — venant du premier figuier, je suppose — passa tout près. Les chimpanzés leur aboyèrent dessus. Clovis fit une démonstration d'agressivité, branches secouées, poil hérissé. Plus tard, Mr. Jeb tenta sans beaucoup d'ardeur de copuler avec Rita-Lu qui était à moitié en rut, mais elle le repoussa. Lester joua avec sa mère et son frère. Et le temps passa ainsi, un jour ordinaire dans une vie de chimpanzé : nourriture, toilette, repos, avec une certaine dose d'agression et de sexe.

Puis ils parurent avoir mangé tout leur saoul. Rita-Mae ramassa Lester, le jeta par-dessus son épaule et se laissa glisser jusqu'au sol le long d'une des grosses racines apparentes du figuier. Lentement, les autres suivirent. Ils rôdèrent un moment au pied de l'arbre, mâchouillant des figues tombées à terre. Bébé Lester dégringola alors du dos de sa mère et courut tirer et pousser ce qui ressemblait à un fagot de broussailles pourries. Rita-Lu se précipita derrière lui, s'empara du paquet et l'agita violemment dans tous les sens en aboyant très fort. A travers mes jumelles, je vis que l'objet qu'elle brandissait était mou mais plein, comme un chiffon très huileux ou un poisson mort.

Pourtant, lorsqu'elle vit les autres membres du groupe quitter la clairière, elle perdit aussitôt tout intérêt pour le paquet qu'elle jeta au loin en courant rejoindre ses compagnons.

« On y va ? » s'enquit Alda. Normalement, nous aurions dû passer le reste de la journée à suivre le groupe.

« Non. Attends », dis-je. Quelque chose m'intriguait dans ce paquet. Nous nous frayâmes un chemin en direction des rochers sur lesquels Rita-Lu l'avait balancé. Alda s'accroupit et le tripota avec un bout de bois.

« Un babouin, dit-il. Un bébé babouin. »

La minuscule carcasse était à moitié dévorée. Le plus gros de la tête avait disparu tout comme la poitrine et le ventre. Restaient un bras et deux jambes. De petites côtes maigres, pareilles aux dents d'un peigne, brillaient à travers une membrane noircie. Le corps pâle, d'un gris bleuâtre livide, était couvert d'un très fin duvet. Il paraissait douloureusement humain.

Un bébé babouin, dévoré par des chimpanzés, n'était pas chose extraordinaire. Les chimps mangeaient des bébés singes, des bébés antilopes, des bébés mouflons, tout ce qu'ils pouvaient attraper. Mais je savais qu'il ne s'agissait pas là d'un bébé babouin. C'était le cadavre d'un petit chimpanzé âgé de quelques jours.

Nous savons depuis longtemps que les chimpanzés, comme les gorilles, ne sont pas de stricts végétariens. Au zoo de Londres, en 1883, on vit un chimpanzé nommé Sally attraper et dévorer un pigeon entré dans sa cage et continuer à se régaler de tout oiseau trop curieux qui s'aventurait à venir y picorer. Et le travail de Mallabar précisément ici à Grosso Arvore avait beaucoup contribué à établir les différents types de viande consommés par les chimpanzés, et à révéler leur nature de prédateurs. Mallabar fut le premier à observer et photographier les chimpanzés chassant des singes. Dans un film mémorable, il montra au monde un groupe de chimpanzés adultes s'organisant pour chasser, capturer et dépecer un bébé marcassin. Les chimpanzés adoraient manger de la viande — les gens furent très surpris de l'apprendre — et ils chassaient et tuaient afin de s'en procurer. Ce qui les rendaient peut-être moins aimables, moins gentils, mais plus humains.

Je fis le tour des rochers et du figuier foudroyé et songeai à la façon dont Rita-Lu avait frappé le sol avec le corps en lambeaux de ce bébé. Je me demandai ce qu'Eugène Mallabar en concluerait. Alda m'attendit patiemment.

Au bout d'une minute ou deux, je lui ordonnai de mettre les restes dans un sac en plastique et de le sceller. Pendant ce temps, j'examinai le sol sous le figuier et ramassai des échantillons de fèces dans mes bocaux à spécimen. Je les étiquetai tout en m'efforçant de conserver à mes pensées un tour calme et rationnel. Ce que je tenais là était un témoignage très intéressant, mais qui ne rassemblait que des preuves indirectes... Un, il y avait eu la viande dans les matières fécales de Clovis. Deux, le corps à moitié dévoré d'un bébé chimpanzé, âgé de deux ou trois jours. Trois, l'agressivité joyeuse qu'avait déployée Rita-Lu à l'égard du cadavre. Et quatre ? Quatre, la possibilité de traces supplémentaires de viande dans les matières que je venais de ramasser. Total ? Je freinai mon agitation naturelle : doucement, doucement, me dis-je.

Et puis il y avait le bébé. Le bébé de qui ? Celui de Lena ? Possible, puisqu'elle devait mettre bas d'un jour à l'autre. Mais alors, comment le bébé était-il mort ? Et qui ou quoi l'avait mangé ? Et pourquoi Rita s'était-elle conduite de la sorte ? Je cessai de m'enfoncer dans de vaines spéculations. Il nous fallait d'autres faits, plus d'informations. J'expédiai Alda à la recherche de João pour que tous deux essaient de retrouver Lena, découvrent si elle avait mis bas et si son petit était avec elle. Je ramassai le sac en plastique contenant le bébé mort — si léger — et retournai sur Grosso Arvore.

J'étais dans le laboratoire de Hauser. Un simple bâtiment, une cabane rectangulaire de tôle ondulée, qui contenait un équipement réduit, mais étonnamment efficace. Hauser se spécialisait dans la pathologie des chimpanzés. Il tentait en ce moment d'identifier les divers types de vers intestinaux qui infectaient les chimps, d'où l'avidité avec laquelle il accueillait nos échantillons d'excréments bien frais.

Tous deux, à présent, nous nous penchions sur les restes pitoyables du bébé chimpanzé étalés sur un plateau de dissection en acier. Le laboratoire de Hauser possédait un petit générateur qui faisait tourner ses centrifugeuses et ses réfrigérateurs. Dans un coin, un ventilateur de table tournait sa face d'un côté et de l'autre, dispensant sa brise tout en répétant non, non, non. Hauser portait une blouse et un pantalon blancs, mais sans chemise ni tricot de corps sous la blouse. Par-delà les odeurs d'antiseptique de ses produits chimiques et alcools de conservation, on pouvait discerner le relent légèrement acide de son odeur à lui, une fissure déplaisante dans les strates olfactives.

Il émit un léger grognement et tripota le corps avec la pointe de son stylo bille. Il souleva une jambe minuscule et la laissa retomber.

« C'est bien un chimp, dis-je.

— Absolument. Très jeune et peut-être mort depuis vingt-quatre heures. Difficile à dire. Plus de cervelle, plus de viscères. Valait guère la peine de bouffer le reste. Où l'avez-vous trouvé ?

— Oh... dans une de mes zones nourricières.

— Répondit la très discrète Mrs. Clearwater. »

41

Je fis semblant de ne pas entendre et alignai mes bocaux.

« Y a-t-il un moyen, commençai-je du ton le plus badin que je pus, de dire si ceux-ci — je désignai les récipients — ont consommé celui-là ? » J'indiquai le cadavre du bébé.

Hauser me fixa du regard tout en réfléchissant. La sueur marquait son crâne chauve de petites cloques.

« Oui, dit-il. Compliqué, mais possible.

— J'apprécierais beaucoup.

— Je suppose donc que ce ne sont pas des matières fécales de chimpanzé. » Il tapota un des bocaux avec son stylo. Hauser n'était pas un imbécile — ce qui faisait problème.

« Ciel, non, dis-je. Du moins je ne le pense pas. » Je m'efforçai de rire et y parvins assez bien. Mais je sentais l'esprit d'Hauser au travail, mesurant les conséquences. « Juste une folle théorie à moi concernant les prédateurs. » Je regrettai ma phrase aussitôt que je l'eus prononcée. J'en avais trop dit : Hauser savait mieux que personne ce que les chimpanzés mangeaient. Il avait identifié des douzaines de types de plantes et de fruits rien qu'en étudiant leurs matières fécales. Il y regarderait de plus près maintenant. Pour une raison absurde, ma petite ruse me donna un sentiment de culpabilité. Pourquoi ne pas exprimer simplement mes soupçons, tester ma théorie sur un camarade de travail ? Mais j'avais la réponse à ça : je connaissais trop bien mes collègues pour leur faire confiance.

« Rien ne presse, dis-je. Quand vous aurez un moment.

— Non, je vais m'en occuper tout de suite », dit Hauser, d'un air sinistre.

Je quittai le laboratoire avec un certain soulagement. Il faisait chaud dehors, le soleil brillait, pâle, à travers un mince écran de nuages. Pas un oiseau ne chantait. Tout le bruit provenait de la zone nourricière artificielle, et d'après le volume des halètements, aboiements et hurlements, deux bonnes douzaines de chimps devaient s'empiffrer des bananes gratuites de Mallabar. Et, vu leur nombre, la majorité des chercheurs devait se trouver là-bas : Mallabar, Ginga, Toshiro et Roberta Vail, et une demi-douzaine d'assistants, tous en train d'observer et de noter furieusement. Ian Vail, à mon sens, serait probablement dans la nature ; comme moi, il était d'un extrême scepticisme à l'égard du célèbre jouet de Mallabar.

Je retournai vers ma tente, critiquant en moi-même la manière dont j'avais procédé quant à la découverte du bébé mort. Il me fallait apprendre à me montrer plus astucieusement évasive, me dis-je : un mauvais mensonge revient à avouer la vérité... Je fus interrompue dans mes reproches par la vue de João et Alda qui m'attendaient. Aucune trace de Lena, affirmèrent-ils. Il n'y avait pas de raison de les renvoyer sur le terrain à cette heure de l'après-midi et je les laissai donc repartir chez eux. Je traînai une chaise à l'ombre d'un auvent de toile tendu au-dessus de l'entrée de ma tente avant d'essayer d'écrire une lettre à ma mère, mais j'avais l'esprit trop préoccupé pour me concentrer et j'abandonnai après trois ou quatre lignes.

Ce soir-là, à la cantine, j'attendis le départ de Roberta avant de m'approcher de Ian Vail. Sa surprise, puis son bonheur mal dissimulé eussent été touchants dans d'autres circonstances, mais son plaisir évident à l'idée que je prenne l'initiative d'une conversation m'irrita. Nos rapports étaient cordiaux et profes-sionnels, en ce qui me concernait. Je ne procédais qu'à une innocente enquête, pourquoi devait-il donc en faire une histoire personnelle, la lier à d'autres motifs ? Il posa son plateau et se tourna vers moi pour m'accorder son attention pleine et totale.

« Vas-y », dit-il, ses yeux pâles aux cils pâles me bombardant, j'en étais sûre, d'aveux télépathiques, mais inutiles : Ian Vail ne m'intéressait nullement.

Je lui demandai s'il y avait eu des naissances récemment parmi ses chimpanzés nordistes.

« Non, j'ai deux femelles enceintes, mais aucune près de mettre bas. Pourquoi ?

— J'ai trouvé un bébé mort aujourd'hui. Je cherche la mère.

— Comment est-il mort ?

— Un accident, je pense. Je ne sais pas. »

Il se frotta le menton. La lampe tempête illumina les poils de son avant-bras, denses et frisés, du grillage doré. Ils paraissaient épais d'un centimètre.

« Il y a aussi deux nomades assez avancées, dit-il. Veux-tu qu'on vérifie ? Si Eugène n'a pas de session de nourriture demain, on a une chance de les trouver. Ça ne devrait pas être difficile.

— Parfait », répliquai-je, essayant de ne pas remarquer son sourire de plaisir puéril. Nous convînmes de nous rencontrer à sept heures du matin. Il passerait me prendre avec la Land Rover.

Je revins vers ma tente et m'aperçus que les lumières brûlaient encore dans le laboratoire de Hauser. Je me rendis compte que je ne l'avais pas vu à la cantine ce soir-là et je sentis l'inquiétude me gagner. Hauser n'avait pas la réputation de faire des heures supplémentaires.

Une demi-heure plus tard, tandis que je rédigeais mes notes du jour, j'entendis dehors la voix de Mallabar demandant s'il pouvait me dire un mot. Je le fis entrer et lui offris un scotch qu'il refusa. Il promena son regard autour de ma tente, et puis le ramena sur moi, comme si mon décor pouvait lui fournir une indication cachée quant à ma personnalité. Je lui proposai un siège, mais il resta debout et en vint droit au but.

« Le corps que vous avez trouvé aujourd'hui, pourquoi ne m'en avez-vous pas parlé ?

— Pourquoi l'aurais-je fait ? »

Il sourit patiemment, le sage directeur d'école affrontant l'élève rebelle. Je m'efforçais toujours de faire preuve d'un supplément d'assurance avec Mallabar. Il jouait si totalement de son charme sur n'importe qui d'autre que je faisais des efforts spéciaux pour montrer à quel point j'y étais insensible.

« Les décès doivent être enregistrés. Vous le savez.

— C'est ce que je fais. » Je désignai du doigt mon carnet. « Simplement, je n'ai pas encore toutes les informations. Hauser...

— C'est pourquoi je suis ici. Pour vous empêcher d'aller plus loin. » Il se tut un instant. « Nous avons toutes les informations maintenant. Ce n'était pas un chimp.

44

— Oh, allons donc !

— Hope, c'est très facile de se tromper. Je l'ai fait moi-même bien, bien des fois. Le cadavre en partie décomposé d'un nouveau-né... Difficile à dire, ma chère, vraiment difficile.

— Mais Hauser...

— Anton vient de me confirmer qu'il s'agissait d'un bébé babouin.

— Ah !

— Je ne vous blâme pas, Hope, sachez-le bien. Vous faisiez votre travail. Je regrette seulement que vous ne soyez pas venue tout de suite à moi avec votre hypothèse. » Il prit un siège. Je me demandai ce qu'il savait de mon hypothèse.

« Je dois dire que je pensais...

— Je ne voulais pas, m'interrompit-il à nouveau avec un geste en direction de mon journal, je ne voulais pas vous voir prendre une fausse piste.

— Merci. »

Il se leva.

« Nous ne sommes pas des imbéciles ici, Hope. Ne nous sous-estimez pas, je vous en prie. Nous ne vous sous-estimons certainement pas nous-mêmes.

— Ça ressemblait vraiment à un chimp, je vous assure.

— Eh bien... » dit-il lentement, détendu par mon acceptation. Puis il fit quelque chose d'extraordinaire : il se pencha vers moi et m'embrassa sur la joue. Je sentis le picotement de sa barbe soignée.

« Bonsoir, ma chère. Dieu merci, vous vous êtes trompée. » Ce sourire encore. « Notre travail ici... » — pause — « notre travail ici est terriblement important. Son honnêteté doit être au-delà de tout soupçon. Vous devez comprendre le dommage potentiel de théories folles — non, je ne veux pas dire folles — de théories *hâtives*... Hein ? » Il me regarda fixement, me souhaita derechef le bonsoir et s'en fut.

Après son départ, je m'assis et fumai une cigarette. Il fallait que je me calme. Puis je terminai la rédaction de mes notes : je décrivis les événements avec précision et n'apportai aucune modification aux faits.

Cela terminé, je quittai ma tente et pris la Grand-Rue en

direction du laboratoire de Hauser. Les lumières y brillaient encore. Je frappai et fus autorisée à entrer.

« Juste à temps, dit Hauser. Vous pouvez reprendre ça. » Il me tendit mes bocaux à échantillon, tout propres.

« Quels étaient les résultats ?

— Aucune trace de viande. Rien que d'ordinaire. Fruit, feuilles. »

Je hochai la tête.

« Eugène vient de me rendre visite.

— Je sais, fit Hauser sans se troubler. Moi aussi j'ai d'abord pensé qu'il s'agissait d'un chimp et je le lui ai mentionné en passant... Et nous avons donc regardé tous les deux de plus près. » Il sourit faiblement et releva la tête. « C'était un bébé babouin. Sans conteste possible.

— C'est drôle que nous ayons tous deux cru instantanément, tout de go, qu'il s'agissait d'un bébé chimpanzé.

— Terriblement facile de se tromper.

— Naturellement. » Très bien, me dis-je, on va jouer ton jeu. Je le regardai droit dans les yeux d'un air interrogateur. Il ne cilla pas.

« Puis-je récupérer le corps, s'il vous plaît ? demandai-je.

— Je crains que non.

— Pourquoi ?

— Je l'ai incinéré il y a deux heures. »

L'ALBATROS DES VAGUES ET LE HÉRON DE NUIT

Sur Brazzaville Plage, au soleil tôt le matin, j'observe deux mouettes s'agiter et se battre autour d'un morceau de nourriture — une tête de poisson ou un croûton d'igname, je ne distingue pas bien. Elles couinent et se rengorgent, leurs becs s'entrechoquent avec le bruit de tasses en plastique qu'on empile.

Aux îles Galapagos, les albatros des vagues s'accouplent pour la vie. J'ai vu des films où ils se bécotent et se pelotent comme deux amoureux en goguette. Et il ne s'agit pas là d'un flirt rituel ni

d'une démonstration de circonstance : ces deux oiseaux cohabite-
ront jusqu'à ce que la mort survienne.

Une de mes mouettes se débrouille pour attraper le bout de
nourriture et filer avec. L'autre la laisse partir et picore distraite-
ment le sable.

Aux îles Galapagos, il existe un autre oiseau qu'on appelle le
héron de nuit. Le héron de nuit produit trois oisillons et puis
attend de voir lequel se montrera le plus fort. Après une semaine
environ, l'oisillon le plus costaud attaque les deux autres et tente
de les flanquer hors du nid. Il finit par y réussir, les faiblards
tombent par terre et meurent.

Pendant la bagarre, tandis qu'un des petits dispose des deux
autres, la maman héron demeure près du nid et observe. Elle
n'intervient pas.

John Clearwater était mathématicien. Constatation en apparence banale, mais qui, pour Hope, représentait à la fois la cause
première de la séduction qu'il exerçait sur elle et la source de
tous ses énormes problèmes. Elle savait qu'il n'était pas particulièrement beau, mais, aussi bien, elle n'avait jamais été très
attirée par les beaux mâles. Elle trouvait à la beauté masculine
quelque chose de facile et de superficiel. De trop banal, pour
commencer, et par conséquent de déprécié. Partout où elle
allait, elle rencontrait des hommes « beaux » à un titre ou à un
autre : des vendeurs dans des boutiques, des clients dans des
restaurants, des ouvriers sur des échafaudages, des employés de
bureaux en costume trois-pièces, des types en uniforme dans des
aéroports... Il existait bien plus d'hommes physiquement sédui-
sants que de femmes, à son avis. Il était beaucoup plus difficile
de trouver une très belle femme.

Quoique de taille moyenne, Clearwater faisait plus court. Il
pesait aussi quelques kilos de trop quand Hope l'avait connu et
ce poids superflu ajoutait à l'impression de solidité râblée qu'il
donnait. Il avait des cheveux noirs raides, un peu clairsemés
devant et qu'il coiffait rejetés en arrière. Il portait des vêtements
d'une orthodoxie inattaquable : veste de sport marron et panta-

lon de flanelle gris foncé, chemises en viyella et cravates unies tricotées, mais qui lui seyaient parfaitement. Il émanait de sa manière de s'habiller un littéral je-m'en-fichisme, et le côté usé et confortable de ses vêtements ignorait mode et style avec une ostentation brutale autrement séduisante, pour Hope, que le conformisme le plus raffiné.

Il avait un long nez droit et des yeux bleu pâle, lumineux. Hope n'avait jamais vu personne fumer une cigarette aussi vite. Ses cheveux rejetés en arrière et son comportement d'impatiente précipitation lui apparaissaient à la fois curieusement excitants et libérateurs. En sa compagnie, elle sentait ses propres possibilités atteindre des dimensions absurdes. Il était indifférent aux engouements passagers du monde, à son épate et son esbroufe. Ses goûts, comme ceux de la plupart des gens, étaient à la fois quelconques et mystérieux, mais ils semblaient s'être développés d'eux-mêmes, autogénérés, sans aucune influence. Elle trouvait cette assurance et cette autonomie très enviables.

Il y avait aussi des désavantages. Cette même autonomie le rendait relativement peu curieux de ce que Hope aimait ou n'aimait pas elle-même. Quand ils faisaient quelque chose qu'elle souhaitait, elle avait toujours l'impression qu'il s'agissait pour lui d'un acte de politesse, quoiqu'il protestât du contraire. Et sa complète absorption dans son travail, d'une abstraction à donner le vertige, l'amenait à exclure l'humanité entière, autant qu'elle pouvait en juger, à part une poignée de gens appartenant à des universités ou des institutions lointaines.

Elle le rencontra, en définitive, un soir de juin à une réception du corps enseignant, à la clôture du trimestre. Elle venait d'aller chercher à l'agence spécialisée le tapuscrit de sa thèse de doctorat, et la joie étrange que cette rame de papier suscitait en elle l'avait encouragée à trop boire. Quand, enfin, elle se retrouva face à face avec Clearwater, elle le dévisagea très attentivement. Il avait besoin de se raser — il avait le poil dru — et il paraissait fatigué. Il buvait du vin rouge dans une chope en verre d'un quart de litre remplie à ras bord.

« Alors, c'est quoi votre racket ? lui demanda-t-il sans enthousiasme.

— Vous pouvez faire mieux que ça, dit-elle.

— OK. Vous avez renversé du vin sur votre blouse.

— Ce n'est pas du vin, c'est une broche. »

Il se pencha de quelques centimètres pour examiner le camée noir épinglé au-dessus de la courbe du sein gauche.

« Mais bien sûr. J'aurais dû amener mes carreaux.

— Vous êtes américain?

— Non, non. Excusez-moi. " Amener mes lunettes. " Ça vous va? J'ai passé quatre ans au CalTech. Ça peut vous ravager l'élocution. »

Elle regarda ses vêtements. Il ressemblait à un instituteur des années trente.

« J'aurais deviné que vous aviez vécu en Californie. Toutes ces couleurs pastel. »

Il parut un peu surpris, soudain perdu, comme s'il venait d'entendre un mot d'argot qu'il ne connaissait pas. Elle se rendit compte qu'il n'arrivait pas à croire qu'elle parlait de ses vêtements.

« Oh... Mes habits. Je vois.

— Pas exactement à la pointe de la haute couture.

— Désolé. Je ne m'intéresse pas aux fringues. »

En réponse à ses questions, il lui raconta qu'il faisait ses achats vestimentaires une fois tous les cinq ans et qu'il avait alors tendance à tout acquérir à la douzaine — chaussures, vestes, pantalons. Il tendit un bras pour montrer un trou dans sa manche à la hauteur du coude.

« En fait, ça a presque dix ans. On n'avait pas vraiment besoin de vestons en Californie.

— Alors, que portiez-vous là-bas?

— Nom de Dieu ! » Il rit, puis ajouta plus poliment : « Oh... je ne sais pas. Je ne portais pas de vestes.

— Mais à la plage ? Au soleil ?

— Je travaillais. Je n'étais pas en vacances. Et puis, pourquoi aurais-je voulu aller à la plage ?

— Vous amuser.

— Écoutez. J'ai trente-cinq ans. Je n'ai plus beaucoup de temps. »

Elle rit, un peu trop longtemps, incapable de se contrôler sous l'effet de la boisson. Puis John se mit à rire en réaction à cette hilarité. Il fallut beaucoup de temps à Hope avant de comprendre qu'il avait été en fait très sérieux.

A la fin de la soirée, il lui demanda de sortir avec lui. Oui, il sortait, avoua-t-il, et il picolait, par accès, en général quand il changeait de « champs d'études », selon son expression. Elle avait de la veine, dit-il sans aucune condescendance, de l'avoir coincé au sommet de la courbe.

Ils firent l'amour pour la première fois une semaine plus tard, dans la chambre de son appartement de South Kensington. Lui habitait l'*Oxford and Cambridge Club,* et cherchait vaguement un endroit où s'installer à deux pas de l'*Imperial College* où il occupait un poste de recherche. Il revint chez Hope le lendemain soir et y resta, puis le soir d'après encore. Au bout d'une douzaine de nuits, elle lui proposa de l'héberger jusqu'à ce qu'il trouve quelque chose. Cela paraissait raisonnable. Il vivait toujours chez Hope en août quand, trois mois et cinq jours après leur première rencontre, il lui demanda de l'épouser.

Ils étaient mariés depuis huit semaines quand Hope nota le premier changement. L'été était fini, l'automne bien avancé. Elle rentra à la maison par une soirée glaciale et déboucha une bouteille de vin.

« Veux-tu un verre, Johnny ? » cria-t-elle.

Il la rejoignit dans la cuisine.

« Non, merci, dit-il. J'ai arrêté.

— Arrêté quoi ?

— De picoler.

— Depuis quand ?

— Depuis maintenant. »

Il ouvrit le réfrigérateur. Hope aperçut à l'intérieur une demi-douzaine de bouteilles de lait. Il s'en versa un verre. Il lui sourit. Il semblait d'une extraordinaire bonne humeur.

« Faut que je me garde des forces.

— Que se passe-t-il ?

— J'ai trouvé, annonça-t-il. Je sais ce que je vais entrepren-

dre. » Il imprima un petit mouvement tournant à sa main.
« Plein d'étonnants... Le potentiel. L'excitation. »
  Elle se sentit ravie pour lui. Du moins c'est ce qu'elle se dit.
« Formidable. Qu'est-ce que c'est ? Raconte-moi.
— La turbulence, dit-il. La turbulence. »

LE JEU ÉQUATION ZÉRO

La turbulence est la nouvelle passion de John Clearwater. Hope sait que sa vieille flamme, ses amours durant de nombreuses années, a été la Théorie du jeu. Il a passé quatre ans à CalTech à travailler sur la Théorie du jeu : la théorie des conflits rationnels. John lui a expliqué un certain nombre de choses au sujet de ses recherches à CalTech. Il a commencé avec des jeux à deux — les équations zéro à deux personnes, comme il les appelait. Un jeu d'équation zéro est un jeu où le gain de l'un des participants est nécessairement la perte de l'autre. « Comme le mariage », suggéra Hope. « Eh bien non, répliqua John. Le mariage n'est pas un jeu d'équation zéro. Les sentiments interviennent. La perte d'une personne ne représente pas nécessairement un gain pour l'autre. » John lui expliqua la présence d'un autre facteur : il s'intéressait particulièrement aux jeux d'information parfaite, qui ne comprenaient aucun secret. Dans ces jeux, affirma-t-il, il existait toujours une stratégie optima. C'est ce qu'il recherchait : des stratégies optimae. Les échecs sont un jeu d'information parfaite, de même que le jeu du morpion. Les jeux d'information parfaite peuvent être infiniment complexes ou relativement simples. La seule condition, c'est l'absence obligatoire de secrets. Le poker n'est pas un jeu d'information parfaite. Le poker est un jeu à deux, équation zéro, sans l'information parfaite. « Juste comme le mariage », dit Hope. John refusa encore d'en convenir.

J'étais prête tôt le lendemain matin quand Ian Vail vint me chercher. Une piste de terre battue menait à environ deux kilomètres au cœur de la zone nord, ce qui économisait pas mal de temps : un cinquième et même un quart de mes journées se passait en aller et retour.

En chemin, Vail m'annonça qu'il avait expédié en éclaireurs, dès l'aube, à la recherche des chimpanzés, deux de ses assistants munis des walkies-talkies. Avec un peu de chance, dit-il, nous po⁓⁓ions couvrir la majorité sinon toute la population nord dans la journee J'étais très consciente des effets-retards de ma rencontre avec Mallabar la veille au soir. Je demandai à Vail s'il avait parlé de notre sortie à quiconque. Il me regarda, un peu surpris.

« Non, dit-il. Pourquoi ?

— Mallabar pense qu'il ne s'agissait pas d'un bébé-chimp. Ce cadavre. Il dit que c'était un babouin.

— Et tu n'es pas d'accord ?

— Ce n'est pas le problème. J'ai raison, il a tort. »

Vail fit la grimace :

« Écoute, Hope, peut-être ne devrais-tu pas m'en dire davantage. Tu comprends ? Eugène a été extraordinairement... Je ne veux pas avoir à prendre parti. »

Je souris intérieurement : du Ian Vail craché.

« Oh, ne t'en fais pas. Je ne mentionnerai pas ton nom. Un simple désaccord professionnel.

— Il doit avoir ses raisons. Enfin, si tu es dans le vrai.

— Je suis dans le vrai et il a ses raisons. Encore que je ne sache pas ce qu'elles sont. »

Je percevais l'inquiétude croissante de Vail : dans quoi allait-il se fourvoyer ici ? Dans quelle mesure, en m'aidant de la sorte, allait-il à l'encontre des souhaits de son bienfaiteur ?

« C'est difficile pour moi, c'est tout, dit-il faiblement. Avec Roberta et le reste. »

Roberta Vail. L'épouse américaine de Ian, le porte-plume et le coauteur non reconnu de Mallabar. Roberta idolâtrait — le terme n'était pas trop fort — Mallabar, et tout le monde le savait, même si cette adoration se traduisait en termes d'une respectable admiration professionnelle. Peut-être, me disais-je à présent, était-ce la fervente dévotion de Roberta pour Eugène qui avait conduit Ian Vail à tenter de m'embrasser ce jour-là... Je me rendais compte aussi qu'il valait mieux que Roberta ne sût rien de cette expédition — non point parce qu'elle ne faisait pas confiance à son mari (ce n'était pas le cas), mais à cause d'un implicite manque de loyauté à l'égard du divin Eugène. Toutefois, j'étais certaine que c'était là un secret que Ian ne divulguerait pas.

Nous garâmes la Land Rover et prîmes le sentier à travers les collines qui montait vers les herbages du plateau. Nous nous trouvions maintenant au milieu du Parc national de Grosso Arvore, une étendue d'environ deux cent cinquante kilomètres carrés. Notre territoire, où se promenait le groupe nord des chimpanzés, était plus petit, une bande de forêt et de brousse d'environ quinze kilomètres de long sur trois de large. Il abritait une population variant de trente à cinquante chimpanzés — assez réduite, désormais, par la migration de mes sudistes.

A peu près la moitié du groupe nord avait été repéré par un des assistants de Vail, nous annonça-t-on par walkie-talkie. Nous avancions à bonne allure. Il nous fallut à peine une demi- heure pour les rejoindre. Je remarquai à quel point on marchait mieux dans le Nord, en l'absence de cette forêt épaisse ou de ce sous-bois dense auxquels je me heurtai au Sud.

Nous eûmes beaucoup de chance de trouver autant de chimpanzés réunis en un seul lieu. Ceci grâce aux trois grands palissandres à présent en bourgeons. Je comptai quatorze chimpanzés installés sur les branches, en train de déguster avidement les petites grappes sucrées.

Ian pointa son doigt :

« Deux des femelles enceintes sont ici. Regarde. »

« Deux de retrouvées. Combien en restait-il ?... Nous nous assîmes à cinquante mètres des arbres pour observer les singes à la jumelle. Il était environ huit heures et demie du matin, et nous devions approcher de la fin de la première séance de nourriture de la journée. Déjà on percevait un certain nombre d'appels et pas mal d'agitation. Mais les chimps continuaient à se gaver. Les bourgeons de palissandre, un de leurs mets favoris, ne dureraient que trois ou quatre jours avant d'éclore.

J'aperçus à travers mes jumelles une jeune femelle en plein rut. Le renflement rose de la peau autour des parties génitales était notablement gonflé, une protubérance de la taille d'un gros chou. Les mâles sur son arbre s'excitaient de plus en plus, à grands renforts de branches secouées, de cris et de hurlements. Mais la femelle se tenait sur son quant-à-soi, assise, à l'extrémité du palissandre, sur de minces branchages souples qui ne pouvaient en aucun cas supporter le poids d'une autre bête. Les chimpanzés copulent souvent dans les arbres et, de temps à autre, un mâle s'approchait d'elle aussi près qu'il l'osait et s'accroupissait pour lui exhiber son pénis en érection, tout en agitant le feuillage et en tapant sur les branches avec enthousiasme. La femelle, en revanche, semblait ne pas lui prêter la moindre attention et mâchouillait avec satisfaction les grappes de bourgeons qu'elle fourrait par poignées dans sa bouche.

Mais finalement, comme si elle pressentait que cette excitation collective avait atteint son paroxysme, et que les patients mâles avaient suffisamment souffert, elle descendit de son arbre. L'air vibrait de cris et de hurlements.

Je vis un grand mâle avec une plaque de pelage marron sur le cou prendre la position accroupie habituelle près d'elle. Il écartait largement les pattes et je distinguais parfaitement son pénis dressé, mince et pointu, de dix centimètres de long environ, couleur lilas sur le poil sombre de son ventre, frémissant légèrement au-dessus de son scrotum qui reposait, rebondi, sur le sol.

Je donnai un coup de coude à Ian :

« C'est le mâle alpha ?

— Oui. N4A.

— Oh, ça va. Quel est son nom ?

— Darius.

— Et la femelle ?

— Crispina. »

Darius gratta et frappa le sol de ses phalanges. Il contemplait avec une vive attention Crispina qui lui tournait à moitié le dos. Crispina souleva sa croupe rose et recula lentement en regardant de temps en temps en arrière. Darius s'accroupit, presque immobile, vacillant à peine d'un côté sur l'autre, le cône pâle et tendu de son membre toujours frémissant. Il grogna doucement tandis que Crispina se nichait à reculons contre lui.

Ce fut très vite terminé. Darius la pénétra en émettant un cri rauque et Crispina hurla. Après cinq ou six secondes, et dix poussées de Darius, Crispina s'écarta d'un bond. Darius ramassa un paquet de feuilles dont il essuya son pénis avec soin. Mais déjà Crispina s'était tournée et présentait sa croupe rubiconde à un autre chimpanzé accroupi.

Je jetai un coup d'œil à Ian. Il suivait la scène à travers ses jumelles. Nous vîmes Crispina copuler avec quatre autres mâles. Elle refusa de faire quoi que ce soit avec deux des adolescents, malgré leur démonstration théâtrale. En fait, elle paraissait plus attirée par Darius vers qui elle retourna à plusieurs reprises, lui offrant ses fesses à reculons et même, à un moment donné, touchant, histoire de l'encourager, son pénis flasque. Mais il avait perdu tout intérêt ou, du moins, n'était pas excité. Puis, comme sur un signal secret, chacun parut se calmer. Crispina s'allongea par terre et se toiletta ; Darius et les autres mâles regrimpèrent dans les arbres. Vail posa ses jumelles et gloussa.

« Fascinant. Elle sait vraiment ce qu'elle veut, la Crispina, dit-il, avec ce que je jugeai un vilain rictus.

— Comment ça ?

— Rien... » Il rougit. « Enfin quoi, c'est fascinant de voir une femelle dominatrice émerger de nouveau dans le groupe. Ça a pris un bout de temps. On repart ? »

Nous quittâmes les palissandres et revînmes sur nos pas sur huit cent mètres avant de prendre un sentier menant vers le nord-est. Un des assistants de Vail avait localisé un autre groupe plus restreint de chimpanzés en train de festoyer sur des nids de termites. Quelque chose dans la dernière remarque de Vail me tracassait.

« Que veux-tu dire par une femelle dominatrice émergeant de nouveau ?

— Eh bien, c'était autrefois Rita-Mae, vois-tu. Avant qu'elle ne file au Sud. Crispina — ce qui vient de se passer — on dirait exactement Rita-Mae.

— Les accouplements ?

— Oui. Et la préférence pour certains mâles. Le rejet d'autres.

— Et tu crois que c'est significatif. Qu'il existe une sorte de — je cherchai le mot exact — une sorte de stratégie ?

— Ah, Ah ! Encore quelqu'un qui n'a pas lu mon article.

— Quel article ? »

Il paraissait absurdement content de lui.

« C'est une théorie que j'ai. Tu comprends, ce n'est pas le mâle alpha qui donne sa cohésion au groupe, c'est une femelle. Une femelle dominatrice. C'est Rita-Mae qui a emmené le groupe au Sud, pas Clovis. »

Ceci était tout nouveau pour moi.

« Comment Mallabar a-t-il réagi ?

— Oh, il n'est pas d'accord. Pas du tout. Il ne croit pas que la scission ait un rapport quelconque avec une histoire sexuelle. »

Tandis que nous cheminions le long du sentier en direction des nids de termites, Vail me parla du papier qu'il avait écrit. Je ne lui prêtai pas une oreille très attentive et mes pensées revinrent brusquement au bébé mort. Et à Lena. Finalement, pour le faire taire, je demandai à voir l'article en question. Il promit de me l'apporter.

Près des nids de termites, nous trouvâmes l'assistant de Vail aux aguets d'un groupe de six chimpanzés qui se nourrissaient des insectes. Il y avait là une femelle très enceinte. Vail l'identifia comme une des deux nomades qu'il pointait régulièrement.

« C'est une des attractions étrangères, dit-il.

— Pourquoi les appelles-tu ainsi ?

— Juste une expression. Avant que Crispina devienne sexuellement populaire, c'était ces dames qui mettaient de l'animation. Elles se pointaient comme des fleurs dans le quartier, pour ainsi dire. Est-ce important ?

— J'ai déjà entendu l'expression, c'est tout. Dans un autre contexte. »

Nous regardâmes les chimpanzés se gaver pendant un moment avant de regagner la Land Rover. J'avais plein d'idées dans la tête. Je demandai à Vail de me répéter sa théorie. Il expliqua que le groupe du Nord s'était montré stable, socialement parlant, grâce à la présence d'une forte femelle sexuellement populaire, Rita-Mae. Après son départ, les autres femelles plus jeunes étant incapables de la remplacer, le groupe commença à se fragmenter. D'autres femelles nomades furent recrutées — les attractions étrangères — pour tenter, selon Vail, de découvrir une autre Rita-Mae. Mais ce ne fut que lorsque Crispina commença à avoir du succès et à favoriser Darius — qui émergea promptement comme le mâle alpha — que les perturbations provoquées par le schisme se calmèrent un peu.

« Mais je prévois des problèmes, poursuivit Vail. Deux des femelles du groupe sont enceintes, ainsi qu'une des nomades. Crispina est la seule avec un cycle sexuel en fonction. Quand elle tombera enceinte, Dieu sait ce qui se passera.

— Que dit ta théorie ?

— Je crains que ce ne soit là où elle commence à ne plus tenir la route. »

Vail me déposa devant chez moi. On était au milieu d'un après-midi, chaud et silencieux, exception faite du grésillement métallique des cigales. A l'intérieur de ma tente, on étouffait. Le toit de tôle ondulée était théoriquement conçu pour la garder plus fraîche, mais je ne pouvais pas imaginer comment il l'aurait pu. J'ôtai ma chemise et m'essuyai de haut en bas. Liceu avait plié mes vêtements lavés de frais dans une cantine que j'ouvris pour y choisir un T-shirt blanc. Puis je fronçai les sourcils : la cantine n'avait pas été fermée à clé ainsi qu'elle l'aurait dû. Non pas pour des raisons de sécurité — la clé pendait au bout d'une ficelle attachée à une poignée —, mais je demandai toujours à Liceu de bien verrouiller la malle pour réduire le risque de voir s'y introduire des punaises ou autres bestioles.

J'enfilai mon T-shirt. Peut-être Liceu avait-il simplement oublié. Je m'assis à mon bureau et examinai les objets rangés dessus : la photo de mes parents, de ma sœur et de ses enfants, l'agrafeuse, la chope de métal rouge remplie de stylos, les ciseaux, le presse-papier de verre taillé... Je ne me rappelais pas avoir laissé le presse-papier exactement dans cette position. Ni les ciseaux. Ou peut-être que si. Ou alors Liceu avait fait la poussière. J'ouvris le tiroir. S'y trouvaient mon carnet de notes, des élastiques, des trombones, une règle, mon journal à reliure noire. Tout paraissait en place. Puis, dépassant des pages écornées d'une vieille édition de poche d'*Anna Karénine*, un bout de papier alu me tira l'œil. J'ouvris le livre. Ils étaient toujours là, mes trois derniers préservatifs. Mais je savais maintenant que quelqu'un avait fouillé ce tiroir. Je cachais les préservatifs bien enfouis au milieu de ce bouquin. Ils ne me servaient pas de marque.

Hauser ou Mallabar ?... Puis je réfléchis. Ça dépassait un peu les bornes tout de même, non ? J'ouvris mon journal : ma phrase était là, inchangée. Le cadavre d'un bébé chimpanzé, âgé de deux ou trois jours, partiellement dévoré. A quoi m'attendais-je ?

Je posai mes paumes à plat sur le bois tiède du bureau. La mort d'un bébé chimpanzé. La popularité sexuelle de Crispina. La théorie de Ian Vail. Et maintenant quelqu'un fouillant discrètement mes affaires. Pour trouver quelque chose ou simplement confirmer des soupçons ?

« Hope ? »

Ian Vail était dehors. Je relevai le pan de la tente pour le laisser entrer.

« Bon Dieu, ce qu'il fait chaud, ici. » Il paraissait un peu nerveux. « Je repars. Je t'ai apporté ça. » Il me tendit un journal : *Bulletin de l'Association australienne de primatologie.*

« J'ignorais que tu fusses membre », m'étonnai-je.

Il sourit avec l'air de s'excuser.

« Ce sont les seuls qui l'ont accepté. Je crois te l'avoir déjà dit : Eugène ne s'est pas vraiment mis en quatre pour m'aider à le faire publier. »

Je feuilletai la revue à la recherche de son article que je trouvai : « Stratégies sexuelles et sociales des chimpanzés femelles sauvages ». Je lus quelques phrases.

« Un véritable roman, dit-il. Une fois que je l'ai eu lâché, je n'ai pas réussi à le reprendre. » Sa plaisanterie éculée le fit vaguement ricaner.

J'avais les yeux baissés sur les pages entre mes mains, mais, au son de sa voix, je compris qu'il s'était rapproché de moi.

58

Quelques longues secondes s'écoulèrent. Je savais ce qui se passerait dès que je lèverai la tête.

Je levai la tête. Ian s'avança et ses mains s'agrippèrent à mes épaules. Je détournai mon visage. Ses lèvres et son nez s'écrasèrent sur ma joue.

« Hope, dit-il, la voix pâteuse. Hope !

— Non, Ian. » Je le repoussai. « Que faut-il te dire ? Merde ! »

Il faisait peine à voir. Sa peau claire rougissante, son front couvert de sueur.

« Je suis tombé amoureux de toi, gémit-il.

— Oh mon Dieu... Ne sois pas aussi, aussi ridicule, Ian. Pour l'amour du ciel !

— Je n'y peux rien. Aujourd'hui, quand... J'ai cru que tu...

— Écoute. Tout ceci n'amènera à rien. Je te l'ai déjà dit la dernière fois.

— Hope, donne-moi simplement...

— Et Roberta ? » Je retournai le couteau dans la plaie. « J'aime bien Roberta, mentis-je. Je t'aime bien toi aussi, mais c'est tout. Ce n'est pas juste pour aucun de nous. »

Il avait un air bizarre : comme s'il avait mâché du gravier, mais eût été trop poli pour le cracher.

« Je t'en prie, Ian.

— Je suis désolé. Je ne... Ça n'arrivera plus. »

Il s'en alla. Je me remis à mon bureau et pensai à Ian un moment. Puis je lus son article. Il était très bon.

Roberta Vail était quelconque et plutôt boulotte. Elle avait des cheveux blonds raides qu'elle coiffait toujours tirés en arrière et réunis en une queue de cheval ferme et touffue. Elle n'était pas laide, mais sa bouche exprimait la lassitude. Elle terminait son repas. Elle alluma une cigarette. Elle ne fumait qu'en l'absence de Ian.

« Où est Ian ? » Je m'assis en face d'elle avec mon plateau.

« Il ne se sent pas très bien. Pas faim. »

Je compatis et entamai mon dîner.

Quelque chose en Roberta ne cessait de m'échapper. Peut-être était-ce son attitude réservée, apathique — que pensait-elle ? Était-elle heureuse ou triste ? Était-ce important ? Ou peut-être s'agissait-il simplement de cet air de mystère associé à certains couples : une curiosité agaçante de la part de l'observateur sur les raisons de leur attraction mutuelle pour commencer ; une ignorance fondamentale de ce que l'un a bien pu trouver de séduisant dans l'autre... Ceci est peut-être un peu injuste, me dis-je. Je voyais ce qu'on pouvait trouver d'intéressant ou d'attirant chez Ian Vail, en ce qui concernait Roberta, je séchais. Mais après tout, pensai-je, on n'est jamais très certain de comprendre ce qui fait le bonheur d'un homme et le malheur d'un autre dans le domaine sexuel. Je me suis trompée bien plus de fois que je ne tiens à m'en souvenir, et Meredith, ma meilleure amie, me confia, après la débâcle de mon mariage, qu'elle n'avait jamais, au grand jamais, compris mon obsession pour John Clearwater. Je fus sidérée — je croyais que c'était clair comme le jour pour les autres.

Je reportai mon attention sur Roberta : elle me racontait une observation qu'elle avait notée dans la zone nourricière artificielle. Je cessai complètement de l'écouter quand Mallabar et Ginga firent leur entrée. Mallabar avait quelque chose d'inhabituel dans son allure, ce soir. Il donnait l'impression de bomber le torse, ses yeux — je sais que ça paraît absurde — semblaient plus intelligents. Il traversa pour se rendre à la cuisine et Ginga vint nous rejoindre, Roberta et moi.

« Que se passe-t-il ? dis-je.

— Eugène vous racontera. Vous avez une cigarette ? »

Je lui offris une Tusker, Roberta une Kool. Elle prit celle de Roberta qui partit à la recherche d'un dessert pendant que nous allumions nos cigarettes. Ginga se tourna vers moi, le corps placé de façon à ce que nous puissions nous parler en confidence. Ginga avait un visage étroit aux lèvres minces, prématurément ridé et vieilli par trop d'années passées sous le soleil d'Afrique, des yeux inhabituels, aux paupières lourdes comme si elle mourait d'envie d'aller dormir, mais faisait un effort spécial pour vous. Elle parlait bien l'anglais, mais avec un accent prononcé — suisse, je suppose, elle était originaire de Lausanne. Elle était très maigre. J'imaginais que dans de bons vêtements elle aurait eu de l'élégance. Je ne l'avais jamais vue autrement qu'en pantalon et chemisier. Elle ne se maquillait pas.

Elle me tapota la main et me sourit. Ginga m'aimait bien, je le savais.

« Hope, Hope, Hope, dit-elle en feignant le désespoir. Pourquoi Eugène t'en veut-il autant ? Il était en rage l'autre soir. »

Je haussai les épaules, soupirai et lui racontai en partie la transformation du bébé chimpanzé mort en bébé babouin. Elle n'y comprenait rien.

« Et alors, où est le corps ? demanda-t-elle.

— Il n'existe pas. » Je hochai la tête en direction de Hauser. « Il l'a brûlé. »

Ginga fit une grimace :

« Enfin, tu sais le souci qu'il se fait, Eugène, dit-elle. Pour le projet. Le manque d'argent, tu comprends ? C'est terrible. » Elle réfléchit un moment, en passant sa main dans ses cheveux courts. Les joues creusées, elle tira une bouffée lente, gourmande, de sa cigarette. Elle souffla, en me gratifiant d'un sourire à demi grimace.

« Mais je pense que tout ira bien maintenant.

— Comment ça ?

— Attends, tu vas voir. » Elle pointa son doigt.

Je me retournai. Mallabar émergeait de la cuisine avec deux bouteilles d'asti spumante aux goulots argentés. Tout le monde s'arrêta de parler tandis qu'avec une cérémonie excessive il rassemblait des verres, faisait sauter les bouchons, servait le vin mousseux, interdisant, à coups de gestes théâtraux, toute spéculation quant à la raison de cette rare gâterie.

Nous attendîmes donc docilement, nos verres pleins, pendant que Mallabar, en bout de table, la tête légèrement penchée, mâchoires et joues en action, paraissait vraiment mastiquer et savourer le discours qu'il s'apprêtait à faire. Des gens se rassemblaient derrière moi et je jetai un coup d'œil. Tout le personnel des cuisines était aligné dans mon dos, ainsi que la plupart des assistants-observateurs. João rencontra mon regard et tenta silencieusement de me dire quelque chose que je ne sus pas interpréter. Mallabar leva la tête au plafond : il semblait avoir les yeux humides. Il s'éclaircit la gorge.

« Ces trois dernières années, commença-t-il d'une voix rauque, ont été les plus dures que j'ai connues depuis plus de vingt ans à Grosso Arvore. » Il fit une pause. « Que nous ayons pu continuer notre travail est dû très largement à vous », il projeta ses deux mains vers nous, « mes collègues et chers amis. Dans les circonstances les plus pénibles — je répète, les plus pénibles — et face à des difficultés croissantes, nous avons lutté pour soutenir la vision née ici, il y a si longtemps. »

Il souriait maintenant. D'un large sourire qui découvrait sa solide dentition.

« Ces jours sombres, je crois que nous pouvons le dire, sont désormais derrière nous. Un avenir plus lumineux nous fait signe au bout de l'arc-en-ciel. » Il hocha vigoureusement la tête. « J'ai appris cet après-midi que la fondation Duveen de Orlando, en Floride, allait nous accorder une subvention de sept cent cinquante mille dollars US étalée sur les quatre prochaines années ! »

Hauser cria bravo, nous applaudîmes tous. Toshiro siffla bruyamment.

« Nous sommes déjà en train de recruter aux États-Unis et en Grande-Bretagne, poursuivit Mallabar sur un ton triomphant. Je peux vous dire que le recensement reprendra d'ici à quelques mois. Nous négocions deux bourses supplémentaires de chercheurs avec l'université de Princeton. Quantités de développements excitants se préparent. Grosso Arvore, mes chers bons amis, est sauvé ! »

Nous levâmes nos verres et, encouragés par Hauser, bûmes à la santé d'Eugène Mallabar.

Après l'asti spumante, nous passâmes à la bière. Assis autour de la table, ravis de notre bonne fortune, nous rîmes et bavardâmes. Même moi, la nouvelle venue, j'étais enchantée, pas tant par les nouvelles que par la joie évidente peinte sur le visage des autres, les vétérans. Quatre ans de plus, une grosse subvention de la part d'une fondation importante... Là où quelqu'un commençait, d'autres suivraient certainement, décida-t-on. De l'argent frais — de solides dollars — adoucirait les restrictions imposées par le gouvernement en résultat de la guerre civile. Peut-être Mallabar avait-il raison : un avenir prometteur nous faisait signe au bout de l'arc-en-ciel.

Plus tard, au moment où nous partions, Mallabar vint vers moi. Il posa sa main sur mon épaule et l'y laissa. Je le soupçonnai d'être un peu pompette.

« Hope, tonitrua-t-il, je me demandai si vous me rendriez un service. » Il me pressa l'épaule. De l'autre main il se caressa la barbe — j'entendais tout juste le frottement des poils lisses.

« Eh bien... Quoi ?

— Pourriez-vous assurer l'expédition ravitaillement cette semaine ? Je sais que c'est le tour d'Anton, mais j'ai besoin de lui ici. Je ne peux pas le laisser partir. » Il me sourit affectueusement, sans m'exhiber ses dents. « Il nous faut réévaluer nos divers projets à la lumière de la subvention Duveen. Nous ne pouvons pas perdre une minute. »

Je réfléchis. Il parlait du voyage bimensuel dans la capitale provinciale où nous achetions les provisions. Une expédition qui durait trois jours, parfois plus, et pour laquelle nous nous en tenions à une stricte rotation. Je l'avais déjà faite un mois plus tôt.

« Vous m'accorderiez une faveur toute spéciale, dit-il avec insistance, en pressant un peu plus mon épaule. Vous seriez ma poule aux œufs d'or.

— Comment pourrais-je refuser ?

— Dieu vous bénisse. » Une pression finale. « Bonsoir, ma chère. A demain. »

Je regagnai lentement ma tente, me demandant si d'autres motifs se cachaient derrière cette « faveur spéciale ». Était-ce une punition ou bien une manière de dire : sans rancune ? Je passai devant le laboratoire de Hauser et puis, sur ma gauche, la grande colonne pâle de l'hagania. Un engoulevent modula les cinq notes de son cri obsédant.

Quelqu'un s'avança à l'entrée de ma case. Je fis halte.

« Maâm, c'est João. »

Je pénétrai sous la tente et allumai la lampe tempête. João resta dehors. Je lui offris d'entrer, mais il répondit qu'il lui fallait repartir dans son village.

« J'ai vu Lena, maâm. Je viens pour vous dire.

— Et alors ?

— Elle a son petit.

— Oh ! » J'eus la sensation d'un affaissement, d'une chute à l'intérieur de moi.

Je le remerciai, nous nous souhaitâmes le bonsoir et il repartit chez lui.

Soudain épuisée, je m'assis sur mon lit. Bêtement, je sentis les larmes me monter aux yeux.

BRUIT OU SIGNAL ?

L'homme pour qui je travaille, Gunther, est devenu sourd, récemment. Les médecins ont été incapables d'expliquer pourquoi, mais son problème auditif a empiré au point qu'il a fallu l'équiper d'un Sonotone. Il m'a raconté qu'au début il avait trouvé terriblement difficile de s'accommoder de ce bruit amplifié dans sa tête. Tout arrivait précipité, dit-il en essayant d'expliquer l'effet, les sons lui devenaient soudain étrangers et nouveaux. « Vous comprenez, Hope, ajouta-t-il d'un ton un peu plaintif, le problème c'est que je ne pouvais pas distinguer ce qui avait de l'importance et ce qui n'en avait pas. Je ne pouvais pas faire la différence entre du bruit et un signal. »

Un de plus, ai-je pensé. Apprendre à écouter ressemble à n'importe quel autre processus éducatif. Il faut passer au crible une quantité de phénomènes et écarter ce qui n'a pas d'importance. Il faut distinguer le signal du bruit. Quand on trouve les signaux, un motif peut émerger, et ainsi de suite.

C'était ce que John Clearwater essayait de faire avec son travail sur la turbulence. Voilà un domaine qui n'était que « bruit » totalement aléatoire et imprévisible. « Hyperbolique » était un mot qu'il utilisait. Y avait-il un motif dans la turbulence ? Des signaux étaient-ils émis ? Et si oui, un motif se formerait-il ? Et que nous dirait cela au sujet d'autres systèmes désordonnés de l'univers ? John me raconta un jour qu'il recherchait des équations de mouvement capables de prédire l'avenir de tous les systèmes turbulents...

L'œil voit. Il explore l'éventail optique devant nous. Les choses bougent et changent, mais l'œil recherche constamment des concepts d'invariance. C'est la manière dont le monde visuel est fixé et compris. John, lui, était sur une autre voie : c'est la variance qui le fascinait désormais — les systèmes en flux, erratiques et discontinus. Il essayait d'appréhender le fortuit, me disait-il, et d'écrire le livre du monde désordonné dans lequel nous vivons.

A Brazzaville Plage, les rouleaux déferlent, se brisent et s'effondrent sur le sable dans un grésillement de mousse. Vague après vague, interminablement. Sur une plage d'Écosse, un jour, John désigna du doigt la mer et m'annonça : ce que je veux, c'est écrire la géométrie d'une vague.

Au fil des semaines, Hope ne remarqua pas d'autres changements chez John Clearwater. Il avait cessé de boire sans toutefois que cela fasse la moindre différence dans son comportement. Il passait plus de temps au collège et loin de l'appartement, mais sa nouvelle sphère d'intérêt — la turbulence — ne semblait pas l'absorber totalement.

Au début du printemps, ils prirent des vacances en Écosse et louèrent pour quinze jours un cottage glacial près de Biggar, à la frontière. Ils se rendirent à Ipswich et passèrent un week-end avec la mère de John (son père était mort dix ans auparavant). Une vieille dame frêle et grise, avec le dos rond des femmes âgées qui la faisait vous regarder de côté, la tête levée, pour assurer à son œil vif un meilleur angle de vision. Elle vivait avec le frère de John, Frank, et son épouse, Daphné, dans un nouveau lotissement immobilier à la frange de la ville. Frank était pharmacien, chauve et jovial. Daphné et lui avaient deux jeunes garçons, Gary et Gerry, polis et disciplinés. Pour Hope, ce fut un interminable week-end de télévision, repas et petits en-cas incessants, qu'elle vécut pour l'essentiel dans un état d'hébétement confus, essayant de deviner dans ce fadasse humus banlieusard les origines de John Clearwater. Elle se surprit à ricaner de temps à autre et s'avertit de ne point se montrer trop méprisante : pour la plupart des gens, elle s'en rendait compte, c'était là la Bonne Vie.

Dans le train du retour, elle but trop de whisky, se gava de chocolats (elle n'était pas si mince à cette époque) et se montra fort volubile à propos de sa vie d'écolière à Banbury et Oxford, ce que John trouva très amusant. Assis en face d'elle, il dégustait son bitter-lemon tout en l'incitant à encore plus de révélations audacieuses.

La vie de Hope connaissait alors une sorte de hiatus. Sa thèse était finie, impeccable, rendue et elle n'attendait que la date de soutenance. Pour la première fois de son existence, semblait-il, l'avenir s'ouvrait grand devant elle, vide et inoffensif. Elle jouissait avec délices de son oisiveté ; il semblait inutile, se disait-elle illogiquement, de chercher un job avec une thèse en suspens. Elle lisait, courait les boutiques, rendait visite à ses amis, allait au cinéma l'après-midi, repeignit leur chambre et chercha vaguement un appartement plus grand. Elle était heureuse. Son père lui avait toujours recommandé de ne pas manquer d'identifier cet état quand il se produirait et de lui rendre grâce. « C'est comme de l'argent à la banque, ma petite, disait-il, de l'argent à la banque. » Elle était heureuse et le reconnaissait, selon les instructions reçues. Être mariée avait beaucoup d'avantages, elle s'en apercevait, dont entre autres, celui d'un compte bancaire commun. Le salaire de John couvrait sans mal toutes les dépenses.

La thèse de Hope s'intitulait : *Dominance et Territoire : rapports et structure sociale*. Elle avait dérivé vers l'éthologie presque par hasard, après son diplôme de botanique, judicieusement guidée dans cette voie par son directeur de thèse, le vieux professeur Hobbes. Mais lorsqu'elle éprouva le besoin de se remettre à étudier, elle se rendit compte qu'elle était fatiguée des laboratoires et des animaux en cage ; elle reprit donc la botanique et les travaux qu'elle avait effectués, des années avant, sur les arbres. Elle pensait qu'au moins cela lui permettrait de s'aérer. Le professeur Hobbes ne fit pas de difficultés et la dirigea sur des pistes qu'il n'avait pas le temps lui-même d'explorer. Elle écrivit un article sur « Le déclin des Tiliacées : une interprétation anthropogénique ». Hobbes le décréta impubliable, mais ajouta qu'il l'utiliserait peut-être pour une conférence qu'il devait faire lors d'un symposium à Vienne. Hope accepta, elle aimait beaucoup Edgar Hobbes dont les élèves savaient qu'il exigeait une sorte de donnant-donnant en échange de son patronage. Hobbes ne se faisait aucun souci à propos du doctorat de Hope et elle pas davantage : son travail était complet, exact et même étonnamment bien écrit, disait Hobbes, pour une scientifique. La soutenance fut une simple formalité et, finalement, par un après-midi frisquet, elle émergea de son collège avec le droit de se bombarder docteur Hope Clearwater.

Ce soir-là, John et elle sortirent célébrer son succès. Ils dénichèrent un restaurant français dans Knightsbridge assez coûteux pour élever l'occasion à la hauteur d'un « rare festin » et commandèrent une bouteille de champagne.

« Allons, John, dit-elle. Il faut que tu en boives un verre. Au moins.

— Non. » Il sourit gentiment. « Ça ne me réussit pas. Pas quand je travaille.

— Oh, merde, demain c'est samedi. »

Elle lui remplit d'autorité sa coupe. Il la leva pour lui porter un toast.

« Félicitations, doc, dit-il. Mille tendresses. »

Ils trinquèrent. Hope vida son verre en quelques lampées et regarda John reposer soigneusement le sien sur la nappe blanche. La coupe demeura ainsi, pétillante, intacte, débordante, tout au long du repas.

A part cette sobriété soudaine, il ne se produisit aucun changement significatif dans la vie de John que Hope eût pu facilement noter. Mais, sans aucun doute, les choses étaient subtilement différentes. Longtemps, Hope se blâma d'éprouver ce sentiment, sous le prétexte que si on s'obstinait à trouver quelque chose différent, cela devenait suffisant en soi pour établir le fait. Secrètement, elle observait et analysait John et elle dut finir par admettre qu'il offrait très peu de prise à ses soupçons. Peut-être imaginait-elle des choses? Ils sortaient ensemble, ils se parlaient tout autant, ils partageaient enthousiasmes et exaspérations comme avant, ils faisaient l'amour avec la même fréquence... Mais, malgré tout, en fin de compte, elle savait que, dans un sens encore mal défini, il n'était plus l'homme qu'elle avait rencontré et épousé.

La victime, le catalyseur, le coupable devait être — décidat-elle, non sans réticence — son travail. Elle aurait presque préféré une petite amie en chair et en os, ou un de ses propres défauts révélés par le mariage, mais sa rivale était les mathématiques. John ne s'occupait plus d'elle. Elle n'était plus le centre principal de son attention. C'est cette dérive qui l'avait tourmentée depuis des semaines. La part qu'elle tenait dans l'esprit conscient de John avait diminué. Il discutait de son travail avec elle, vrai, mais même les termes généraux, simplifiés, qu'il utilisait, ne l'étaient pas suffisamment pour qu'elle puisse pleinement les entendre. Elle n'arrivait pas à comprendre ce qu'il faisait ni ce qui l'excitait. Elle fit des efforts, mais le fossé entre eux était moins intellectuel que conceptuel — son cerveau à lui opérait à un niveau et dans une sphère différents du sien. En ce qui concernait ses travaux de mathématiques, il n'y aurait plus jamais rien à partager.

Mais j'ai mon propre travail, se dit-elle, et pour se le prouver elle passa trois semaines à écrire un article intitulé : « Agression et évolution ». Elle l'envoya froidement à *Nature* où, à sa surprise, il fut accepté. Ainsi encouragée, elle soumit sa candidature à quelques postes et mit ses lectures à jour. Elle s'obligea à discuter avec John — les dernières controverses en matière d'éthologie, les nouvelles orientations des sciences humaines, ainsi qu'on les appelait désormais, qu'à sa vague irritation il trouvait extrêmement intéressantes. Mais cela ne changea pas grand-chose. Elle finit par se rendre compte qu'il était tenu et impliqué dans ce qu'il faisait d'une manière qui lui demeurait à elle totalement étrangère. Il ne s'agissait pas du tout de « travail » — dans le sens où elle comme le reste du monde l'entendait. Ce travail, elle ne pouvait pas le comprendre et cela signifiait, conclut-elle avec un sourd désespoir, qu'elle ne comprendrait jamais vraiment John.

LA MARGE D'ERREUR

Hope Clearwater aurait-elle dû voir les signes ? Aurait-elle dû reconnaître les premiers signaux... ?

Lors de la construction d'un gratte-ciel, l'une des tâches les plus maniaquement précises est la mise en place et la fixation des premières immenses poutres d'acier qui forment la base de l'aérienne structure du bâtiment. La marge d'erreur dans le positionnement de ces tonnes de métal est minuscule. Elle ne peut dépasser trois millimètres. Une infime déviation à ce stade − un petit trou foré de travers, une fraction de degré d'erreur dans le calcul d'un angle − peut avoir de dramatiques conséquences. Deux cent cinquante mètres plus haut, ce décalage de trois millimètres devient un gouffre de trois mètres de large.

John appelait cela le Syndrome du Clou Manquant. Un seul clou manque et la bataille est perdue. Quelque chose de petit devient soudain immensément grand. Quelque chose de calme devient soudain enragé. Quelque chose qui coule tranquillement devient en un instant turbulent. Comment ou pourquoi ceci se produit-il ? Et s'il existait, disait John, de petites perturbations qui nous échappent ou auxquelles nous ne prêtons pas attention : de très légères irritations que nous considérons comme fondamentalement sans importance. Ces infimes perturbations peuvent avoir d'énormes conséquences. Dans la science comme dans la vie.

Hope souffre d'une légère perturbation dans sa vie en ce moment. Une femme du village au-dessus de la plage n'attache pas bien sa chèvre. Plusieurs fois par semaine, la chèvre se sauve et vient se promener dans le jardin de Hope, derrière son cabanon. Hope la voit à présent en train de déguster sa haie d'hibiscus. Elle a songé à se plaindre, mais la femme − nommée Marga − a un sale caractère autoritaire. Hope imagine déjà tout le village impliqué dans la dispute, or elle a besoin des villageois et,

dans un sens, eux aussi ont besoin d'elle. Le système est stable.
Elle peut bien sacrifier quelques fleurs d'hibiscus.

Hope regardait la campagne défiler par la fenêtre du compartiment, les champs mornes, vert et brun, les labours d'hiver couverts de givre. Pas étonnant qu'elle se sentît déprimée : un ciel bas, un monde terne, un vent froid... Elle n'était pas faite pour les hivers anglais : côté météorologie, elle penchait pour la chaleur du Sud. Pour se distraire, elle passa de la contemplation du paysage à celle de sa destination : le cottage de son amie Meredith. Elle imagina un feu de bois, un repas chaud, du vin rouge et des fauteuils confortables. Voilà qui était mieux, voilà qui allait bien, d'autant qu'elle le savait, c'était à peu près ce qui l'attendait. Dommage que Meredith fût si sale, qu'elle ne semblât jamais nettoyer ni épousseter sa maison. Hope s'inquiétait toujours des draps aussi. Il avait été un temps où peu lui importait où et sur quoi elle dormait. Même aujourd'hui, elle ne se considérait pas comme indûment pointilleuse, mais désormais elle exigeait un minimum du lit sur lequel elle reposait : des draps propres. Elle était presque sûre que Meredith ne lui offrirait pas un lit douteux, mais ce presque constituait déjà un souci insidieux. Mieux valait beaucoup boire, se dit-elle, et oublier.

L'homme assis en face d'elle avait une cravate ressemblant à une de celles de John. John assistait à une convention à New York, à l'université de Columbia. C'était leur première séparation prolongée depuis leur mariage et il lui manquait terriblement. Pas depuis le début. Pour commencer, elle s'était sentie coupable d'éprouver autant de plaisir à se retrouver seule, mais cette sensation n'avait duré qu'un seul jour et une nuit. Quand il lui téléphona — il téléphonait régulièrement — elle le lui dit et il répliqua qu'elle lui manquait aussi. Elle savait qu'il mentait — pas exactement, peut-être, mais qu'il disait cela simplement pour être gentil. Il parla de la conférence et des séminaires auxquels il assistait, des vieux amis de CalTech qu'il avait retrouvés, avec tant d'enthousiasme qu'elle devina qu'il n'avait commencé à penser à elle qu'au moment où il avait pris l'appareil pour accomplir sa corvée de téléphone.

Pourquoi se montrait-elle si méchante à son égard, se demanda-t-elle avec impatience ? Pourquoi analysait-elle si impitoyablement leur mariage ? D'où cela venait-il, une fois encore ? Elle prit une cigarette, sans y penser, et la roula entre ses doigts.

« Excusez-moi, intervint l'homme à la cravate de John. C'est un compartiment non fumeurs.

— Je sais, dit-elle. C'est pourquoi je ne fume pas. »

Elle fut contente de voir que sa réponse avait désarçonné le voyageur. Dans un geste de défi, elle mit la cigarette dans sa bouche et l'y laissa. Elle posa son menton sur son poing et contempla les tours de réfrigération de l'usine électrique de Didcot qui défilaient lentement. Je dois commencer à ne plus pouvoir m'en passer, se dit-elle. Salaud de John Clearwater... Elle s'était mise à fumer par autodéfense et maintenant elle découvrait qu'elle en tirait beaucoup de plaisir. Elle laissa la cigarette pendre, boudeuse, à ses lèvres. Elle se rappelait une vieille émission de télévision où le héros, un détective privé ou un flic, faisait de ce geste un truc personnel, sortant une cigarette, la fourrant dans sa bouche, mais sans jamais l'allumer. Il avait un perroquet chez lui. Un grand cacatoès blanc. Tout ça assez prétentieux et un peu forcé, à son sens, et cette cigarette non allumée devenait particulièrement irritante. Elle jeta un coup d'œil au type d'en face qui lisait avec une concentration rigide et espéra qu'elle l'irritait aussi.

Meredith Brock était professeur d'université, spécialiste de l'histoire de l'architecture et, Hope s'en était finalement rendu compte avec un certain étonnement, une spécialiste éminente. Meredith était une vieille amie ; elles se connaissaient depuis les bancs de l'école. Elles avaient le même âge, et Hope était un peu vexée que Meredith se soit fait un nom si jeune, même dans un domaine aussi abstrus. Sa gloire lui était venue d'une énorme étude sur les bâtiments médiévaux anglais à laquelle elle avait participé. Le vieil historien — pour qui cet inventaire représentait l'entreprise de sa vie — l'avait recrutée comme assistante chargée de la publication, et il était mort juste au moment de la parution du dernier volume. Il avait incombé à Meredith de faire connaître et de défendre l'étude — discutable et gentiment opiniâtre — et, grâce à son jeune âge et son joli minois, elle avait connu une célébrité passagère. Elle était finalement devenue la seule historienne d'architecture à laquelle tout journaliste, producteur ou président de comité paresseux savait penser, et elle s'était rapidement imposée. C'est après avoir lu le nom de Meredith dans deux journaux, entendu sa voix à la radio et vu sa personne à la télé, le tout en l'espace d'une semaine, que Hope s'était rendu compte du chemin parcouru par son amie.

Elle l'observait, à présent, en train de leur préparer un verre à toutes deux. Elle est jolie, admit Hope à contrecœur, plus jolie que moi. Mais elle ne faisait rien pour exploiter sa bonne mine. Ses vêtements étaient démodés et de mauvaise qualité. Elle se maquillait trop et portait de très hauts talons, tout le temps. Elle avait des cheveux longs, mais ne les laissait jamais en liberté, ils étaient toujours relevés en un échafaudage compliqué tenu par une combinaison de peignes et de barrettes. Hope la trouvait à son plus séduisant quand elle venait de se réveiller : les cheveux tombants, emmêlés, le visage propre et les cils au naturel. Elles étaient assez bonnes amies pour que Hope soit amenée à le lui dire et l'encourage gentiment à changer de look, à porter des talons moins hauts, un rouge à lèvres moins vif. Meredith avait écouté patiemment, haussé les épaules et demandé à quoi bon ?

« Ça ne sert à rien pour des filles comme toi et moi, Hope, lui avait-elle dit, d'un ton las. On ne peut pas prendre tout ça au sérieux. C'est déjà assez difficile de faire un vague effort. Tout ce... », elle montra les fleurs de satin incrustées sur son chandail en acrylique, « tout ce racket... »

Elle tendit à Hope un gin tonic, avec un seul petit cube de glace et pas de citron. Hope ôta un cheveu mouillé sur l'extérieur du verre douteux. Au moins le tonic pétillait.

« Fais gaffe, ma beauté. Il est corsé. »

Hope but une gorgée, se renfonça dans son fauteuil et allongea les jambes. Meredith jeta une bûche sur le feu. Un pâle rayon de soleil hivernal illumina un instant les fenêtres du cottage, puis tout retomba dans une agréable pénombre.

« Alors, comment va monsieur Clearwater? » s'enquit Meredith.

Hope lui raconta, sans s'étendre sur ses propres tourments. Il était encore trop tôt pour les confidences, elles pouvaient attendre l'après-dîner. Elles parlèrent donc de John en général, du mariage, du célibat, du job que Hope espérait trouver. Tout en bavardant, Hope s'interrogea : aime-t-elle John? Ils s'étaient rencontrés une fois avant le mariage et peut-être deux fois depuis. Tout avait paru très cordial, passablement plaisant. Pourquoi pas? Elle regarda Meredith. Non, se dit-elle, elle ne l'aime probablement pas.

Meredith passa à la cuisine pour préparer le déjeuner. Hope sirota son gin, déjà consciente des effets que l'alcool avait sur elle. Elle se découvrit repensant inévitablement à son mari. Elle ne pensait à rien ni à personne d'autre ces temps-ci, semblait-il. Était-ce sain? Devait-elle s'inquiéter? Qu'était-ce donc en lui, se demanda-t-elle, un peu grise, qui l'avait attirée, qui lui avait inspiré une telle confiance?

Le gin, la chaleur du feu, la mollesse du fauteuil l'endormaient. Elle se leva, se promena dans la pièce et examina les étagères de livres de Meredith. *Antiquités du comté d'Oxford, Architecture domestique traditionnelle de la région de Banbury, L'Angleterre du haut Moyen Age, Paysage en détresse...* Soudain, elle comprit ce que c'était qui l'obsédait en John. John avait un secret qu'elle ne pourrait jamais partager. John possédait un savoir virtuellement dénié à tout être au monde. Elle sentit ses joues la brûler et elle pressa son verre contre elles. Oui : John avait des secrets, et elle l'enviait. C'était ce qui l'avait fascinée en lui, presque immédiatement, mais elle ne l'avait jamais vraiment compris. John et ses mathématiques, John et sa théorie du jeu, John et sa turbulence... Elle ne saurait jamais, elle ne pourrait jamais savoir rien d'eux. Elle lui enviait son savoir secret, mais c'était, elle le comprenait, une envie étrangement pure, pratiquement identique à une sorte d'adoration. Il était chez lui dans un monde défendu à tous sauf à une poignée d'initiés. Vous y aviez accès si vous possédiez le savoir nécessaire, mais elle savait que c'était pour elle un savoir impossible à acquérir. Et qui le rendait spécial. C'était magique dans un sens. Oui, mais si un magicien pouvait accomplir un tour extraordinaire qui vous laissait baba d'incrédulité, il vous était tout de même possible de l'imiter, s'il consentait à vous confier son secret, s'il vous montrait comment vous y prendre. John pourrait bien passer une vie entière à me montrer comment m'y prendre, songea-t-elle, mais ça ne ferait pas la moindre différence. Si on n'avait pas la sorte de cerveau nécessaire, tous les efforts et les études du monde ne serviraient de rien. Alors qu'en conclure ? Pour pénétrer dans le monde mathématique secret qu'habitait John Clearwater, il fallait un don rare et spécial : une manière particulière de penser, une tournure d'esprit singulière. Soit vous possédiez ce don, soit vous ne le possédiez pas. Il ne pouvait s'apprendre ; il ne pouvait s'acheter.

Hope prit un livre sur une étagère et en tourna les pages sans les regarder. Elle continuait à réfléchir, tout en sentant le gin lui monter dans les veines. Cette envie que j'éprouve, se dit-elle, ce n'est pas comme admirer quelqu'un avec un talent singulier — un peintre, mettons, un musicien, un sportif. Avec une bonne pratique et un enseignement expérimenté, on pouvait parvenir à une approximation de ce que cette personne de talent accomplissait : peindre un tableau, jouer une sonate, courir un cent mètres. Mais lorsqu'elle voyait ce que John faisait, elle savait que c'était impossible. Un individu moyennement doué pour les chiffres pouvait, en travaillant dur, monter à une certaine hauteur de l'arbre des mathématiques. Et puis il s'arrêtait. Aller plus loin exigeait une sorte de faculté ou de vision innée. Ils étaient très peu à occuper ces fines branches souples au sommet, remuées par des brises sans obstacles, exposées au plein et rude éclat du soleil.

Un rien éblouie par la clarté de sa perception, Hope baissa les yeux sur le livre qu'elle tenait à la main. Elle vit la photographie de l'allée d'une église, colonnes de transept, vitraux, voûtes. Elle sourit : elle enviait un peu Meredith aussi, mais c'était une envie plus banale. Meredith possédait un savoir spécial. Elle savait tout sur les vieilles bâtisses, les noms exacts d'objets précis. Elle savait ce qu'était un voussoir, la différence entre le dorique roman et le dorique toscan, où se trouvait la prédelle d'un retable, ce qu'on gardait dans une almaire, utilisait des mots comme miséricorde, modillon et mouchette avec une exactitude assurée. Oui, mais moi aussi, se dit Hope. Je sais la différence entre un pâturage et un pré, je peux distinguer un saule fragile d'un saule blanc, je sais quelle sorte de fleur est un *lithospermum purpureocaeruleum*. Avec du temps et de l'effort, je serais capable d'absorber tout le savoir de Meredith et elle le mien. Mais le monde de John, le savoir de John, est au-delà de moi, impossible à atteindre.

Plutôt abattue par la rigueur de son analyse inspirée par le gin, elle gagna la cuisine. Un poulet rôti fumait au milieu de la table en pin. Meredith égouttait les légumes dans une passoire. Hope se garda bien d'examiner l'état du fourneau. Un des nombreux chats de Meredith sauta sur la table et se fraya soigneusement un chemin à travers les sets de table et l'argenterie jusqu'au poulet qu'il renifla et, crut voir Hope, lécha.

« Non, fais pas ça », intervint gentiment Meredith en posant un bol de choux de Bruxelles sur la table et sans faire plus d'efforts pour chasser le matou, « c'est notre déjeuner à nous, gros cochon glouton. » Elle tira sa chaise.

« Assieds-toi, Hope, dit-elle. Et, nom d'un chien, déride-toi un peu, veux-tu ? T'as une tête d'enterrement. »

SYNDROMES DE DIVERGENCE

Je passe beaucoup de temps à marcher sur la plage, à songer au passé et à ma vie jusqu'ici. Et jusqu'ici, c'est allé comment ? Eh bien, vous pourrez en décider, et peut-être le pourrai-je aussi. Mon travail est facile et je le fais rapidement. J'ai tout loisir de me souvenir.

Des bribes de conversation avec John Clearwater me reviennent. Quand il travaillait sur la turbulence, il me raconta qu'il n'avait obtenu de si bons résultats que parce qu'il avait décidé d'aborder le problème à neuf. Dans le passé, expliqua-t-il, les gens essayaient de comprendre la turbulence en écrivant d'intermi-

nables équations différentielles, toujours plus compliquées, sur la circulation des fluides. Plus les équations devenaient complexes et détaillées, plus leurs liens avec le phénomène de base s'amenuisaient. Sa méthode, expliquait John, tournait tout entière autour des formes. Il décida d'étudier les formes de la turbulence et, immédiatement, il commença à comprendre.

C'est à cette époque qu'il ne cessait de parler de concepts qu'il appelait les Syndromes de Divergence. Il me les décrivit comme des formes de conduite erratique. Et dans un domaine tel que la turbulence, il y aura naturellement presque toujours un syndrome de divergence quelque part. Quelque chose dont vous attendez qu'il soit positif se révélera négatif. Quelque chose que vous présumez permanent n'est que temporaire. Quelque chose que vous prenez avec confiance pour garanti disparaît brusquement. Voilà des syndromes de divergence.

D'après John, ce genre de comportement terrifie les mathématiciens, surtout ceux de la vieille école. Mais les gens apprenaient, désormais, que la réponse clé à un syndrome de divergence était de ne pas être surpris ni confondu, mais d'essayer de l'expliquer au travers d'une nouvelle méthode de pensée. Alors, souvent, ce qui apparaissait tout d'abord choquant, ou bizarre, peut devenir très acceptable.

En me promenant le long de la plage, je considère tous les syndromes de divergence dans ma vie et je me demande où et quand j'aurais dû instaurer de nouvelles méthodes de pensée. Le procédé fonctionne fort bien rétrospectivement, mais je soupçonne qu'il ne doit pas être aussi facile à appliquer dans un moment de crise.

Là route goudronnée commençait à Sangui, le village de João. Je virai pour la prendre, entendis la remorque vide, derrière la Land Rover, brinquebaler sur le bas-côté et me préparai au long trajet jusqu'à la ville. Normalement, il durait quatre ou cinq heures, à condition que les ponts soient à peu près en bon état, qu'il n'y ait pas d'accidents sur la chaussée ni de retards prolongés lors du passage des multiples barrages militaires, et qu'on ne se fasse pas coincer à la traîne d'une des colonnes de ravitaillement revenant d'approvisionner les troupes fédérales qui se battaient dans les provinces du Nord.

J'aimais bien cette route — je l'avais faite trois fois déjà — et, à chaque occasion, profitais avec délices des sensations de commencement de vacances qu'elle suscitait. Passer à Sangui de la piste de latérite au macadam effrité et cabossé de la route principale ressemblait au passage d'une frontière, d'une séparation entre deux états d'esprit. Je laissai Grosso Arvore derrière moi, j'étais seule pour quelques jours. Presque seule : deux marmitons, Martim et Vemba, étaient assis à l'arrière de la Land Rover sur des tas de sacs vides. Je leur avais proposé, comme toujours, les sièges avant, mais ils préféraient rester entre eux.

La route, droite, traversait une brousse aride et des fragments d'une forêt qui s'étendait vers le sud depuis les contreforts de l'escarpement que je venais de quitter jusqu'à l'océan, à trois cents kilomètres. Il était tôt, et le soleil commençait tout juste à consumer la brume matinale. La routine m'était familière. Le premier jour se consacrait au voyage. Je passerai la nuit à l'hôtel de l'aéroport et le lendemain consisterait en une épuisante série de visites à la banque, au grand magasin et aux divers marchands qui fournissaient au Centre nourriture et provisions, pharmacie et médicaments à des prix de marché noir. Il fallait aussi à l'occasion visiter des ateliers ou des garages pour faire réparer des machines ou trouver des pièces détachées, ce qui pouvait ajouter un jour ou deux à l'expédition. Cette fois, je n'avais à m'occuper que de ravitaillement. Une longue journée de shopping m'attendait le lendemain. Après quoi je passerai une seconde nuit à l'hôtel avant de reprendre la route du retour, une affaire beaucoup plus lente, avec la Land Rover et la remorque chargées à ras bord. Notre vitesse moyenne se réduisait alors à quarante-cinq kilomètres/heure.

La route filait au milieu d'un paysage immuable. Tous les quinze kilomètres environ surgissait un petit village, une grappe de cabanes en torchis aux toits de palmes ; sur le bas-côté, quelques éventaires offraient des oranges et des aubergines, des bonbons et des noix de cola. Le voyage n'était pas dangereux — les combats se déroulaient au loin, et seule l'armée fédérale possédait des avions —, mais on nous conseillait toujours de ne pas l'entreprendre après le coucher du soleil. A la suite d'une panne, Ian Vail était revenu une fois avec beaucoup de retard, mais Mallabar avait refusé d'envoyer une équipe à sa recherche avant le lendemain matin. Je n'ai jamais très bien compris ce que nous étions censés redouter. Brigands et bandits, je suppose : on risquait une attaque à main armée, le soir tombé. Apparemment des gangs couraient le pays, composés essentiellement de déserteurs de l'armée fédérale. Les nombreux barrages sur la route étaient conçus pour décourager ou piéger ces hommes. Toutes les trente minutes ou à peu près, on tombait sur ces avant-postes, rien de plus qu'une planche appuyée sur un baril de pétrole et faisant saillie sur la route avec, à l'arrière-plan, à la frange de la brousse ou à l'ombre d'un arbre, une cabane ou un abri en feuilles de palmes contenant quatre ou cinq jeunes soldats vêtus de vieux bouts d'uniforme et s'ennuyant très ferme. Il fallait ralentir et s'arrêter dès que vous aperceviez un de ces barils. Quelqu'un venait vous regarder sous le nez et puis, en général, d'un geste léthargique, vous faisait signe de passer. Si ces messieurs se sentaient d'humeur à emmerder le monde, ils vous obligeaient à descendre de votre véhicule, examinaient vos papiers et procédaient à une fouille superficielle.

C'étaient là des séances qui ne me réjouissaient pas particulièrement : debout au soleil à côté de la Land Rover, examinée de près par un jeune type en tricot de peau déchiré, pantalon de camouflage et baskets, portant à l'épaule un AK47 échappé du pacte de Varsovie. Un calme étrange semblait toujours régner à cet instant, me donnant l'envie de remuer les pieds ou de tousser, juste pour rompre le silence qui m'emprisonnait tandis que le soldat examinait mon *laissez-passer*. Jamais, au cours de la demi-douzaine de fois où j'avais été stoppée, une autre voiture ou un autre camion ne nous avait croisés. On aurait cru que la route m'appartenait à moi seule.

Mais, ce coup-ci, nous franchîmes le barrage sans problème. Les hommes paraissaient d'humeur plus rigolarde et, à plus d'une reprise, au moment de démarrer, je vis des bouteilles de bière se porter aux lèvres. Je me souvins de ce qu'Alda m'avait dit à propos de la défaite d'UNAMO. Peut-être s'agissait-il de la détente précédant l'armistice et la guerre serait-elle bientôt finie.

Nous atteignîmes le Cabule en fin d'après-midi. Les bâtisses croulantes sur la rive opposée marquaient les abords de la ville. Nos roues vibrèrent bruyamment sur les poutres métalliques du vieux pont en fer. Le fleuve faisait presque cent cinquante mètres de large à cet endroit. Il dessinait un long méandre paresseux autour de la ville avant d'aller vomir ses eaux brunes dans les criques bourbeuses de son delta envahi de palétuviers, quinze kilomètres plus loin sur la côte. Ici, le rivage du continent courait droit, kilomètre après kilomètre de plage et de déferlantes tonitruantes. Les eaux limoneuses du Cabule n'étaient navigables que par des bateaux à fond plat. Toute la bauxite — la source majeure de revenus de cette province — devait être transportée jusqu'au port de la capitale par voie ferrée. Les mines de bauxite, le bois, plusieurs plantations de caoutchouc et de canne à sucre, des fermes et le parc national de Grosso Arvore constituaient l'ensemble des ressources de la région.

Je traversai lentement la ville. De profonds fossés bordaient la route. Quelques bâtiments de brique abritaient des boutiques vides et des débits de boisson. Derrière, dans les enclos cernés de murs de torchis, montait la fumée des braseros sur lesquels se préparait le repas du soir. Les premiers néons — bleu outremer et vert menthe — dansaient dans les snack-bars et sur les terrasses bétonnées des hôtels de passe et des night-clubs. De la musique beuglait par les haut-parleurs perchés sur les toits ou pendus à des madriers. Dans la circulation très ralentie, les chauffeurs de taxi conduisaient avec le poing sur l'avertisseur. Des gamins tapaient sur les parois de la Land Rover pour essayer de me vendre des montres russes, des plumeaux, des yoyos, des stylos-feutres, des ananas et des tomates. Beaucoup de soldats se baladaient dans les rues, trimbalant leurs armes avec la même insouciance que des journaux. Assis sur des bancs à l'ombre des arbres gris, des vieillards regardaient des mioches nus jouer au cerceau et se courir après au milieu des tas d'ordures. Deux jeunes voyous aux chemises brillantes jouaient élégamment au ping-pong sur une table branlante, tapant du pied dans la poussière et émettant des cris rauques de défi tout en smashant et resmashant sans pitié. La masse des voitures s'avançait

79

lentement vers le centre de la ville, le long du grand magasin local à quatre étages, le mur de mosaïque de la banque nationale au toit en pente ultramoderne ; la cathédrale blanche et le service des Mines très art brut ; le commissariat de police et la caserne, avec son mât et ses canons décoratifs dont les pyramides bien nettes de boulets évoquaient les crottes boucanées d'un rongeur géant.

L'aéroport était beaucoup trop grand pour une capitale provinciale aussi quelconque. Construit peu après l'indépendance, en 1964, par la compagnie ouest-allemande qui possédait et exploitait les mines de bauxite, il avait été conçu pour recevoir les plus gros appareils commerciaux (après tout, l'optimisme ne coûte rien). Un immense hôtel avait été édifié à côté pour accueillir la foule de passagers prévue. La bauxite continuait d'être extraite, les mines et l'usine de traitement fonctionnaient toujours, plus ou moins, mais l'aéroport et son hôtel tout blanc s'acheminaient vers le déclin et l'abandon. Cinq arrivées et départs quotidiens de vols domestiques desservant d'autres villes de la province, voilà à quoi se résumait le trafic. Air Zambie atterrissait une fois par semaine en provenance de Lusaka, mais la liaison, si vantée, sur Brazzaville et Paris, était tombée, victime de la guerre civile quand s'était répandue la rumeur que la Corée du Nord avait vendu des missiles sol-air à FIDE — ou bien était-ce à EMLA ?

Cependant l'aéroport avait bénéficié de la guerre d'autres façons. La moitié de l'aviation militaire fédérale y était désormais basée : une escadrille ou presque de chasseurs MIG 15 « Fagot », trois bombardiers Canberra ex-Royal Air Force, une demi-douzaine d'avions-écoles Aermacchi convertis pour l'attaque au sol et une variété d'hélicoptères. En passant devant la clôture métallique, j'aperçus le vieux Fokker Friendship effectuant son point mort en bout de piste avant de prendre l'air pour son vol du soir en direction de la capitale, et au-delà, sur leur aire de stationnement, les silhouettes pansues, culbutées sur l'arrière, des Mig.

Arrivée à l'hôtel, je quittai Martim et Vemba, après leur avoir fixé un rendez-vous pour le lendemain matin, et allai m'inscrire à la réception. L'hôtel, ces temps-ci, faisait très minable faute, depuis belle lurette, de tout encouragement à le garder pimpant ; pourtant, après des semaines sous ma tente à Grosso Arvore, il me paraissait encore évocateur d'un luxe vulgaire, mais séduisant. Il offrait un restaurant, un bar et une piscine semi-olympique flanquée d'un espace barbecue. Ses chambres se situaient dans des annexes à un étage reliées au bâtiment principal par des allées couvertes qui traversaient des jardins à la végétation tropicale où l'on trouvait, disséminés ici et là, quelques bungalows à une ou deux chambres destinés aux gens désireux de faire un séjour prolongé. Parfois, dans le hall, on avait droit à de la musique sud-américaine en boite. Le personnel portait des vestes blanches à col officier et boutons dorés. A l'entrée du restaurant, une notice rédigée en anglais exigeait : « Mesdames, pas de shorts, s'il vous plaît. Messieurs, des cravates, s'il vous plaît. » Était-ce dû aux fantômes des jours glorieux des bals des sous-traitants de l'usine de bauxite, ou aux prétentions encore existantes de la direction du moment, l'Hôtel de l'Aéroport (tel était son nom évocateur) avait une atmosphère bien à lui, en sus de sa climatisation et, quelquefois, de l'eau courante chaude et froide, deux luxes absents en permanence de Grosso Arvore.

Je gagnai ma chambre par les jardins à l'abandon, défis ma valise, pris une douche et passai une robe. Je me sentis en forme, rafraîchie et affamée.

Je retournai vers le bâtiment principal en empruntant l'allée couverte. Il faisait nuit à présent, et la tiédeur de l'air, après le froid de ma chambre, enveloppait tendrement mes bras et mes épaules nus à la manière d'un châle de mousseline. J'entendais un air de rumba flotter depuis la stéréo du hall et, tout autour de moi, les interminables cric-cric des grillons s'échapper de l'herbe et des buissons. Je m'arrêtai pour respirer l'Afrique à pleins poumons — sentir la poussière, la fumée des feux de bois, un parfum de fleur, une odeur de moisi, un relent de pourriture.

Je pris un autre sentier et pressai le pas en direction d'un des bungalows. Les fenêtres étaient closes, mais de la lumière brillait à l'intérieur.

Je frappai à la porte et attendis. Je frappai de nouveau et elle s'ouvrit.

Usman Shoukry me regarda, pas surpris, mais s'efforçant de ne pas sourire. Il portait un vaste short de lin et un T-shirt lilas. Ses cheveux étaient plus courts que la dernière fois où je l'avais vu.

« Regarde qui est ici, dis-je.

— Hope, répondit-il lentement, comme s'il me baptisait. Entre. »

J'entrai et il referma la porte. Je l'embrassai en enfonçant ma langue dans sa bouche et glissai mes mains sous son T-shirt pour caresser son dos puis ses épaules et puis plus bas, sous la ceinture de son short, laissant reposer mes paumes sur ses fesses fraîches et imberbes.

Je me détachai de ses lèvres, mais continuai à le serrer contre moi. Sa bouche brillait de salive. Il l'essuya du revers de la main et me sourit de nouveau. Je le contemplai comme si je ne l'avais pas vu depuis des années. Ses yeux bruns couleur de xérès, son nez un peu de travers, ses lèvres charnues.

« Tu as des ennuis ? s'enquit-il.

— Non, pourquoi ?

— Je ne t'attendais pas avant deux mois.

— Eh bien, alors, c'est ton jour de veine, pas vrai ? Viens, allons dîner avant qu'il n'y ait plus rien à manger. »

LA CASCADE INVERSE

Hope Clearwater achète aujourd'hui au marché quatre panais. Elle est ravie et très étonnée d'en trouver. Elle demande à la marchande d'où ils viennent. Du Nigeria, répond la marchande. Hope ne la croit pas et la questionne d'un ton sceptique : « Où se trouve exactement le Nigeria ? » La marchande n'aime pas voir sa parole mise en doute. « A Jos », dit-elle et elle tourne le dos. Hope se souvient que Jos est situé sur un haut plateau au centre du Nigeria. Toutes sortes de fruits et de légumes poussent là-bas à cause des nuits fraîches et des jours secs — même des framboises et des fraises.

Les panais lui rappellent une histoire que John lui avait racontée à propos d'un de ses vieux professeurs. Cet homme avait travaillé pendant un temps sur le problème de la diffusion turbulente. Il eut besoin pour ses expériences d'un grand nombre de flotteurs à la fois très visibles et insensibles au vent. Ce qui excluait les balles – aussi bien en caoutchouc que de ping-pong. Après avoir expérimenté avec des navets et des pommes de terre, le professeur découvrit que le légume idéal était le panais. Sa forme bosselée, conique, et le fait que, dans l'eau, la plus grosse partie se trouvât submergée le transformaient en un flotteur stable, sensible seulement à de très fortes brises.

Le professeur entreprit donc de peindre en blanc plusieurs douzaines de panais et d'en déverser des sacs entiers depuis un pont sur la rivière Cam. Les panais blancs descendaient avec le courant, étaient pris dans des tourbillons, se rassemblaient et tournoyaient en remous secondaires ou bien continuaient à flotter en longues files sautillantes, photographiés par les assistants du professeur postés avec des appareils, à vingt mètres d'intervalle, sur les deux berges de la rivière.

Le professeur (Hope n'arrive pas à se rappeler son nom) avait fait du travail utile, disait John. Le problème c'est que, malgré sa technique imaginative, sa pensée manquait de souplesse. Il croyait que la turbulence résultait d'une cascade d'énergie qui se transmettait des grands tourbillons aux petits. Mais le travail de John – sa percée, comme il le disait – avait montré que ceci n'était qu'un aspect de l'affaire. Dans chaque cas de turbulence, dans n'importe quel milieu, il existe aussi une cascade inverse, un flot d'énergie qui retourne du petit remous jusqu'au grand. Hope se rappelle clairement le jour où John a prouvé cela. Il le lui expliqua, la voix rauque d'excitation. Le désordre, dit-il, ne se transmet pas simplement en chaîne : une partie en est toujours retournée. Une fois ceci admis, tout un tas de phénomènes déconcertants au sujet des systèmes turbulents deviennent beaucoup plus faciles à comprendre.

A son retour d'Amérique, John Clearwater était en bonne forme. Il avait rencontré quelqu'un à la conférence — un statisticien — qui l'avait énormément aidé, presque sans le savoir. Il parla à Hope de ces nouvelles voies qui s'ouvraient, des nouvelles possibilités qu'il entrevoyait désormais. Hope rit avec lui, remplie d'une joie sincère — et peut-être de soulagement — devant cet enthousiasme. Une fois de plus, ce qu'il lui raconta — il passa deux heures à tenter de le lui expliquer — n'avait aucune ou peu de signification pour elle, mais elle se sentit contente, rassurée. La période qui suivit le retour de John calma Hope, étancha sa petite hémorragie de doute et d'angoisse. Tout, semblait-il, allait de nouveau bien.

Il travaillait toujours aussi dur, quittant l'appartement à huit heures du matin et ne revenant pas, en général, avant neuf heures du soir, mais le temps qu'ils passaient ensemble parut à Hope récupérer la vivacité et l'acuité de leurs premiers mois de mariage. Plus tard, en y repensant, elle se rendit compte qu'ils n'avaient fait que traverser une autre phase (elle découvrit qu'elle pouvait marquer les étapes de sa vie conjugale avec autant d'efficacité qu'un historien — elles semblaient aussi précises que les cercles de croissance d'un tronc d'arbre). Dans cette phase particulière régna un nouveau dada : le cinéma. Ils allaient assez fréquemment au cinéma et au théâtre quand l'envie leur en prenait, ou quand un retentissant *succès d'estime* l'exigeait. Mais désormais John voulait s'y rendre tous les deux ou trois soirs. Au début, ce fut amusant. Sa concentration était si intense et le plaisir qu'il tirait de ces séances si manifestement bon pour son moral que ce fut un privilège, Hope le reconnut, de le partager. Mais après six semaines de ce régime, et plus de deux douzaines de films — dont certains vus deux ou trois fois — elle commença à trouver grandissant l'effort d'accompagner John et se mit à inventer des excuses.

Une part du problème venait de ce qu'il insistait pour s'asseoir très près de l'écran, au premier rang de préférence, et en tout cas jamais plus loin que le troisième, laissant ainsi son champ de vision entièrement dominé par l'image. Ce qui tout d'abord eut un côté étrangement enivrant. Hope émergeait des cinémas et des films à grand spectacle, sa tête résonnant comme un gong, le souffle coupé et les tympans à vif.

L'autre manie de John, toutefois, se révéla plus difficile à supporter et irrita très vite Hope : sa maniaquerie quant au type de films qu'ils allaient voir. Il étudiait et rassemblait les critiques du plus grand nombre de journaux possible et il constitua une petite bibliothèque de livres de référence sur le cinéma afin de tenter de s'assurer que ces productions répondaient à ses exigences. Hope l'accusa, d'abord en plaisantant, d'être le seul être à sa connaissance qui cherchât à se distraire uniquement sur ordonnance. C'était tout à fait à l'opposé du hasard : il refusait de courir le moindre risque. « Comment peux-tu prendre du plaisir, comment peux-tu t'amuser, sans un élément de risque ? » Il ne lui répondit pas. Non pas qu'il se livrât à une étroite censure — il était très porté sur les films d'horreur ou les histoires policières violentes —, mais il croyait, avec une ardeur foncière, qu'un vrai film, un film fidèle à la nature de sa forme, devait avoir une fin heureuse.

« Ne sois pas ridicule, dit Hope quand il lui en parla pour la première fois.

— Non, franchement... Un film qui ne se termine pas bien », il réfléchit « méconnaît la base de tout le cinéma.

— OK, OK. Combien d'exemples contraires veux-tu que je te donne ? Deux douzaines ? Trois douzaines ?

— Non. Tu ne vois donc pas ? » Il se divertissait. « Considérons les choses sous cet angle : tout art est par essence positif. A la base. Par conséquent dans la grande forme d'art populaire, la seule forme d'art populaire, ce motif doit être encore plus puissant. »

Hope se demanda s'il la taquinait. Mais son expression — d'une candeur intense — indiquait le contraire. « Absurde, répliqua-t-elle. Foutaises. Que veux-tu que j'ajoute ? »

Il ne plaisantait pas.

Les choses continuèrent ainsi. John ne voyait que les productions qui, selon lui, ne dégradaient ni ne trahissaient le véritable but du cinéma. Hope se rendit compte, assez vite, que la vision de ces films constituait une réelle thérapeutique pour lui. Ils agissaient comme une sorte de drogue et elle comprit que ce cinéma en gros plan, totalement prenant et réalisateur de rêves, le soutenait et le gardait à flot. La tranquillité qu'elle avait connue durant quelques semaines après son retour de la conférence recommença à s'éroder sous le lent, très lent, goutte-à-goutte de l'inquiétude.

Hope leva les yeux sur le visage tendu, tiré, de John en train de jouir. Elle vit le front ridé, les joues creuses, et entendit un grognement rauque. Puis il respira, sourit et baissa la tête jusqu'à ce que leurs nez se rencontrent. Il s'appuya sur ses coudes tandis que Hope lui caressait les cheveux. Il nicha sa tête à l'angle de son cou et de son épaule et respira à nouveau. Elle sentit son souffle chaud et moite contre sa peau et, en elle, les légers remuements de son pénis détumescent. Sa gorge se serra d'un élan d'amour supplémentaire. Elle glissa ses doigts sur sa tête, l'épaisse toison de son cou, puis le duvet floconneux sur les grosses taches de rousseur de ses omoplates, et le fit frissonner.

Elle sentit la fine odeur aigrelette de ses aisselles et elle passa sa main sous son bras pour aller tâter les poils lisses et noués. Le nez collé sur son cou, elle l'embrassa, humant son odeur, son empreinte, sa trace. Elle se souvint avoir, autrefois, avant d'être mariée, songé au type d'homme avec lequel elle voulait vivre, passé en revue les différentes variétés communément offertes — les chevaliers servants, les salauds, les forts, les riches, les humoristes, les saints — et décidé qu'elle ne voulait pas d'un modèle ni d'un archétype, mais de quelqu'un de très différent. Un homme. Un individu. Différent d'elle.

Hope tenait et respirait cette vraie personne entre ses bras. Elle mit ses doigts dans sa bouche et en goûta la sueur salée. Elle fit descendre sa main le long de sa colonne vertébrale pour caresser la petite verrue à dix centimètres au-dessus de la raie des fesses et se délecta égoïstement de la quiddité de cet individu qui était à elle, qu'elle possédait... Faire l'amour la rendait mélancolique tout en la vivifiant. Elle tourna la tête et embrassa John sur la bouche, enfonçant une langue solide entre ses dents et puis suçant sa langue à lui dans sa bouche à elle, pour boire sa salive.

Elle le fit rouler sur le dos et sentit son pénis mou glisser, humide, hors d'elle.

« Oh, les draps ! gémit-il.
— Je t'aime, John, dit-elle. Surtout ne l'oublie pas.
— Non. Mais j'ai oublié les Kleenex.
— Alors rien ne va plus. »

C'était un dimanche matin. Il lui apporta une tasse de thé et sortit acheter les journaux et du pain. Elle lui cria de mettre un disque avant de partir. Il ne l'entendit sûrement pas parce que la porte se referma et il n'y eut plus que le silence.

Elle se retourna, s'assit au bord du lit et contempla son ventre et ses cuisses tout en pensant vaguement qu'elle grossissait. Elle entoura son ventre mou à deux mains — oui, c'était vrai. Elle soupira et puis, distraitement, du revers des doigts, elle caressa les poils de son pubis — extraordinairement épais, un triangle dense, exubérant — et pensa à John, au cinéma, à leur premier anniversaire de mariage qui approchait, aux vacances qu'ils allaient prendre.

Elle se leva, passa dans le salon et s'accroupit devant le tourne-disque. Un gros rayon de soleil traversait la grande table, illuminant les ruines de leur dîner de la veille, les fonds de vin dans les verres opaques maculés, les restes de nourriture coagulés sur les assiettes.

Elle mit un disque et se releva en fredonnant. Et puis, soudain, son humeur, un phrasé musical, le soleil sur la table, donnèrent une épaisseur magique à cette minute. Un instant elle oublia où elle se trouvait, son regard se déconcentra et il lui sembla apercevoir en imagination John revenir d'un pas vif vers l'appartement. Elle vit la rue ensoleillée, les voitures reluisantes, la manière comique dont il essayait de lire les journaux tout en marchant, les bras pleins de provisions. Les ombres que projetaient les immeubles rayaient la rue à l'oblique, faisant alterner lumière et obscurité. John avançait vers elle à travers la tristesse de la nuit et l'éclat du jour.

Elle sortit de sa transe bizarre. Elle frissonna, nue, dans le salon. Elle regagna le lit en courant et se glissa entre les draps tout juste tièdes.

LE LEMME D'USMAN SHOUKRY

Mohamed ibn Musa al-Khawarismi était un mathématicien arabe originaire de Khiva, une ville qui fait partie aujourd'hui de la république soviétique d'Ouzbékistan. Il vécut au début du IXe siècle et il est remarquable non seulement pour nous avoir donné le mot algèbre (du titre d'un de ses livres, Calcul par restauration et réduction, *al-jabr signifiant « réduction ») mais aussi, chose plus intéressante, parce que de son nom, al-Khawarismi, est dérivé le mot algorithme. Un algorithme est une procédure mécanique qui permet de résoudre un problème en un nombre déterminé d'étapes, procédure qui ne requiert aucune ingéniosité.*

Les algorithmes sont des outils mathématiques très prisés. Les ordinateurs fonctionnent sur des algorithmes. Ils supposent un monde de certitude, de roulements et de routine, de processus continu. La grande mécanique céleste, programmée et préordonnée.

Cependant les algorithmes n'ont guère d'utilité pour des phénomènes irréguliers et discontinus. Une évidence qui saute aux yeux, me direz-vous, mais avec quelle fréquence essayons-nous de résoudre les problèmes de notre vie de manière algorithmique ? Ça ne marche pas. Je suis payée pour le savoir.

Il existe dans le monde des mathématiques une autre appellation un peu teintée de mépris. Un « lemma » ou lemme. Un lemme est une proposition si simple qu'elle ne peut même pas être qualifiée de théorème. J'apprécie les lemmes — à moins que ce ne soient des lemmae —, ils semblent avoir plus de rapport avec mon univers. « On ne fait pas une omelette sans casser des œufs... » « Plus on se hâte, moins on avance... »

Usman m'offrit une fois un lemme.

Nous étions au lit, le soir, et nous venions de faire l'amour. Le ventilateur du plafond bourdonnait au-dessus de nos têtes, et la chambre était fraîche. Je n'entendais que le battement régulier des pales et le chant des grillons, dehors. Je me tournai vers Usman et je l'embrassai.

« *Ah, Hope* », dit-il — *je ne vis pas son sourire dans l'obscurité mais je le perçus dans sa voix* —, « *je crois que tu es en train de tomber amoureuse de moi.*

— *Crois ce que tu veux, répliquai-je, mais tu te goures.*

— *Tu es difficile, Hope. Très difficile.*

— *Bon, je me sens heureuse, dis-je. Je t'accorde ça. Tu me rends heureuse.* »

Il prononça alors une phrase en arabe.

« *Qu'est-ce que c'est ?*

— *Un dicton. Une chose qu'on répète. Un avertissement. "Il ne faut jamais être trop heureux."* »

Il ne faut jamais être trop heureux. Le lemme d'Usman Shoukry.

Parfois je me demande si un lemme est plus proche du rang d'un axiome. Les axiomes sont des affirmations qui sont présumées vraies, et ne requièrent aucune preuve formelle : $2 + 2 = 4$. « *Une ligne est une longueur sans largeur.* » *La vie est remplie de lemmes, je le sais. Il doit bien y avoir des axiomes.*

Usman m'annonça que si je voulais le rejoindre après mes courses dans l'après-midi, il serait à la plage. Je réussis à terminer le ravitaillement à trois heures et demie et je pris un taxi de l'hôtel. Je vis la voiture d'Usman garée avec quelques autres à l'ombre des palmiers et abandonnai mon taxi.

Les palmiers ici étaient très grands et très vieux. Leurs troncs gris courbés paraissaient trop minces pour se tenir droits, sans parler de supporter le poids de leur couronne touffue et le fardeau des noix de coco vertes. Sous eux, le sol était dur et stérile comme passé au rouleau, puis balayé. Cette plage avait été très à la mode autrefois et on y trouvait tout le long des restes de chalets et de *cabañas* en bois. La plupart s'étaient désintégrés au cours des dernières années ou bien avaient été démontés pour en récupérer les planches et les toits de papier goudronné. Les indigènes s'étaient installés là, et une série de bicoques, résultat du recyclage des *cabañas*, se cachaient dans la brousse, derrière la frange d'arbres du littoral, avec dépotoirs et animaux de toutes sortes. Chèvres et poules grappillaient autour des palmiers, des chiens errants galopaient le long du rivage, reniflant avec curiosité tout ce que les vagues déposaient sur le sable.

Quelques chalets étaient encore en bon état. Le directeur des mines de bauxite en possédait un, et plusieurs marchands syriens et libanais s'étaient cotisés pour en entretenir d'autres. Mais, malgré leurs efforts, l'ambiance de ce bout de plage demeurait inévitablement triste, un souvenir morose des gloires passées.

J'aperçus Usman debout à mi-corps dans la mer, le torse incliné dans les rouleaux verts écumants qui déferlaient avec force, le giflant et le bousculant. Il plongeait sous les lames particulièrement grosses, se précipitait dans le creux abrupt de leur gorge étroite, juste avant qu'elles ne moutonnent, puis émergeait, crachotant et ravi, de l'autre côté.

« Usman ! » criai-je, et il me répondit d'un signe de la main. Je m'assis sur son tapis de plage, ôtai mes chaussures et allumai une cigarette. Derrière moi, quatre hommes jouaient au volley-ball devant une des cabanes réaménagées. Le teint basané — des Libanais, sans doute —, ils portaient de minuscules slips de bain et jouaient avec une ardeur théâtrale, à grand renfort d'acrobaties absurdes pour attraper des balles très faciles.

Usman sortit de l'eau en secouant la tête comme un chien. Il avait grossi depuis ma dernière visite et un mince bourrelet de chair recouvrait la ceinture de son slip de bain. Il s'assit à côté de moi et, de ses délicats doigts mouillés il s'empara d'une de mes cigarettes.

« Tu te baignes ? demanda-t-il.

— J'ai peur du courant, tu le sais bien.

— Ah ! Hope. Ça me fait l'effet d'une épitaphe. " Hope Clearwater, du courant elle avait peur. " »

Usman était égyptien. Il devait avoir une quarantaine d'années, à mon sens. Il refusait de me dire son âge exact.

« Tu grossis trop, déclarai-je.

— Tu maigris trop. »

Il parlait un excellent anglais, mais avec un accent prononcé. Moins gros, son visage bien dessiné aurait été plus beau. Tous ses traits — nez, sourcils, lèvres, menton — semblaient posséder un relief supplémentaire. Son torse brun était imberbe. Ses bouts de seins, petits et nets, ressemblaient à ceux d'un adolescent.

Une mouche se posa sur sa jambe et il l'observa un moment, la laissant goûter l'eau salée, avant de la chasser d'un geste. Une brume laiteuse recouvrait le soleil et une brise soufflait de la mer. J'avais chaud, mais pas trop. Je m'allongeai et fermai les yeux, écoutant le grondement et le sifflement des vagues. Grosso Arvore, mes chimpanzés et Mallabar paraissaient très loin.

« J'aurais dû apporter mon maillot, dis-je. Pas pour nager. Pour bronzer.

— Non, non. Reste blanche. Je t'aime blanche. Toutes les Européennes ici sont trop brunes. Sois différente.

— Je déteste être blanche à ce point.

— OK. Bronze-toi. Ça ne m'importe pas tellement. »

J'éclatai de rire. Il me faisait rire, Usman, mais je n'aurais pas pu dire vraiment pourquoi. Je le sentis s'allonger à côté de moi sur le tapis. Nous demeurâmes silencieux un moment. Ses doigts vinrent caresser doucement mon visage. Puis mes cheveux qu'ils rejetèrent en arrière.

« Reste blanche, Hope, chuchota-t-il d'un ton dramatique à mon oreille. Reste blanche pour ton homme brun.

— Non », dis-je, continuant à me moquer.

Je m'assoupissais sous l'effet de la chaleur et le mouvement apaisant de ses doigts sur ma tête.

« Hé ! Qu'est-ce que c'est ? » Ses deux mains étaient dans mes cheveux maintenant, écartant les mèches pour exposer mon crâne. Je gardais les yeux clos.

« Ma tache de vin.

— Comment tu appelles ça ? »

J'expliquai. J'avais une tache de vin, de bonne taille, irrégulière, cinq centimètres de large, d'un pourpre de prélat, au-dessus de mon oreille gauche. Mes cheveux étaient si épais qu'il fallait vraiment chercher pour la trouver. Il n'existe pas de photos de moi en bébé chauve. Mes parents attendirent que je sois pourvue d'une toison complète avant de me mettre devant une caméra.

« En Égypte, c'est un signe de grande chance.

91

— En Angleterre, aussi. Mais pas si tu l'as en plein dans ta figure. »

Il prit un air résigné :

« Je ne l'ai dit que pour te faire plaisir.

— Merci. » Je me tus un instant. « En réalité, ça me fait plaisir. Je me demande souvent à quoi j'aurais ressemblé si j'avais eu ça sur la joue. » Je me retournai, au prix d'une contorsion et, appuyée sur un coude, je levai la tête vers lui. « Et pour commencer, tu ne serais pas allongé ici. »

Cette fois, c'est lui qui se moqua de moi :

« Oui. Tu as probablement raison.

— Tu vois. Ça me porte chance. »

Je me rallongeai. Une discussion bruyante se poursuivait entre les joueurs de volley-ball.

« Veux-tu dîner dans ce restaurant libanais, ce soir ? dit-il. Je ne devrais pas rentrer trop tard. » Il se redressa. « Il faut que je m'en aille maintenant.

— Où ça ?

— Je vole.

— Une mission ?

— Non. Il faut que je teste les circuits électriques. Tu comprends, il y a deux jours, au cours d'une reconnaissance, j'ai pressé le bouton de la caméra et mes réservoirs de carburant se sont barrés. »

Usman était un pilote des Forces aériennes fédérales. Un mercenaire, devrais-je dire, pour parler carrément. Tous les Mig 15 de l'aéroport étaient pilotés par des étrangers à la solde du gouvernement. A part Usman, il y avait deux Anglais, trois Rhodésiens, un Américain, deux Pakistanais et un Sud-Africain. Leur nombre variait. Tous, sous contrat, étaient en théorie des instructeurs. On leur donnait des uniformes, mais ils n'avaient pas l'obligation de les porter. On ne leur imposait aucune discipline. La rotation du personnel était plutôt rapide : soit la lassitude, soit les catastrophes. Depuis un an qu'Usman était là, un seul pilote avait été tué au cours d'une mission. Quatre autres étaient morts dans des accidents dus à des pannes de mécanique ou d'instruments. « Votre équipage au sol, disait Usman, flegmatique, est votre pire ennemi. »

J'avais rencontré Usman lors de ma première expédition de ravitaillement. J'étais arrivée plus tôt que prévu à l'hôtel et, assoiffée et en sueur, j'avais filé au bar boire une bière. Le bar était une longue pièce étroite, tapissée de faux cuir et meublée de chaises et de tables du style scandinave en vogue, les chaises d'aspect organique, en forme de rein tordu avec pieds évasés en métal, les tables, de gros pavés incrustés de bouts de verre brisés multicolores. Il y faisait très sombre et, à cause des murs de similicuir, très chaud. Les deux ventilateurs y tournaient toujours à plein régime. Les pales sifflantes produisaient un vent vif qui vous décoiffait. Je n'avais jamais fréquenté un bar pareil et je devais finir par m'attacher étrangement à sa singulière atmosphère.

Quand j'y pénétrai, ce premier après-midi, l'endroit était désert. Puis j'aperçus quelqu'un agenouillé au fond de la pièce, apparemment à la recherche d'un objet tombé par terre. L'homme leva la tête à mon entrée. Il portait un pantalon kaki et une chemise hawaïenne, ce qui, je ne sais pour quelle raison, me fit penser qu'il s'agissait du barman.

« Bonjour, dit-il. J'essaie d'attraper une grenouille. »

J'attendis pendant qu'il s'y employait. Il vint ensuite me la montrer : une petite grenouille verte toute pâle, dont la gorge battait la chamade.

« Je prendrais bien une bière, dis-je. Dès que vous serez prêt. »

Il poussa la grenouille entre les jalousies d'une fenêtre au fond du bar avant de passer derrière le comptoir et de me verser un verre de bière.

« Combien ? m'enquis-je.

— C'est la maison qui régale. »

Puis il me fit la conversation dans le genre classique barman-client. « D'où venez-vous ? » « Combien de temps allez-vous rester ? » Assez vite, j'en vins à le soupçonner d'être un des directeurs — il paraissait bien trop culotté et intelligent pour rester derrière le bar de l'Hôtel de l'Aéroport. Quand il me demanda de dîner avec lui ce soir-là, je compris que je m'étais laissée blouser.

« Vous me preniez pour le barman, dit-il avec une certaine

satisfaction. Avouez-le. Je vous ai eue. » Il était très content de son coup.

« Pas une seconde », répliquai-je. Puis, improvisant : « Je l'ai su dès que vous avez ouvert la bouteille », je désignai d'un geste la capsule tordue qui gisait sur le comptoir. « Aucun barman en Afrique n'aurait laissé traîner ça. Il l'aurait mis dans sa poche.

— Ah ! » Il parut déçu. « Vous en êtes sûre ?

— Vérifiez la prochaine fois que vous irez dans un bar. »

Il me menaça d'un doigt :

« Vous mentez. Je le sais. »

Je continuai à nier et acceptai de dîner avec lui. Il m'intriguait. Il me dit son nom — Usman Shoukry —, me l'épela et me raconta ce qu'il faisait. Après notre repas, ce soir-là — durant lequel je fus présentée à deux de ses collègues pilotes dont je sentis les suppositions salaces siffler autour de moi —, il me raccompagna à ma chambre à travers le jardin.

Nous fîmes halte à l'intersection de deux sentiers.

« Voici mon chalet, dit-il, le bras tendu. Je me demandai si vous aimeriez y passer la nuit avec moi.

— Non, merci.

— C'est pour votre bien.

— Ah oui ? » Brusquement, il me plaisait beaucoup moins. « La bonne blague !

— Non, franchement. » Il avait le regard candide. « Si ces types que vous avez rencontrés ce soir s'imaginaient que nous ne couchons pas ensemble, ils vous tomberaient dessus comme ... comme des mouches. Bzz, bzz.

— Je prends le risque. » Je lui serrai la main. « Merci pour le dîner. »

Il haussa les épaules :

« Enfin, je vous aurais prévenue. »

Mais six semaines plus tard, quand je revins au cours de mon second voyage et qu'il m'invita de nouveau dans son « chalet », j'acceptai.

Usman s'arrêta à l'entrée de l'aéroport et montra son permis au planton qui paraissait crever d'ennui. La barrière se souleva et nous passâmes.

« Veux-tu voir mon avion ? » demanda-t-il.

Après nous être arrêtés devant un grand hangar, nous descendîmes de voiture pour approcher d'une rangée de six Mig 15. Ici, sur l'aire de béton, on sentait dans sa plénitude la force physique de la chaleur. Je voyais la brume s'élever de la piste, presque comme si les rayons du soleil rebondissaient, striant la broussaille et les palmiers nains le long de l'enclos.

Certains des appareils étaient de couleur argentée — plutôt pénible sous ce soleil —, d'autres d'un vert olive sale. Ici et là, un mécanicien travaillait. J'aperçus à l'écart une rangée de petits chariots supportant chacun une paire de réservoirs en forme de larme. Usman dépassa les deux premiers appareils, s'arrêta devant le troisième et s'adressa en arabe à un mécano qui réparait quelque chose dans le train d'atterrissage. Usman portait une chemise bleue par-dessus son caleçon de bain et des flip flops de caoutchouc aux pieds. Moi un short et un T-shirt. Avec le sentiment bizarre d'inspecter, après un barbecue, la nouvelle voiture de sport d'un copain dans l'allée de notre maison de banlieue.

J'examinai le Mig d'Usman. A mes yeux, c'était un vilain avion. Bas sur pattes, un peu basculé en arrière, comme assis sur ses fesses. La prise d'air s'ouvrait dans le nez, un gros trou noir. De part et d'autre, deux niches ovales contenaient chacune le museau camus d'une mitrailleuse. Nous en fîmes le tour. Les ailes, rejetées à angle aigu, avaient un reflet mat d'aluminium sur les tranches avant, là où la peinture s'était usée sous la friction du vent et de la poussière. Les volets étaient maculés de longues traînées d'huile et de graisse, et les pneus donnaient l'impression d'avoir besoin d'être regonflés. Je touchai les minces flancs métalliques de la carlingue. Ils étaient chauds.

« Je pensais, dis-je. Ces avions sont faits d'aluminium et l'aluminium est fait de bauxite. On extrait de la bauxite ici. Non, attends », — Usman allait m'interrompre — « suppose que cette bauxite soit vendue aux Russes qui la transforment en aluminium pour en faire des Mig 15 ? Après quoi, les Russes revendent les Mig à l'armée de l'air ici qui bombarde les gens qui extraient la bauxite. »

Usman, il faut lui rendre justice, parut un moment mal à l'aise. Puis il haussa les épaules.

« Le monde est fou, vois-tu. Mais, de toute manière, ils ne vendent pas cette bauxite aux Russes.

— Comment le sais-tu ?

— Je le sais. »

Sur ce, il plongea sous l'aile pour voir ce que faisait le mécano. Je touchai de nouveau l'avion et frottai du bout de mon doigt une couture dans le métal. Ce Mig semblait plus petit que je ne l'avais imaginé après en avoir vu tant décoller et atterrir. Au sol, à cette distance, le côté machine devenait beaucoup plus évident. Je voyais toutes les estafilades, les gnons et les taches, les rangées de boulons, les endroits où la peinture avait cloqué et pelé sous l'effet du soleil. Soudain cet avion ressemblait à n'importe quel autre véhicule — un autobus ou une voiture —, un objet composé de divers éléments, de tubes et de câbles, de leviers et de charnières. Une machine volante.

Usman réapparut.

« Qu'en penses-tu ?

— Comment s'appelle-t-elle ? dis-je, facétieuse.

— Il, pas elle.

— Je croyais qu'en anglais les navires et les avions étaient du féminin.

— Pas celui-ci. Il s'appelle Boris. Un bon nom russe. Un beau grand solide fils de pute. » Il lui donna un coup de poing. « Tu veux t'asseoir dedans ? »

Je m'approchai du cockpit et jetai un œil à l'intérieur. Qui me parut crasseux et très usé, le cuir du siège fripé et râpé, le tableau de bord ébréché et rayé.

Sur une paroi pendait une curieuse sacoche en tissu, genre porte-monnaie, rebrodée de perles multicolores.

« Qu'est-ce que c'est ? » demandai-je.

Usman tendit le bras pour ouvrir le sac. Il sortit un petit revolver bleu corbeau avec, sur la crosse, des plaques d'ébène incrustées de ses initiales en argent.

Il me le fit admirer comme un objet, puis m'offrit de le tenir. « Un cadeau de mon escadrille. Quand j'ai quitté l'armée. C'est italien, ce qu'il y a de mieux. »

Il était lourd pour un si petit revolver. Le métal était froid. Je le lui rendis.

« Pourquoi l'emportes-tu dans ton avion ?

— Porte-bonheur. » Il sourit : « Ma protection spéciale. Et au cas où je serais descendu.

— Ne dis pas ça.

— Viens, que je t'aide à grimper dedans.

— Écoute, arrête, Usman, j'ai chaud. Je ne connais rien aux avions. Je m'en fous.

— Pauvre Boris, lança-t-il à l'avion sur un ton lugubre. Elle ne t'aime pas. »

Je fus obligée de rire. « Oh, merde », dis-je, et je repartis vers la voiture.

« Qu'est-ce que c'est, ces choses-là ? m'enquis-je en montrant les grosses larmes d'argent sur leurs petits chariots.

« De l'essence, dit-il. Des réservoirs largables. »

ICARE ET ERIGONE

Aucun Mig ne décolle de l'aéroport ces jours-ci. Il y a quelques mois, l'armée de l'air a déplacé sa base principale plus au sud pour faire pièce à la menace grandissante de l'EMLA. L'Hôtel de l'Aéroport est, en conséquence, plus désert que jamais. J'y dîne une ou deux fois par semaine, quand Gunther m'invite, et nous sommes souvent les seuls clients de tout le restaurant. Ce qui est dommage : la nourriture s'est considérablement améliorée avec le changement de direction. Un nouveau directeur a été nommé assez récemment, un Grec nommé Icare Panathatanos.

Icare est un type costaud, à moitié chauve qui me rappelle un peu Hauser. Un soir, il m'a raconté l'origine de son prénom. La source en est un personnage très mineur de la mythologie grecque. Icare Ier était un fermier qui découvrit comment faire du vin à partir des vignes qu'il cultivait. Pendant un temps, il garda son secret pour lui, faisant son vin et le buvant tout seul en douce. La *chose pourtant lui plaisait tant qu'il décida un beau jour d'en faire profiter ses voisins. Il invita tout le village à partager sa merveilleuse découverte.*

Les villageois burent donc tout leur saoul. Mais, à mesure que les symptômes de l'ivresse s'emparaient d'eux, ils se persuadèrent qu'il s'agissait d'un complot conçu par Icare pour les empoisonner. Et, pris d'une folie paranoïaque d'ivrognes, ils lapidèrent le malheureux fermier.

Mais la tragédie ne s'arrête pas là. Erigone, la fille d'Icare, écrasée de chagrin par la mort de son père, décida de se suicider et se pendit à un olivier.

C'est tout ce qu'Icare savait de son illustre homonyme. Icare a une jolie petite fille de trois ans qu'il a naturellement appelée Erigone. Il ne voit absolument rien de sinistre là-dedans.

Hope avait besoin d'un job et le professeur Hobbes lui en trouva un. Il lui téléphona un jour et suggéra qu'elle vienne le voir. Des mois s'étaient écoulés depuis l'obtention de son doctorat et elle n'arrivait pas à s'expliquer à elle-même sa léthargie. Elle avait publié un article et lu un peu, mais guère plus. Comme si elle avait souhaité que quelqu'un d'autre prît l'initiative d'une nouvelle étape dans sa carrière professionnelle, comme si elle n'avait pas eu le courage d'avancer plus loin sans un guide, de son propre gré.

Hobbes était un homme d'une soixantaine d'années, d'aspect vieillot, avec brioche et moustache, qui aurait pu auditionner avec succès pour un rôle de brave vieillard ou de grand-père gâteau dans une pub de télé. Cependant les traits aimables cachaient une nature perspicace et souvent malicieuse. Personnage puissant, il possédait une large influence dans son domaine et les diverses sociétés scientifiques dont il faisait activement partie. Chaque année, il choisissait parmi ses étudiants un ou deux chouchous qu'il favorisait de manière flagrante, leur procurant des bourses, des facilités de laboratoire et finalement des situations, une démonstration, somme toute, de l'efficacité de son patronage.

Au cours de sa première année, Hope avait été choisie pour faire partie des élus. Il était entendu que, si Hobbes s'intéressait à vous, sa protection s'étendait bien au-delà des murs de son département, sans limite de temps, la fin en étant fixée unilatéralement par lui, à sa convenance quant à la date et à la manière. Nombre d'universitaires dans le monde étaient périodiquement amenés à se rappeler qu'il leur restait encore à renvoyer l'ascenseur. Hope savait fort bien que, n'ayant pas fait grand-chose d'abord et absolument rien ensuite pour trouver un poste, son inertie ne serait pas passée inaperçue. Quand elle entendit la voix étonnamment douce de Hobbes au bout du fil, ce fut avec un soulagement sournois plutôt qu'un sentiment de culpabilité qu'elle accepta de le rencontrer pour « discuter de son avenir ».

« Que vous arrive-t-il, Hope ? interrogea Hobbes. Enfin, quoi, que diable se passe-t-il ? »

Il lui servit un verre de vin. Du vin blanc, parfumé et parfaitement frais. Hobbes avait un réfrigérateur dans son bureau. Il sourit à Hope tandis qu'elle buvait.

« Pourquoi n'avez-vous pas posé votre candidature pour ce poste de maître de conférences à York ? J'aurais pu appeler Frank.

— Je me suis mariée.

— Et alors ?

— M'étant mariée, j'ai eu plutôt envie de vivre un peu avec mon mari.

— Très sentimental.

— J'ai besoin d'un job à Londres.

— Vous auriez dû prendre celui de York et faire la navette. N'est-ce pas ainsi que tout le monde procède aujourd'hui ? »

Elle se laissa réprimander pour sa naïveté pendant le temps voulu, puis déclara qu'elle prendrait volontiers un poste pour une période limitée. John avait le projet de retourner aux États-Unis, mentit-elle spontanément, et elle ne voulait pas s'engager pour plus d'un an. Hobbes dit en rechignant qu'il verrait ce qui se présentait.

Il la rappela dans la semaine. Il avait deux emplois pour elle, annonça-t-il, et elle avait intérêt à en accepter un. Tous deux commençant dès qu'elle serait prête, tous deux d'une durée d'un an. Aucun exactement dans sa spécialité, mais elle était tout à fait qualifiée pour les remplir et, en tout état de cause, il était « très ami » des deux responsables. La meilleure offre était pour l'Afrique, dit-il, et l'étude des chimpanzés sauvages.

« Non, je ne crois pas...

— Ne m'interrompez pas. Ils sont désespérés. C'est subventionné par les Américains, vous serez donc très bien payée. Et ça vous ouvrira toutes sortes de portes.

— Non », dit-elle. Elle ne pouvait pas aller en Afrique maintenant. Hors de question.

Il lui parla de l'autre poste. Un dixième du salaire, précisa-t-il d'un ton dégoûté. Mais, avec l'avantage pour elle de pouvoir travailler à temps partiel. Il s'agissait du relevé d'un vieux domaine historique dans le Sud du Dorset, près de la côte. Un historien, un archéologue et un géographe étudiaient l'histoire du site et ils avaient besoin d'un écologiste pour compléter leur enquête. « Dater les bois et les haies, ce genre de chose, dit Hobbes. Pas de problème. Ne me laissez pas tomber. »

Elle rencontra dûment le directeur du projet, un ancien élève de Hobbes, comme par hasard, et elle fut automatiquement acceptée. Graham Munro, était un homme très maigre, doux, très peu susceptible, Hope le comprit, de discuter le jugement de Hobbes quant à ses compétences. Elle commencerait dans un mois, convinrent-ils, et elle passerait deux ou trois jours par semaine sur le site. Munro lui expliqua qu'il existait un petit cottage sur la propriété dans lequel elle pourrait camper.

Elle découvrit qu'avoir un travail lui redonnait le moral. Elle se demanda si c'était l'absence d'emploi, plutôt que John, qui l'avait rendue grincheuse et inquiète. John se déclara content pour elle. Ils tirèrent des plans pour que, si ses recherches le lui permettaient, il puisse l'accompagner certaines semaines.

Elle suggéra qu'au cours de ce dernier mois d'oisiveté, ils prennent tous les deux des vacances. Ils décidèrent de retourner en Écosse et louèrent une petite maison sur une île au large de la côte ouest, qu'on atteignait par le ferry de Mallaig.

Leur maison se situait à la lisière de l'unique village de l'île. C'était un cottage aux murs bas, épais, bâti sur un seul niveau avec des fenêtres profondément encastrées, donnant sur le port et la baie. A l'intérieur, le décor était simple et fonctionnel : murs chaulés blancs, linoléum marron au sol et ameublement minimal. Deux fauteuils face à la cheminée, une table et quatre chaises dans la pièce principale. Une armoire en chêne et un haut lit en fer, à deux places, dans la chambre à coucher. Un petit coin glacial, mais pas de salle de bains ; toute toilette devait se faire à l'évier de la cuisine, une petite pièce à l'arrière du cottage qui contenait un réchaud à gaz, mais pas de réfrigérateur. Deux cheminées en état de marche dans la salle de séjour et la chambre assuraient le chauffage de l'eau. L'éclairage se faisait entièrement aux lampes à pétrole. Il n'y avait ni téléphone, ni télévision, ni radio.

John décréta qu'on avait l'impression de vivre dans un roman de D.H. Lawrence, mais l'endroit lui plut tout autant qu'à Hope. Austère, mais fonctionnel. Les feux de bois garantissaient une bonne température dans la maison, les manchons sifflants des lampes à pétrole fournissaient suffisamment de lumière pour lire. Le lit était vaste, dur, pourvu de quantité de couvertures grises, rugueuses. Curieusement, Hope découvrit que la bonne marche de la petite maison leur imposait à John et elle une discipline semblable. Pour la première fois depuis leur mariage, ils faisaient la vaisselle après les repas et ils ne laissaient jamais se vider les paniers de charbon et de bûches. Ils se nourrissaient de mets solides achetés à l'épicerie du village : des ragoûts en conserve et des pommes de terre, des tourtes à la viande et des haricots blancs, des harengs fraîchement pêchés et du chou. Après leur repas, ils s'installaient dans leur fauteuil respectif devant la cheminée pour lire durant deux ou trois heures, ou bien jouer aux échecs. Hope avait apporté un cahier de croquis et un carquois de crayons. Elle recommença à dessiner.

Les plus vieilles maisons du village s'entassaient autour du port très simple. Les bâtiments plus récents, remarquablement laids — le bureau de poste, le « Mini-Marché », l'école primaire et la salle municipale —, s'éparpillaient largement sur le terrain à l'intérieur, posés apparemment au petit bonheur, et tournés dans des directions différentes, comme honteux les uns des autres. Sur un modeste promontoire s'avançant dans la baie, se dressait un hôtel, « Le Seigneur des Isles » qui contenait le seul bar du territoire. Ailleurs, sur les douze kilomètres sur trois de surface de l'île, on trouvait une poignée de fermettes — dont une ou deux en ruine —, un autre demi-village sur la côte nord et une maison de maître, entourée d'un petit bois de pins battus par le vent, et qui servait de cinquième foyer à son actuel propriétaire, un industriel hollandais. Celui-ci possédait de grandes étendues de l'île — d'où les fermettes en ruine — et, de temps à autre, l'été, débarquait en hélicoptère avec ses invités pour un week-end. Personne dans le coin ne comprenait pourquoi il avait acheté cette propriété.

Très vite, Hope et John établirent une routine. Ils se réveillaient tôt, après huit heures d'un sommeil solide et sans rêves. John allumait le feu dans la salle de séjour pendant que Hope préparait le petit déjeuner. Puis ils accomplissaient leurs tâches — refaire le plein de combustible, acheter de la nourriture, préparer un pique-nique. Après quoi, ils enfourchaient leurs bicyclettes (louées au « Seigneur des Isles ») et filaient — qu'il pleuve ou qu'il vente — jusqu'à ce qu'ils trouvent une plage ou une crique qui leur plût. John ne lisait que des romans policiers — il en avait emporté trois douzaines en édition de poche — et, tout en pédalant, il racontait, avec une mémoire et un luxe de détails étonnants, l'intrigue de celui qu'il venait de terminer. Une fois leur plage découverte et leur installation complétée, ils rôdaient autour à la recherche de débris d'épaves dans les goémons. Hope dessinait, John lisait ou allait se promener. Ils n'apercevaient jamais âme qui vive.

Il leur arrivait de repartir après le pique-nique — leur ambition étant de couvrir en entier le rivage de l'île — et ils rentraient en général chez eux vers quatre heures pour prendre le thé et parfois faire une sieste. Dès l'heure d'ouverture, ils allaient à pied au « Seigneur des Isles » boire un verre et y traînaient jusqu'à ce qu'ils aient faim. Puis venaient leur simple repas et une soirée de lecture et de dessin. Ils se couchaient quand ils se sentaient fatigués, normalement avant onze heures. Ils firent l'amour chaque soir de ces vacances-là, presque machinalement.

Le froid marmoréen de leur grand lit les faisait s'entortiller dans les bras l'un de l'autre pour se réchauffer ; leur excitation était immédiate et simultanée, leur accouplement aussi efficace et dénué de prétention que leur environnement — pas de préliminaires, pas d'expérimentation, pas de prolongement indû — et ils s'endormaient dans les minutes qui suivaient.

En bordure du village, derrière l'une des cages à buts d'un périlleux terrain de football en pente, une benne à ordures rouillée servait de dépotoir pour tous les déchets « durs » ainsi que le proclamait un écriteau sur l'une des parois. Journaux, cartons, boîtes en métal et bouteilles — tout ce quc la terre ne pouvait pas décomposer. Les déchets « tendres », leur annonça la postière, leur propriétaire, devaient être enterrés. Il y avait une pelle dans la petite cabane, près de la porte de service, réservée précisément à cet usage, dit-elle, et elle leur serait très reconnaissante d'enterrer leurs ordures à au moins vingt mètres de la maison. Au troisième jour sur l'île, Hope se porta volontaire pour disposer de deux sacs de déchets durs si John voulait bien s'occuper des tendres.

Un vent vif soufflait et un fin crachin éclaboussait le capuchon de son ciré mais, dans le ciel, les nuages brisés se hâtaient de fuir et, au milieu de la grisaille, Hope apercevait des lambeaux d'un bleu indécent. Les muscles raides d'avoir trop pédalé, elle essaya, après avoir déposé ses ordures, de se dégourdir un peu les jambes en faisant deux fois le tour du terrain de football au petit trot. L'île était plate, les routes bien empierrées. Seule la force du vent aidait ou contrariait le cycliste et sa machine.

Une demi-douzaine de petits garçons, en tenue de sport, déboulèrent frigorifiés de l'école et se mirent à taper sans enthousiasme, et en protestant sur le mode aigu, dans un ballon de foot trop gros. Près d'un poteau des buts, penchée à contrevent pour allumer une cigarette, une jeune institutrice, manifestement indifférente aux règles du football, ne prêtait aux gamins aucune attention. Hope lui sourit en passant et reçut un bonjour enjoué en retour. Elles s'étaient vues la veille au soir au « Seigneur des Isles » et, sans aucun doute, continueraient à se rencontrer durant le reste des vacances. Hope regarda les petits garçons courir et trébucher, avec leurs nez et leurs genoux rouge vif, puis se dépêcha d'aller rejoindre John.

Ne le trouvant pas dans le cottage, elle partit à sa recherche dans le jardin, un bout de terrain bosselé rempli de ronces et d'orties, vers les ruines de ce qu'elle supposait avoir été un cabinet d'aisances en bois et un mur en pierres sèches rongées. Au-delà se trouvait la langue de terre couverte de bruyères qui formait un bras de la baie et, plus loin encore, le soleil brillait sur un Atlantique étincelant de froid.

John était de l'autre côté du mur, en bras de chemise, enfoui jusqu'à la taille dans un trou qu'il venait et continuait de creuser. Il ne vit même pas Hope approcher tant sa tâche l'absorbait. Il tourna la tête en l'entendant éclater de rire.

« Pour l'amour de Dieu, lança-t-elle, il ne s'agit que d'un sac d'os de poulet et d'épluchures de patates, pas d'un foutu cercueil ! »

Il examina, comme s'il le voyait pour la première fois, son trou et sa prodigieuse profondeur. Il avait une expression troublée, légèrement surprise.

Il s'extirpa, avec un vague sourire.

« Je me suis laissé entraîner », dit-il. Il jeta sa pelle. « Attends, il faut... il faut que j'inscrive quelque chose. »

Il se rua vers la maison. Hope fouilla dans les poches de sa veste pendue au gond de la porte des cabinets, trouva ses cigarettes et en alluma une. Le soleil, qui s'était déplacé de la mer sur l'île, lui réchauffa le visage tandis qu'assise sur le mur de pierres elle contemplait le trou qu'avait creusé John. La terre était humide et tourbeuse, avec la couleur et la consistance d'un très riche gâteau au chocolat imbibé de rhum et de sirop. La lame de la vieille pelle était propre, le bord argenté par des années d'abrasion, le manche lisse et brillant d'usure.

Elle fuma sa cigarette et s'apprêtait à aller voir ce qu'il faisait quand il revint. Il fronçait les sourcils. Il ramassa la pelle et la regarda comme si elle contenait la réponse à une question confondante. Il jeta le sac poubelle dans le trou et entreprit de le combler.

« C'est très extraordinaire, dit-il tout en travaillant. Je me suis mis à creuser. Et puis mon esprit... » Il se tut et reprit : « J'ai commencé à réfléchir. » Son visage se crispa. « Et j'ai découvert quelque chose pendant que je creusais », énonça-t-il lentement, comme s'il ne pouvait pas encore croire ce qui s'était passé. « Quelque chose qui m'échappait depuis une éternité. C'est pour ça qu'il fallait que j'aille le noter par écrit.

— Quoi donc ?

— Une équation. » Il voulut lui expliquer mais elle l'arrêta. Il disposa les mottes d'herbe par-dessus la terre et les tassa. « Très bizarre, dit-il. Tout ça. »

Le soir, après le dîner, au lieu de lire, il se remit à table et travailla, couvrant d'arrache-pied les pages du carnet de croquis de Hope des hiéroglyphes de formules mathématiques compliquées. Le lendemain, il n'eut pas de roman policier à raconter, mais il était si content de ce qu'il avait fait la veille au soir qu'il alla se baigner tout nu dans la mer pendant quatre-vingt-dix secondes entières. Hope l'enveloppa dans une serviette, puis dans la couverture du pique-nique, riant du spectacle qu'il avait présenté en sortant des vagues, blanc de froid et de choc, et de sa pénible remontée, plié en deux sur la plage.

« On se les caille... lâcha-t-il d'une voix rauque, son corps vibrant comme une machine. On se les caille foutrement ! » Puis il éclata de rire lui aussi, un rugissement exubérant, comme un accord de trombone. Hope ne l'avait jamais entendu rire ainsi. C'était étrange de lui entendre cette voix d'airain de la joie de vivre.

Le lendemain, au moment de partir, elle sortit par la grande porte et le trouva en train d'attacher la pelle au cadre de son vélo.

« Allons bon, dit-elle. Que se passe-t-il ?

— C'est une expérience, répliqua-t-il en souriant. Je veux voir si ça va remarcher. »

Ainsi Hope s'installa pour dessiner pendant que John creusait son trou. Un trou de six pieds carrés et, en œuvrant méthodiquement, avec une pause de temps à autre, il en était, deux heures plus tard à cinq pieds de profondeur. Il s'arrêta pour déjeuner.

« Qu'est-ce que ça donne ? s'enquit Hope.

— Rien encore pour l'instant. » Il paraissait un peu troublé.

« On ne peut pas organiser un éclair d'inspiration juste à la demande, tu sais, dit-elle, raisonnable. Je suis sûre qu'Archimède ne s'est pas mis à se baigner dix fois par jour après son histoire d'eurêka.

— Tu as probablement raison. Probablement...Mais ça avait définitivement un rapport avec le fait de creuser même. L'effort. La logique de l'acte en soi. De déplacer des volumes... Ça m'a paru clarifier quelque chose dans mon esprit. » Il tendit le bras pour prendre un sandwich. « Je vais essayer encore un coup après le déjeuner. »

Il recommença. Hope le regarda agrandir le trou, découper les mottes d'herbes, les empiler soigneusement, et puis enfoncer la pelle dans le sol noir, manœuvrer la lame de métal, la charger et rejeter la terre sur le tas humide. La tâche avait quelque chose de gratifiant, Hope elle-même s'en rendait compte : simple, mais physiquement exigeante et avec des résultats immédiatement visibles. Le trou s'approfondissait. Hope partit se promener.

Quand elle revint, John, assis, ajoutait des notes dans le cahier de croquis.

« Eurêka ? s'enquit-elle.

— Demi-eurêka. » Il sourit. « Quelque chose de totalement inattendu. Trois bonds en avant d'où j'étais, si tu vois ce que je veux dire. En fait, je ne vois pas encore très bien comment tout ça va s'assembler mais... » Il prit soudain un air solennel : « C'est une idée étonnante. »

Elle s'assit et le regarda combler le trou.

« Mais en voilà le côté assommant, dit-elle.

— Non, non. Je le fais avec gratitude. Le trou m'a servi et je suis donc content de le rendre à son état de non-trou.

— Seigneur Jésus !

— Va te faire cuire un œuf ! » Il était ravi.

Sa nouvelle idée parut le satisfaire. Il cessa de travailler, se remit à lire des romans policiers et, durant quelques jours, ils reprirent leur routine. Mais, la veille de leur départ de l'île, au mépris des protestations de Hope, il emporta une fois de plus la pelle.

« Tu ne te trouves pas un peu ridicule ? se moqua-t-elle.

— Pourquoi ça ? répliqua-t-il sur un ton un rien belliqueux. Qu'en sais-tu ? Ces idées que j'ai eues pendant ces vacances... Je n'avais pas réfléchi comme ça depuis des années. » Il la regarda avec une certaine pitié : « Je n'ai rien à foutre de tes sensibilités.

— Ne te tracasse pas pour moi. Vas-y, creuse. »

Ce qu'il fit. Il creusa trois heures d'affilée, sans s'arrêter, découpant cette fois une longue tranchée, à hauteur de cuisse. Hope l'obligea à se reposer un moment, mais il reprit bientôt sa tâche. Il y avait une « lueur d'espoir », dit-il. Au crépuscule, il abandonna, épuisé. « On reviendra demain combler le trou », dit Hope en l'emmenant de force.

Ils repartirent en pédalant lentement, descendant en roue libre la pente douce menant au village. Les premières lumières jaunes brillaient aux fenêtres, les nuages au-dessus du continent étaient roses et prune, la mer métal argenté.

John paraissait désolé outre mesure. Hope tenta de lui remonter le moral.

« Dînons à l'hôtel, dit-elle. Prenons une cuite. »

Il accepta sans trop se faire prier. Puis il ajouta : « J'étais si près aujourd'hui. Je le sais. D'une clé, de quelque chose de capital. Mais je n'ai pas pu y arriver. » Il fit le geste d'attraper quelque chose à deux mains. « Juste hors de ma portée. »

Alors qu'elle posait sa bicyclette contre le mur, la pensée vint à Hope, spontanée, désagréable, que son mari devenait fou.

LES CHOUX NE SONT PAS DES SPHÈRES

Souvenir d'Écosse. John Clearwater dans la minuscule cuisine, en train de préparer une salade d'hiver. Il tient à la main un chou rouge entier qu'il s'apprête à couper. Hope le voit regarder le chou fixement. Il le tend vers la lumière et puis se tourne vers elle. Il lui lance le chou. Elle l'attrape. Il est froid et étonnamment lourd. Elle le lui relance.

« *Les choux ne sont pas des sphères, annonce-t-il.*

— Si tu le dis. » *Elle sourit, mais elle ne sait pas en réalité quoi répondre. Voilà le genre de remarques qu'il fait de temps à autre, sibyllines, obliques.*

« *Enfin, ils sont du genre sphérique* », *suggère-t-elle.*

Il coupe le chou en deux et lui montre les stries violettes et blanches aussi convolutées qu'une empreinte digitale géante. De la pointe de son couteau, il suit la parabole oscillante du contour d'une feuille.

« *Ce ne sont pas des demi-cercles.* »

Hope comprend à quoi il veut en venir.

« *Un sapin, s'aventure-t-elle, n'est pas nécessairement un cône.* »

John hache le chou, avec la vivacité d'un cuisinier efficace, tout en se souriant à lui-même.

« *Les fleuves ne coulent pas en ligne droite, dit-il.*

— Les montagnes ne sont pas des triangles.

— Un arbre... un arbre ne multiplie pas ses branches exponentiellement.

— J'abandonne, dit-elle. Je n'aime pas ce jeu. »

Plus tard, après le dîner, il revient sur le sujet et lui demande comment elle s'y prendrait pour mesurer, avec précision, la circonférence d'un chou. « *Avec un centimètre, réplique Hope.*

— Chaque petit creux et bosse? Chaque petit détour d'une feuille?

— Oh! zut... Je prendrais des tas de mesures, je ferais une moyenne.

— Mais aucune précision. Ça ne marchera pas. »

Il se lève de table et commence à noter des idées dans un carnet.

Elle sait aujourd'hui que cet incident le mit sur encore une autre voie. Il s'absorba dans sa conviction que la précision abstraite de la géométrie et des mesures n'avait aucun rapport avec les dimensions imprécises et changeantes des choses vivantes, ne pouvait pas venir à bout de la rugosité intrinsèque du monde naturel. Le monde naturel est rempli d'irrégularités et de modifications aléatoires, mais, dans l'univers abstrait, lumineux, anti-

septique, sans ombre ni poussière, des mathématiciens, on aime
ses choux sphériques, s'il vous plaît. Pas de bosses, pas de plis,
pas d'accrocs ni de gnons. Pas de surprises.

En quittant la route principale pour prendre la piste de latérite
qui mène à Sangui, j'éprouvai une sensation de plaisir distincte
et inhabituelle. Une analyse plus profonde me fit comprendre
que j'étais en fait impatiente de reprendre mon travail. Les deux
jours en ville et le temps passé avec Usman m'avaient remise en
forme. J'en avais eu besoin et maintenant j'étais d'aplomb. La
vie n'est qu'une affaire de contrastes, répétait le professeur
Hobbes. Il n'y a pas de plaisir sans contraste. Je souris
intérieurement en repensant à lui. « Soit la marée monte, soit
elle descend », était une autre de ses rengaines appliquée à vous
rendre fou à tout grief ou gémissement. Le plus drôle, c'est
qu'apparemment ça marchait toujours. J'allai dans son bureau,
un jour, me plaindre de matériel défectueux ou de je ne sais
quelle autre injustice. Il me regarda bien en face, me tapota le
bras et dit : « Hope, ma chère, soit la marée monte, soit elle
descend. » Je repartis, pacifiée, consolée et, dans un sens, plus
avisée.
Mes réflexions sur la philosophie de Hobbes faillirent
m'empêcher de voir Alda en traversant Sangui. Je l'aperçus qui
me faisait signe à l'entrée de sa case, mais j'étais déjà quasiment
à la sortie du village. J'eus la flemme de m'arrêter, j'appuyai sur
le klaxon et continuai sur la piste cahotante en direction de
Grosso Arvore. Je n'étais pas très sûre d'ailleurs s'il s'agissait
d'un signe de bienvenue ou d'un geste d'arrêt. Quoi qu'il en soit,
raisonnai-je, s'il tenait à me parler, il savait où me trouver.
Tout en mettant la Land Rover au garage, je donnai trois
bruyants coups d'avertisseur pour alerter le personnel de cuisine.
Martim et Vemba déchargeaient déjà les provisions lorsque je
descendis de la cabine. Je m'étirai, bâillai et, en même temps,
j'aperçus Mallabar sortir en hâte de son bungalow, de l'autre
côté de la route. Je consultai ma montre : quatre heures passées
tout juste. Nous avions bien marché. Mais j'étais surprise de voir

le patron chez lui en plein après-midi et, tandis qu'il approchait à grandes enjambées, je me rendis compte qu'il était bouleversé par quelque chose. J'affichai un sourire.

« Qu'est-il arrivé, Eugène ? demandai-je.

— Hope... » Il s'arrêta devant moi. « Un affreux accident. Je suis désolé. Je ne peux simplement pas y croire. »

Cette agitation ne lui ressemblait pas du tout. Comme on a tendance à le faire dans ces moments-là, je me préparai instinctivement aux pires nouvelles. Mon père ou ma mère. Ma sœur...

« De quoi s'agit-il ?

— Un incendie. Il y a eu un incendie. Votre tente... Je ne peux pas imaginer comment c'est arrivé. »

Mallabar me narra les événements pendant que nous remontions la Grand-Rue vers ma tente, mon immense soulagement le cédant maintenant à des préoccupations plus banales. C'était arrivé le soir de mon départ, me dit-il. Toshiro avait vu les flammes. Il semblait que Liceu, le boy qui faisait mon ménage, avait étourdiment laissé tomber un mégot.

« Mais Liceu ne fume pas, dis-je.

— Oh si, je crois que oui. »

Nous fîmes halte sous le grand arbre. A travers les buissons d'hibiscus au tournant de la route, je pouvais tout juste distinguer la façade de ma tente. Elle paraissait intacte.

« Simplement un petit incendie ? dis-je avec espoir.

— Pas si petit. »

Nous reprîmes notre marche.

« Où est Liceu ?

— Je l'ai renvoyé. Immédiatement. »

Ma tente était en fait à moitié détruite, sur la partie arrière. Si l'avant semblait en bon état, le reste se réduisait à un poteau carbonisé et à quelques lambeaux de toile brûlée. Le toit de tôle était tordu et gondolé. Sur un côté se dressait le triste tas de mes affaires personnelles. Le lit : fichu ; ma cantine : calcinée.

« Mes vêtements ! » Je fus saisie de lassitude.

« Je suis tellement navré, Hope. »

Je passai mes doigts le long de mon visage.

« Nous avons sorti deux ou trois choses, dit Mallabar. Et je crois que vous aviez des vêtements au lavage. »

Nous examinâmes l'intérieur. Quoique méchamment endommagé, mon bureau tenait encore debout. En tirant un peu dessus, je réussis à ouvrir le tiroir. Des morceaux noirs trempés. Des cendres. Mes lettres, quelques livres. Tous mes carnets de notes et mon journal de campagne.

Je fis le tour de mon foyer en ruine. Je vivais ici depuis près d'un an.

Mallabar témoignait d'un souci presque palpable : il se tordait pratiquement les mains.

« Nous allons réparer. Remettre tout en l'état. Le plus tôt possible.

— Tous mes carnets de note ont disparu. Et mon journal. »

Il fit une grimace de sympathie.

« Sapristi. Nom de Dieu ! Je le savais, j'ai vu le bureau. Je n'ai pas osé regarder. » Il eut un rire triste : « Je priais que vous les ayez emportés.

— Manque de pot. »

Je déménageai dans la baraque du recensement. Une longue et étroite cabine préfabriquée — un surplus de l'armée, je pense — qui, à la belle époque, avait abrité jusqu'à huit recenseurs. J'installai mes quartiers improvisés à un bout. On me procura un lit neuf et un fauteuil pliant. Ce qui, avec mes quelques hardes revenues du lavage, constituaient le stock réduit de mes possessions personnelles. Sous certains angles, mon nouvel habitat était mieux que le précédent — j'avais un plancher en bois pour commencer —, mais cela ne me remonta pas le moral. Je me sentais incroyablement temporaire, tout à coup, comme une passante qu'on doit héberger pour la nuit.

Mes collègues se montrèrent fort chagrinés pour moi et débordants de commisération, ce soir-là, à la cantine. Mallabar promit encore que ma tente serait réparée au plus tôt et Ginga me fit cadeau d'un bureau et d'un tapis vert vif pour me permettre de travailler et d'égayer un peu la baraque. Ils furent aimables, mais le malheur était mien et, pour eux, une simple péripétie. Même la destruction de mes notes n'avait qu'une importance mineure. Ma tâche à Grosso Arvore ne représentait guère plus qu'une mission d'observation ; l'essentiel de l'opération ne serait pas affecté par la perte de mes informations.

Je demandai à Toshiro, qui avait donné l'alarme, de me décrire exactement la séquence de l'incident. Il me raconta que, travaillant seul au laboratoire, il était sorti par la porte de service pour respirer un peu d'air frais et avait vu la fumée. Il s'était précipité mais, déjà, l'arrière de ma tente flambait violemment. Il avait appelé à l'aide et sorti quelques affaires (une table de toilette et une cuvette en émail — où étaient-ils ?) avant que la chaleur ne le chasse. D'autres gens accoururent et une chaîne de seaux d'eau remplis à la douche de Hauser avait fini par avoir raison des flammes.

« Une chance que nous ayons eu la douche d'Anton à proximité, dit-il. Autrement tout aurait disparu.

— Où se trouvait Hauser ? »

Toshiro fronça les sourcils.

« J'ignore. Non, en fait, il était dans la zone nourricière, je crois. »

Je vous le jure, c'est seulement alors que l'idée me vint que l'incendie avait pu être délibérément allumé. Vous pouvez me croire exagérément naïve, mais l'anxiété de Mallabar et la sincérité patente de sa sympathie m'avaient convaincue.

« Eugène était dans les environs ?

— Eh bien, oui. Il a été le premier sur les lieux après moi. Du reste, c'est lui qui a pensé à utiliser l'eau de la douche. »

Hauser absent de son laboratoire et Mallabar dans les parages immédiats. Un incendie provoqué par un prétendu fumeur imprudent, maintenant renvoyé et dans l'incapacité de se défendre. Aucun dommage grave, à peine quelques inconvénients pour la victime. Mais une année de notes étaient parties en fumée. Je poussai ma réflexion : en théorie, je n'aurais même pas dû être en voyage — j'avais accepté d'avancer mon tour au tableau du ravitaillement pour rendre « service » à Mallabar.

Je débarrassais mon plateau quand Hauser entra. Il vint droit sur moi et mit ses mains sur mes épaules. Durant un horrible instant, je crus qu'il allait m'embrasser, mais un raidissement instinctif de ma part dut l'avertir du manque de sagesse d'un tel geste et il se contenta de me regarder intensément dans les yeux d'un air affligé.

« *Ach*, Hope, dit-il. C'est une saloperie. Vraiment une saloperie. »

Il était épatant, aussi épatant que Mallabar, mais peu importait : je concoctai déjà ma revanche sur eux deux.

Il poursuivit en s'enquérant du sort de mes affaires. Avais-je perdu ceci ? Pouvait-il le remplacer par cela ? J'acceptai avec joie le prêt de son transistor.

Les Vail m'invitèrent à prendre un verre dans leur bungalow. Je consentis promptement. Il ne me tardait guère de passer ma première nuit dans la baraque du recensement.

Nous nous assîmes — Ian, Roberta et moi — autour d'un bourbon. Roberta avait fait des efforts de décoration considérables dans leur cottage de deux pièces pour le rendre confortable et accueillant : fauteuils de rotin et tapis aux couleurs vives se chevauchant sur le sol, murs peints en bleu clair, couverts de tableaux — des huiles naïves locales — et de photos d'autres projets auxquels le couple avait participé. Ian à Bornéo avec des orangs-outans. Roberta, le jour de la remise de son diplôme, serrant sa peau d'âne roulée entre deux poings serrés. Ian et Roberta à l'Institut de primatologie de l'Oklahoma où ils s'étaient connus et mariés.

Ce soir-là, Roberta se montra étrangement détendue et s'empressa autour de moi comme une mère. Elle sortit un paquet de ses cigarettes au menthol et en fuma une, délicatement. Je sentis l'indignation rentrée de Ian crépiter dans la pièce devant ce petit geste de défi conjugal. Je tirais sur mes Tusker âcres et l'air fut bientôt rempli de strates de fumée bleue oscillantes. Roberta se beurra sérieusement au bourbon et commença à dire du mal de Ginga Mallabar, d'abord avec une certaine prudence, lançant au préalable des ballons d'essai pour voir si j'étais amie ou ennemie. Ma neutralité affirmée l'encouragea et nous fûmes régalés d'un an ou deux de ressentiments et de rancœurs accumulés. Ginga était une manipulatrice. Ginga raflait l'immense proportion des droits d'auteur de Mallabar.

113

Les interventions ineptes et inutiles de Ginga auprès des agents et des éditeurs avaient retardé de plus d'un an la publication du livre et ainsi de suite. J'écoutais, hochant la tête et lâchant de temps à autre des phrases du style « Mon Dieu ! » et « C'est un peu exagéré. » Finalement, elle se tut et se mettant lentement debout, annonça qu'elle devait se rendre au petit coin.

Elle s'arrêta sur le seuil de la porte. « On devrait se voir comme ça un peu plus souvent, Hope », dit-elle.

J'approuvai.

« Je trouve moche la manière dont on s'éclipse tous les soirs pour rentrer chez nous. C'est tellement... Tellement britannique, soit dit sans t'offenser.

— Je ne suis pas offensée. D'ailleurs, je suis d'accord.

— Eh bien, voilà une chose que tu ne peux pas reprocher à Ginga, jeta Ian à sa femme avec une aigre suffisance.

— Et pourquoi pas ?

— Parce qu'elle est suisse.

— Ça revient du pareil au même.

— Pour l'amour de Dieu ! »

Je sentais la scène — qui éclaterait inévitablement après mon départ — atteindre une dangereuse température. J'intervins avec une remarque banale sur la manière dont la géographie du camp ne facilitait pas les allées et venues et par conséquent les échanges sociaux, citant en exemple son développement linéaire le long de la Grand-Rue et le souci presque banlieusard d'intimité que manifestait la disposition des différents bungalows et baraquements, etc. Le bourbon me rendait articulée et sûre de moi.

« Sais-tu, Hope, que je n'y avais jamais pensé ? » dit Roberta, le sourcil froncé, disparaissant dans la nuit en direction des latrines.

Ian ouvrit la porte d'entrée un moment pour laisser la fumée s'échapper. Le bungalow était grillagé et deux phalènes saisirent l'occasion de s'introduire en papillonnant dans la pièce.

« A ma connaissance, s'étonna Ian d'une voix fluette, elle n'a pas fumé depuis trois ans. Qu'est-ce qui lui prend ? »

Je jugeai inutile de le détromper. Le petit secret de Roberta ne risquait rien avec moi.

« Fous-lui la paix, Ian, dis-je. Elle se donne un peu de plaisir, c'est tout. Mais, nom d'un chien, elle n'a pas une passion pour Ginga, pas vrai ? »

Il n'écoutait pas.

« Elle était détendue, n'est-ce pas... ? » dit-il comme surpris. Il me regarda et me fit un sourire d'excuse. « Je dis ça seulement parce qu'elle a toujours eu un peu peur de toi.

— De *moi* ?

— Oh, oui. » Il produisit un petit rire tendu. « Comme nous tous. »

Je résolus de ne pas poursuivre le propos. Je repensai à ce que Meredith m'avait dit un jour : voici une des grandes vérités de la vie : la dernière chose que nous apprenons toujours à notre sujet, c'est notre effet sur les autres.

Je dormis bien dans la baraque du recensement, bercée par le bourbon, sans doute, et oublieuse des multiples bruissements, crépitements et galopades qui émanaient des parties plus éloignées de la grande pièce. L'endroit était rempli de lézards et quelque chose — j'espérais qu'il s'agissait d'un écureuil — nichait dans le plafond. Avant de m'endormir, j'entendis les coups et grattements de griffes acérées tandis que la chose s'escrimait en aller et retour sur les plaques de plâtre au-dessus de ma tête.

Je fus réveillée par le toc-toc de João à six heures du matin. Nous allâmes à la cantine prendre du thé et mon pique-nique. João dit qu'il n'avait pas vu Liceu depuis plusieurs jours — très bouleversé par son renvoi, il avait disparu. Je suggérai que nous nous rencontrions dès son retour.

En traversant le Danube, je communiquai à João la triste nouvelle de la disparition de mes notes et de mon journal.

« Une année entière », dis-je avec regret. Maintenant que je repartais au travail, la perte paraissait soudain plus pénible. « Il va falloir qu'on recommence tout.

— Eh bien, je ne crois pas que c'est nécessaire, répliqua João en s'efforçant de ne pas sourire. J'ai mes notes à moi. Plein.

Chaque soir, je fais copier Alda. Pour son apprentissage. Vous savez qu'il n'est pas très bon pour écrire.

— Depuis mon arrivée ? Tout ?

— Seulement le journal. » Il haussa les épaules. « Naturellement, il y a des jours où je ne suis pas avec vous.

— Mais je suis toujours soit avec toi, soit avec Alda... Et Alda a ses notes ?

— Oh, oui. Moi le vérifier tous les soirs. »

Je laissai mon sourire s'épanouir sur ma figure. « Je viendrai les chercher, dis-je. Ce soir.

— Bien sûr. » Il était très content de lui. « Comme ça rien n'est perdu.

— Que ferais-je sans toi, João ? »

Il éclata de rire, en détournant son visage dans un bruit d'éternuement comprimé. Je lui donnai une tape sur l'épaule. « Bravo, João. On va devenir célèbres. »

Nous atteignîmes un croisement dans le sentier. Au travail. « Bon, dis-je. Par où commençons-nous ?

— Oh ! la la ! » João se tapa le front de sa paume. « J'ai oublié Lena et son bébé. Je l'ai vue hier. Elle a un garçon.

— Allons la retrouver. »

Nous découvrîmes Lena à midi en compagnie de quelques autres membres du groupe sud. Ils se reposaient à l'ombre d'un sidéroxylon. Lena nourrissait son nouveau-né et autour d'elle flânaient Mr. Jeb, Conrad et Rita-Lu. Aucun signe de Clovis, Rita-Mae, Lester et Muffin.

João et moi nous approchâmes un peu plus que de coutume pour nous installer à dix mètres environ de Lena. Son bébé était pratiquement imberbe et de couleur bleu corbeau. Conrad toilettait Mr. Jeb, mais je remarquai, d'après ses nombreux coups d'œil dans la direction de Lena, qu'il était visiblement fasciné par le nourrisson. Rita-Lu se prélassait paresseusement sur l'herbe. Elle paraissait à moitié endormie. Je notai une rougeur plus vive sur son derrière et peut-être des signes d'enflure.

116

« Il faut un nom pour le bébé », dit João à voix basse.

Je réfléchis un instant. « Bobo », décidai-je finalement, sans vraiment savoir pourquoi. João l'inscrivit sur sa feuille d'observation : « Bobo, mâle, fils de Lena. »

Conrad cessa d'épucer Mr. Jeb et se dirigea lentement vers Lena adossée contre le tronc de l'arbre. Bobo était accroché aux poils du ventre de sa mère — j'apercevais, à travers mes jumelles, ses petits poings serrant des touffes de poils — dont il tétait avidement le sein droit. Conrad avança plus près et Lena laissa échapper un petit aboiement préventif.

Conrad s'assit à quelques centimètres et les contempla tous deux. Puis, sous l'œil très attentif de Lena, il tendit lentement la main et toucha le dos de Bobo. J'avais toujours présumé que Clovis avait engrossé Lena, mais j'eus, à cet instant, le curieux sentiment que Conrad pouvait bien être le père de Bobo. Puis Lena se leva et s'éloigna. Je vis que son placenta pendait encore et que la boucle brune du cordon ombilical était toujours reliée à Bobo.

Je changeai légèrement de position et le bruit que je fis amena Conrad à se retourner vers moi. Avec ses sclérotiques blanches, le regard de Conrad était toujours la chose la plus inquiétante que j'aie jamais connue chez un chimpanzé. Les blancs autour de l'iris brun rendaient ses yeux aussi expressifs que ceux de n'importe quel humain. J'examinai son museau noir, la large fente de sa bouche et ses sourcils épais... Il semblait toujours les froncer, ses sourcils, Conrad, un caractère plutôt grave et digne, sans penchant pour les démonstrations de frivolité. Il s'avança vers moi de quelques pas et lança quelques hou-hou entrecoupés. Puis il se rassit et me regarda fixement une bonne minute d'affilée, sans battre un cil. Je plongeai dans ses yeux une seconde ou deux avant de détourner la tête.

J'entendis alors au loin d'autres cris et aboiements. Mes chimpanzés répondirent de même. Bientôt des craquements de branchages annoncèrent l'arrivée de Clovis, suivi de Rita-Mae, Lester et Muffin. Comme Conrad, Clovis se montra très curieux de Bobo, mais Lena refusa de le laisser approcher : elle aboya, montra les dents et même, à un moment donné, se réfugia sur l'arbre. Clovis abandonna et s'éloigna. Mais quand Rita-Mae s'avança, Lena fit preuve de beaucoup moins d'inquiétude et alla jusqu'à poser Bobo sur l'herbe. Apparement fascinée, Rita-Mae examina le nourrisson de très près et le caressa gentiment une fois ou deux. Puis Lena reprit son fils et s'éloigna de nouveau à la périphérie du groupe.

Après s'être reposés ainsi pendant deux heures, les chimpanzés se réveillèrent et repartirent vers le nord, avec João et moi sur leurs talons. Ils s'arrêtèrent sous un figuier sur les berges du Danube, à un endroit où la rivière creuse un ravin profond à travers les contreforts de l'escarpement. Nous les regardâmes se nourrir pendant un temps. Je vis Rita-Lu toucher plusieurs fois ses parties génitales et renifler ensuite son doigt. Elle entrait en saison.

Ce soir-là, je fis à pied la piste de Sangui pour aller chercher les notes de João et d'Alda. João m'avait dit qu'il espérait que Liceu serait là.

La maison de João était une des plus grandes du village et l'une des rares construites en béton. João était assis sur son étroite véranda avec un petit bébé sur ses genoux. Sa troisième petite-fille, me raconta-t-il. Je me chargeai de l'enfant tandis qu'il allait me chercher les papiers. Elle était nue, grosse et somnolente, abrutie par sa tétée. Elle portait de petites boucles d'oreilles en or dans ses longs lobes tendres et, autour des hanches, un collier de perles multicolores. Son nombril, un petit dôme dur, avait la taille d'un dé. Je lui caressai les cheveux et songeai à Lena et Bobo.

João revint avec son épouse, Doneta, qui me débarrassa de l'enfant. Il ramenait une grosse liasse de papiers, essentiellement des feuilles d'analyse journalière. Il alluma la lanterne de la véranda et je les feuilletai rapidement.

« Tout est là ?

— Même le rapport d'aujourd'hui », dit-il.

C'était idéal. « Liceu vient ? » J'étais impatiente de rentrer au camp avec cette documentation.

« Il est déjà là. Liceu ! » cria-t-il dans l'obscurité de l'enclos.

Après un petit temps de silence, Liceu s'avança, pas très à son aise, dans le cercle de lumière projetée par la lanterne. Liceu était un adolescent de seize ou dix-sept ans, un garçon un peu mollasson, toujours souriant, qui désirait désespérément devenir assistant observateur, mais n'en avait ni les aptitudes ni la patience. Il s'approcha de mauvaise grâce, le chagrin et le ressentiment peints sur son visage, et commença aussitôt à protester de son innocence avec une persuasion belliqueuse. Je le laissai faire un moment, puis entrepris de rassembler sa version des événements.

Il avait fini le ménage dans ma tente, expliqua-t-il, avant d'emporter mon linge sale à la blanchisserie du camp. Il bavardait dans le quartier des cuisines quand, entendant un brouhaha, il était accouru pour découvrir ma tente en flammes. Non, dit-il, il n'avait pas vu signe de Mr. Hauser ou de Mr. Mallabar. Il ne savait absolument pas comment le feu avait pu prendre.

Doneta nous apporta à tous une tasse de thé. J'allumai une cigarette et en offris une à João. Alors que Liceu continuait à fulminer contre l'injustice de son renvoi d'une manière monotone et déplaisante, je lui tendis le paquet d'un air dégagé. « Non, merci, maâm », dit-il immédiatement, et il poursuivit son discours. Deux secondes plus tard, comprenant ce que je venais de lui faire, il se tut brusquement et me jeta un regard accusateur.

« Ah, maâm, vous savez bien que je ne fume pas jamais. » Il aspira de l'air entre ses dents de manière désapprobatrice. Il étendit les mains. « Dis-lui ça, João. »

João confirma. Je rassurai Liceu et m'excusai pour l'avoir testé de la sorte. Au cas où je ne l'aurais pas déjà su, je le savais maintenant : l'incendie de ma tente n'était pas dû à un des mégots de Liceu.

Plus tard, je repris seule la piste de Grosso Arvore, un gros paquet de rapports journaliers sous le bras. La flaque ovale lumineuse de ma lampe de poche brillait sur le sol à un mètre devant moi et je guettais les serpents et les scorpions dans son rayon pointillé d'insectes dansants. A dire vrai, je n'étais pas très sûre de ce que j'allais faire de toutes ces notes, mais il me paraissait clair que si Mallabar et Hauser voulaient détruire mes carnets, alors il devenait prudent d'essayer de reproduire une copie, aussi incomplète fût-elle, de mon propre travail. Une remarque de Roberta me tracassait aussi : si Ginga avait retardé d'un an la publication du livre, cela signifiait-il que cette publication était désormais imminente ? Et cela expliquait-il la panique, et l'escamotage scandaleux du bébé chimpanzé mort ? Et puis tous ces propos au sujet d'argent m'intriguaient. Mallabar s'était enrichi grâce à ses travaux de Grosso Arvore ; je me demandais combien il tirerait des droits mondiaux pour la suite du *Primate pacifique* et du *Progrès du primate* ?

Je restais éveillée tard ce soir-là, dans la baraque du recensement, à analyser et résumer l'information contenue dans les notes de João et Alda. Pour plus de sécurité, j'avais besoin en fait d'un double, mais la plus proche machine à photocopier se trouvait à six heures de route... Peut-être pourrais-je me porter de nouveau volontaire pour l'expédition ravitaillement de la semaine prochaine ? Je souris en moi-même. Usman serait très surpris.

Vers minuit, j'arrivai aux notes du jour même. João mentionnait Lena et son petit. Alda avait vu six chimpanzés mâles non identifiés en zone sud. Je fronçai les sourcils — il devait s'agir de nordistes. Je vérifiai sur la carte. Selon les estimations d'Alda, ils étaient très au sud du Danube.

Je me levai et fis les cent pas autour de la baraque. L'affaire était des plus inhabituelles. Depuis la division du groupe, aucun chimpanzé du Nord ne s'était aventuré aussi loin au sud... Je bâillai, me rassis à mon bureau et rangeai mes papiers. Je me demandai si Ian Vail avait remarqué cette migration ; si elle était temporaire ou bien si la petite bande de nordistes se trouvait encore au sud.

Je me déshabillai, me couchai et n'y pensai plus. Cette nuit-là, je rêvai de Hauser surgissant tout nu de sa cabine de douche et galopant sur l'herbe jusqu'à ma tente, une boîte d'allumettes à la main. Il grattait allumette après allumette et les appliquait en vain sur la toile. Soudain Mallabar apparut, défit sa braguette et pissa contre la paroi. Son urine s'enflamma comme de l'essence et très vite la tente s'embrasa. Puis avec d'horribles piaillements, Lena s'enfuit, Bobo accroché à son ventre, et traînant son placenta sur le sol derrière elle...

Je me rappelai très clairement mon rêve le lendemain matin et m'interrogeai vaguement sur ce que mon inconscient essayait de me signifier : Hauser pouvait à peine gratter une allumette alors que Mallabar pissait comme un lance-flammes. Ça n'avait aucun sens pour moi.

En arrivant, João m'expliqua qu'il se sentait malade — une fièvre, dit-il. Je le renvoyai chez lui. Je pris mes provisions à la cantine et me dirigeai au sud à la recherche de Lena et Bobo que je retrouvai au milieu de la matinée en compagnie de tous les autres membres du groupe sudiste, autour du figuier mi-mort. Je vis que le placenta de Lena était tombé pendant la nuit et que seulement quinze centimètres de cordon ombilical, sec et tout ridé, pendait du ventre imberbe de Bobo. L'enflure sexuelle de Rita-Lu avait augmenté et Mr. Jeb et Clovis s'y intéressaient fortement, allant renifler et inspecter sa zone génitale à chaque opportunité. Mr. Jeb alla même jusqu'à s'accroupir et à lui présenter son érection pointue, mais Rita-Lu lui cria dessus et il détala promptement. Les mâles paraissaient généralement moins curieux de Bobo aujourd'hui alors que Rita-Mae et Rita-Lu ne cessaient de rôder autour de Lena et son fils. Lena se montrait méfiante, mais elle leur permit de se pencher sur le petit, de l'examiner et de le caresser gentiment de temps à autre du bout des doigts.

Je pris position et les observai presque trois heures durant. J'avais la tête remplie de suppositions et d'hypothèses au sujet de l'incendie et du rôle possible joué par Mallabar ou Hauser. J'avais provisoirement caché les notes sous mon matelas, mais la baraque du recensement n'était pas pourvue de quantités de cachettes et je me rendis compte, en y réfléchissant, que le matelas était la première chose que n'importe quel curieux soulèverait. Je me dis qu'il serait peut-être plus sage de laisser ces papiers avec João jusqu'à ce que j'en aie pris copie, mais je ne pus me décider. Sans cesser de m'interroger, tout au long, sur ce que diable il pouvait bien se passer.

Puis j'entendis un aboiement d'alarme qui me tira brusquement du cercle de mes conjectures. Je levai la tête. Lena, serrant Bobo dans ses bras, était maintenant assise sur une des basses branches du figuier. Rita-Lu s'avançait vers elle, par terre, une main tendue. Derrière Lena, Rita-Mae grimpait plus haut sur l'arbre. Lena montra les dents à Rita-Lu. Je me demandai ce que j'avais raté, tant l'ambiance était devenue maintenant tendue et hostile. Rita-Lu persista et s'approcha doucement, bras en avant, comme si elle voulait caresser Bobo. Lena lui cria furieusement dessus, un son strident et rude, et se mit debout sur la branche, l'air de vouloir sauter à terre et s'enfuir. Mais, avant qu'elle ne puisse faire un mouvement de plus, Rita-Mae dégringola les branches du figuier en s'élançant de l'une à l'autre, et se jeta sur le dos de Lena. Les trois bêtes atterrirent sur le sol deux mètres plus bas.

Devant cette agitation, les autres singes se mirent à crier et à gesticuler, mais aucun n'intervint dans la bagarre. Au moment où Lena tombait par terre, serrant toujours Bobo, Rita-Lu attrapa aussitôt son bras libre, enfonça ses dents dans sa main, referma violemment ses mâchoires et lui déchiqueta la chair de sa paume. Lena hurla de douleur et, avec de vifs mouvements saccadés, essaya de se libérer. Rita-Lu s'accrocha, la tête ballottée de droite à gauche, et je vis le sang de Lena dégouliner des commissures de ses lèvres. Entre-temps, Rita-Mae s'était relancée sur le dos de Lena et tentait d'arracher Bobo à sa mère. Puis elle se recula et plongea pour mordre la croupe de Lena, déchirant violemment de ses dents la peau à nu.

Sous cette nouvelle attaque, Lena, rejetant la tête avec un hurlement aigu de douleur, lâcha Bobo. Elle pivota et sauta sur Rita-Mae, la mordit et la bourra de coups de poing. Rita-Lu s'empara immédiatement du bébé et grimpa avec lui sur l'arbre. Lena se débarrassa de Rita-Mae et se précipita derrière son enfant. Elle mordit Rita-Lu à l'épaule et lui arracha Bobo. A présent Lena avait Bobo, mais Rita-Mae se trouvait dans l'arbre sous elle et lui mordait les pieds tandis que Rita-Lu, au-dessus, n'arrêtait pas de lui taper sur la tête et les épaules. Lena leva un bras par-dessus son crâne pour se protéger. Rita-Mae se pencha brusquement en avant, saisit Bobo et descendit de l'arbre à toute allure avec le bébé, pendant que Rita-Lu continuait à taper sur Lena.

Bobo poussait des piaulements poignants, et ses membres menus battaient l'air en pure perte. Rita-Mae, le tenant à bout de bras, s'éloigna à grands bonds de l'arbre. Puis elle s'assit sur un rocher et l'attira contre sa poitrine, comme pour le câliner.

C'est à cet instant que je compris ce qu'elle s'apprêtait à faire. Je lui hurlai : « Rita-Mae ! Rita-Mae ! » Mais je n'étais qu'un son de plus dans cette cacophonie et elle ne m'entendit pas ou bien ne fut nullement troublée par mes cris désespérés. Alors que Bobo se débattait en se tortillant comme un ver, Rita-Mae se pencha et lui mordit violemment le front. J'entendis un craquement distinct tandis que le crâne fragile se brisait entre ses mâchoires.

Bobo mourut sur le coup. Rita-Lu interrompit immédiatement son attaque contre Lena et se retira dans la partie haute du figuier. Lena se laissa glisser lentement au sol, épuisée et saignant de ses vilaines blessures à la main et à la croupe. Le bruit s'apaisa.

Je me retournai. Rita-Mae était en train de manger Bobo. Elle enfonça ses crocs dans son ventre et extirpa avec ses dents les entrailles qu'elle jeta au loin dans les rochers. Rita-Lu, entre-temps, descendit de l'arbre, tourna autour de Lena — qui se mit à gémir très fort sur un ton monotone — et rejoignit sa mère. Elles dégustèrent Bobo pendant que Lena leur criait vainement dessus. Puis, brusquement, celle-ci se tut. Elle parut perdre tout intérêt ; son indignation s'évanouit. Elle ramassa quelques feuilles et en tamponna sa blessure.

Rita-Mae et Rita-Lu continuèrent à dépecer le bébé. Lester s'approcha de sa mère, mais elle le repoussa vigoureusement. Les autres chimpanzés semblèrent aussi se désintéresser des événements. Seule Lena continua à regarder fixement Rita-Mae et Rita-Lu. Elle quitta l'arbre et s'approcha d'elles à travers les rochers. Elle s'arrêta à deux mètres et les observa en silence dévorer son enfant mort. Elle se mit ensuite à geindre en tendant la main. Tout d'abord, Rita-Mae ne lui prêta pas attention. Lena tournait autour des deux femelles. Elle découvrit un fragment des entrailles de Bobo sur un rocher, le ramassa, le renifla et le laissa choir. Elle geignit de nouveau. Rita-Mae abandonna le cadavre de Bobo et vint vers elle. Lena pleurnicha d'un air soumis. Rita-Mae l'enlaça, et la garda dans ses bras pendant une bonne minute. Puis elle la relâcha et retourna au cadavre du bébé. Lena s'assit et, tout le reste de l'après-midi, regarda Rita-Mae et Rita-Lu grignoter distraitement le cadavre. Au crépuscule, au moment de regagner leurs quartiers de nuit, Rita-Mae se drapa les restes du corps de Bobo autour des épaules comme une écharpe.

Tandis que je lui racontai ce que j'avais vu, Mallabar garda un visage calme et immobile. Nous étions dans la baraque du recensement, seuls, après le dîner. Moi assise sur mon lit, lui à mon bureau. Je terminai mon récit. Il baissa les yeux. Je voyais les muscles de ses mâchoires fonctionner activement sous sa barbe lisse.

« Le guetteur était-il avec vous ? demanda-t-il, d'un air compassé.

— Non. Il était malade. Je l'ai renvoyé chez lui.

— Il n'y avait donc pas d'autre témoin.

— Pour l'amour de Dieu, je ne suis pas sur le banc des accusés. J'ai vu...

— Je suis navré, Hope, m'interrompit-il. Profondément navré que vous preniez cette attitude.

— Quelle attitude ? De quoi parlez-vous ?

— Je suis prêt, juste pour cette fois, à accepter que le choc de l'incendie et la perte d'une année de recherches puissent expliquer cette... cette extravagante histoire. »

Il me regarda, les traits pétris d'inquiétude. Je ne répondis rien.

« Sur le plan personnel, poursuivit-il, je ne peux que souligner mon profond chagrin à l'idée que vous nourrissiez un tel ressentiment et une telle amertume à l'égard de nous tous ici, vos amis et collègues. Et, quoi que vous en pensiez, nous sommes vos amis. » Il se leva : « Vous avez changé, Hope.

— Bonne chose.

— Non. Et j'en suis navré pour vous. »

Ceci m'enragea, mais il se remit à parler avant que j'aie pu intervenir : « Je passerai l'éponge cette fois, mais je dois vous prévenir que si vous persistez dans ces fables, si vous les répétez à quiconque hors ces murs, je serai dans l'obligation de mettre immédiatement fin à votre emploi ici. » Il reprit après un silence : « Quant à moi, je ne parlerai de tout ceci à personne. Absolument personne.

— Je comprends.

— Vous comprenez ?

— Je comprends tout.

— Alors, vous êtes une personne avisée, Hope. Ne persistez donc pas dans ces sottises. » Il s'arrêta sur le seuil : « Nous ne reparlerons plus de ça », dit-il, et il partit.

Je travaillai tard cette nuit-là. A l'heure où j'allai me coucher, j'avais déjà pratiquement terminé le premier jet de mon article. J'étais très contente de mon titre aussi : « Infanticide et cannibalisme parmi les chimpanzés sauvages du projet de Grosso Arvore. » Les jours du primate pacifique étaient comptés.

LE DERNIER THÉORÈME DE FERMAT

Une Courbe de Peano. Les Fonctions de Weierstrass. Les Conditions de Cauchy. La Règle de l'Hospital. Un Ruban de Mobius. L'Hypothèse de Goldbach. Le Triangle de Pascal. Une Carte de Poincaré. Les Séries de Fourier. Le Principe d'Incertitude de Heisenberg. Une Poussière de Cantor. Un Paradoxe de Bolzano. Un Ensemble de Julia. L'Hypothèse de Riemann. Et mon favori : le Dernier Théorème de Fermat.

Que sont ces choses… ? Pourquoi en suis-je si curieuse… ? Qu'y a-t-il dans ces noms, ces appellations étrangement poétiques, de si séduisant, de si fascinant ? Je veux tout savoir d'eux, les comprendre, découvrir ce qu'ils font, ce qu'ils impliquent.

Et c'est là, je suppose, le rêve secret de tout mathématicien. D'avoir une fonction, un nombre, un axiome, une hypothèse nommés d'après soi. Comme l'explorateur d'un continent vierge, baptisant des montagnes, des rivières, des lacs et des îles. Ou un médecin : avoir une maladie, un état, un syndrome portant votre nom. Vous voilà sur la carte intellectuelle de la civilisation. Pour toujours.

Le dernier Théorème de Fermat.

Maintenant, accordez-moi un peu de patience. J'adore l'allure de celui-ci, il sonne si bien. Voyons ce que nous pouvons en tirer (je le trouve difficile aussi : les formules ont un effet narcoleptique sur mon cerveau, mais je crois que je ne me trompe pas ici). Prenez cette simple formule : $x^2 + y^2 = z^2$. Remplacez les lettres par des chiffres. Disons $3^2 + 4^2 = 5^2$. Tous les nombres plus élevés proportionnels à ceux-là répondront à l'équation. Par exemple : $9^2 + 12^2 = 15^2$. Ou, si on opère en descendant : $12^2 + 5^2 = 13^2$. Intéressant, non ? Un autre exemple de la magie curieuse, de la grâce sévère des chiffres.

Arrive, au xviie siècle, Pierre Fermat, un fonctionnaire dont le dada était les mathématiques. Il se demanda si la même proportionnalité s'appliquait quand on augmentait la puissance au-dessus du carré. Qu'advenait-il si on passait au cube ? Aurait-on $x^3 + y^3 = z^3$? La réponse est non. Ça n'a jamais marché, quelle que soit la hauteur donnée à la puissance. C'est ainsi que Fermat énonça son fameux dernier Théorème : SI n EST UN ENTIER POSITIF SUPÉRIEUR A DEUX, L'ÉQUATION $X^n + Y^n = Z^n$ NE PEUT ÊTRE SATISFAITE PAR DES VALEURS ENTIÈRES POSITIVES DES INCONNUES x, y, z.

Pendant quatre cents ans, personne n'a été capable de prouver ou de réfuter le dernier Théorème de Fermat, et on a vérifié chaque puissance « n » de 3 à 125 000. Curieusement, Fermat lui-même déclara, à la fin de sa vie, en avoir la preuve, bien qu'on n'en ait pas trouvé trace dans ses papiers après sa mort. Ce qui me plaît dans le dernier Théorème de Fermat c'est qu'il demeure une de ces hypothèses au sujet du monde qui sont presque indubitablement vraies, que personne ne songerait jamais à nier mais que, en fin de compte, nous ne pouvons en réalité prouver physiquement.

Hope progressait péniblement dans le champ mouillé de rosée vers la haie d'arbustes. Il était huit heures du matin et une brume grise venant de la mer recouvrait les collines qui bordaient la côte de cette partie du Dorset. Elle vérifia sur sa carte qu'elle était bien au bon endroit et tourna à droite pour atteindre un coin du champ. Arrivée sur la haie, elle accrocha un bout de son ruban d'arpenteur à un rameau d'aubépine qui saillait et le déroula sur trente mètres. La haie, épaisse, mesurait près de deux mètres à la base, et poussait sur un petit remblai. A première vue, elle semblait être une ancienne bordure et, dans ce cas, songea Hope, elle devait coller à sa théorie de datation. Elle la longea lentement. De l'aubépine essentiellement, mais avec une bonne quantité de prunellier et de sureau mélangés. En y regardant de plus près, Hope découvrit aussi de l'érable champêtre, du cornouiller et, juste à l'intérieur de ses trente mètres d'échantillonnage, un petit carré de houx : selon la théorie, cette haie existait depuis environ six cents ans. Elle préleva un échantillon du sol pour le géologue et puis se livra à une autre enquête rapide pour tenter de trouver des ronces, mais il n'y en avait pas dans cette section. Elle se percha sur un échalier et nota tous les détails.

L'étude du domaine de Knap était bien avancée, avec une grosse partie du travail archéologique déjà terminée : les tumulus, le parc aux cerfs, les systèmes fonciers celtiques, tous avaient été examinés en détail, portés sur la carte et décrits. L'écologiste auteur des premiers travaux sur les haies et les bois avait démissionné pour une raison quelconque — d'où le poste vacant —, mais Hope avait découvert tant d'inexactitudes et de contradictions dans ses estimations qu'elle avait annoncé à Munro son intention de tout recommencer à zéro. Un travail beaucoup plus considérable que celui stipulé par son contrat, mais qui l'occupait pleinement, ce dont elle lui était reconnaissante.

Sa manière de résoudre le problème de la datation était basée sur une simple formule qu'elle avait établie, à savoir cent ans par espèce d'arbustes. Elle effectua de nombreux essais sur des haies dont l'âge était connu (la plus ancienne carte du domaine remontait à 1565) et sa méthode s'était révélée singulièrement exacte, avec une marge d'erreur insignifiante. Elle avait donc entrepris la datation de toutes les bordures non portées sur la carte avec une certaine confiance et elle avait déjà découvert qu'il existait bien plus de haies moyenâgeuses qu'on ne l'imaginait. Des systèmes fonciers féodaux ou saxons étaient apparus là où auparavant on avait cru voir des champs clos du XVIIIᵉ siècle. L'histoire paysagiste de la propriété se révélait beaucoup plus complexe et détaillée qu'on ne l'avait envisagé. Grâce aux efforts de Hope, 147 nouvelles haies avaient été classées au niveau 1. En termes de conservation des sites, elles étaient d'un intérêt historique antique et permanent et devaient être préservées à tout prix.

A sa vague surprise, Hope se découvrit complètement absorbée par son travail, à un point qu'elle n'aurait jamais imaginé possible. Certes, il était fait de méthode et de routine, mais elle trouvait une profonde satisfaction dans sa routine et sa méthode quand celles-ci lui permettaient de tirer des conclusions claires et irréfutables.

A quoi s'ajoutait un autre avantage : elle passait toutes ses journées au grand air, à arpenter les bois et les champs par tous les temps. En quelques semaines, elle avait maigri — de presque six kilos — et elle se sentait nettement plus en forme. A présent, elle finissait de classer ses haies et Munro l'encourageait à se consacrer au plus vite aux nombreux bois et taillis du domaine.

Elle avait très envie d'accepter. Elle avait oublié cette facette de sa personnalité : une application obstinée de ses compétences, dont elle tirait une grande jubilation. Voilà pourquoi elle avait fait et poursuivi des études. Des problèmes se présentaient et elle trouvait un moyen de les résoudre. Un trait de son caractère auquel, lorsqu'il n'était ni requis ni utilisé, elle ne pensait pas. Il ne figurait pas dans l'idée qu'elle se faisait d'elle-même. Sa version imaginaire, et souhaitée, de Hope Clearwater tendait à minimiser en elle la scientifique professionnelle.

Maintenant qu'elle s'était remise à l'œuvre, elle goûtait et savourait la rigueur impitoyable de sa méthode, la ferme persistance de sa routine et l'évident succès de son expérimentation. Dans son travail, elle aboutissait à quelque chose d'irréfutablement concret. Aussi abstrus, aussi minimes qu'ils fussent, elle ajoutait quelques grains de sable à cette vaste montagne qu'était la somme des connaissances humaines. Elle découvrait des aspects du paysage anglais jusque-là inconnus ou cachés. A mesure que sa documentation du domaine augmentait, que les cartes étaient redessinées et les dates corrigées, elle développa un orgueil tranquille mais profond dans ses capacités. Sa confiance en elle-même — jamais loin de la surface — réémergea au grand jour.

Munro était content et le dit. Mais il avait d'autres priorités, largement dictées par la nécessité de terminer le projet dans les délais. Hope résistait avec entêtement à ses tentatives de la faire se presser car elle avait mis au point une autre théorie de datation encore plus précise et elle mourait d'envie de l'appliquer. Munro était moins enthousiaste dans la mesure où cela risquait de signifier de nouveaux retards. La théorie était que le nombre de sous-espèces de ronces dans une haie suivait le même modèle que les types d'arbustes et, un jour, dans une tentative de se faire attribuer plus de fonds (avec quelques assistants, elle aurait pu couvrir en deux mois, à son sens, le domaine tout entier), Hope avait nettement démontré l'efficacité de sa méthode à Munro.

Munro, quoique impressionné, demeurait encore indécis. Il verrait, disait-il, s'il y avait la possibilité d'engager un assistant ou deux, mais il avait rappelé à Hope que le domaine comportait cinquante-trois bois et taillis reconnus et que seuls douze d'entre eux étaient datés.

Elle quitta le champ et prit un sentier de ferme en direction de Coombe Herring, un petit village sur la propriété. Il y avait là un long fossé et un remblai qui couraient jusqu'à la lisière du village et que l'archéologue du projet avait classés comme faisant partie de l'enclos d'un parc aux cerfs du commencement du xviie siècle. Dater la haie sur le remblai présentait un problème car elle était constituée presque uniquement d'aubépines. Par curiosité, Hope avait fait un test de ronces avec pour résultat un total de dix sous-espèces. Elle fut convaincue que le fossé et le remblai appartenaient à un édifice beaucoup plus vieux que le parc aux cerfs — une vieille frontière de paroisse ou de manoir peut-être ou même un tertre funéraire. Quand elle fit part de cette hypothèse à l'archéologue — un homme pâle aux joues creuses nommé Winfrith — il faillit se mettre en colère. Il rappela à Hope qu'il avait passé des mois à calculer et reconstruire la configuration du parc aux cerfs et il l'informa qu'il n'avait nullement l'intention de refaire ses cartes à cause d'un « tas de ronces ». Elle s'apprêtait à prendre plusieurs échantillons de sa section de trente mètres et à le confondre avec ces pièces à conviction.

Elle traversa le petit village et remonta un chemin creux à bestiaux qui contournait une colline et aboutissait à East Knap, le village où elle habitait. La journée était froide, même pour septembre, avec un vent d'est frais et un ciel bas et dense aux nuages serrés. Elle escalada le talus en bordure du chemin, traversa un échalier et coupa par un petit bois de noisetiers pour arriver au fossé et au remblai litigieux.

Elle mesura sa première section de trente mètres et, à l'aide d'un sécateur, commença à prélever des échantillons des ronces qui poussaient à profusion parmi les aubépines. Elle travaillait avec soin et régularité, plaçait les échantillons dans des sacs de plastique et les étiquetait. Le vent la décoiffait et ses narines étaient remplies de la senteur de la terre et de feuilles pourries dérangées par son passage et l'odeur verte poudreuse de la haie.

Elle cueillit une mûre et la mangea, la bouche pleine de son goût aigre, vineux. Elle entendait les oiseaux chanter et, au-dessus de sa tête, le bruissement incessant des ormes bousculés et tourmentés par le vent. A travers les trouées dans les aubépines, elle distinguait la courbe douce des collines de la côte et pouvait sentir, plutôt que voir, la Manche froide, au-delà. Derrière elle s'étendait le paysage du Dorset. Ses ondulations tendres, ses champs et ses bois, les vallées peu profondes avec leurs fermes et leurs villages. Accroupie au pied d'une haie d'aubépines dans un décor qu'elle avait fini par connaître très intimement, elle se sentait l'esprit calme, toute à sa tâche, les sens en éveil. Pas étonnant, qu'elle aimât son travail, pas étonnant se répéta-t-elle avec un sentiment de culpabilité, qu'elle ne pensât guère à John.

Les bureaux du projet, un long grenier au-dessus de boxes à chevaux, se situaient dans les écuries de Knap House. Le vendredi, une réunion s'y tenait au cours de laquelle chaque participant faisait son rapport. Munro, invariablement diplomate et gentil, la présidait. Hope arriva un peu en retard : Munro et Winfrith l'attendaient. Elle donna à Munro, le géologue, les échantillons de sol qu'elle venait de prélever et prit place autour de la table. Winfrith était descendu exprès pour l'occasion en voiture d'Exeter où il passait le plus clair de son temps à travailler avec l'historien attaché au projet, une femme appclée Mrs. Bruton-Cross que Hope connaissait fort peu. C'étaient là ses trois collègues, mais elle avait surtout affaire à Munro qui supervisait et rassemblait le fruit de leurs efforts respectifs. En pratique, elle travaillait seule du lundi au vendredi. Munro lui téléphonait le soir s'il avait quoi que ce fût d'intéressant à lui communiquer.

La réunion dura la demi-heure habituelle et Winfrith repartit immédiatement sur Exeter. Munro prépara une autre tasse de café pour Hope.

« Vous passez ici votre samedi, Hope ? Marjorie et moi nous nous demandions si vous aimeriez...

— Désolée. Je monte à Londres, hélas », se hâta-t-elle de répondre en s'efforçant de ne pas laisser percer son soulagement. Elle avait déjà dîné une fois avec Graham et Marjorie Munro dans leur petit cottage de West Lulworth et cela lui avait suffi. Une éternité de conversation contrainte et d'un repas sans vin. Le tout petit verre de sherry qu'on lui avait offert — et qu'elle avait consommé — avant le repas s'était avéré l'unique et solitaire composant alcoolique des réjouissances de la soirée. Tout en avalant le ragoût maison de Marjorie (recette fournie avec empressement à la demande), Hope avait été saisie par une telle envie de picoler qu'elle avait inventé une excuse (les prémices d'une grippe) pour partir avant le café et s'était jetée tout droit dans le pub le plus proche avant qu'il ne ferme.

« Dommage », dit Munro avec sincérité, Marjorie se faisait une joie de connaître enfin John.

— Oh, il reviendra, dit Hope sans plus préciser. Je vous avertirai à temps.

131

— Dites bonjour pour moi à la ville-lumière, dit Munro.

— Comment ?

— Dites bonjour à la...

— Ah oui. Certainement. »

Elle regagna East Knap, fit sa valise et prit un bain avant de repartir attraper le train à Exeter.

Assise dans son compartiment, elle but une bière tout en regardant défiler le paysage enveloppé de crépuscule. Elle se rendit compte que Knap lui manquait un peu plus chaque fois qu'elle le quittait. Fût-elle restée qu'elle aurait continué à travailler tout le week-end. Elle n'avait pas besoin de souffler ; ces voyages à Londres tournaient un rien à la corvée. Et elle découvrait qu'elle commençait à détester la ville avec son bruit et sa saleté. Elle reversa de la bière dans sa timbale de plastic. Mais quelque chose clochait, se dit-elle. N'aurait-elle tout de même pas dû se sentir plus heureuse à l'idée de retrouver John ?

Samedi matin, John, en pyjama, contemplait par la fenêtre de la cuisine les tours du Muséum d'histoire naturelle qui dominaient les cheminées et les toits de ce quartier de Kensington. Il émettait de petits claquements de langue tout en tapotant en cadence son menton de son index.

Hope l'observait par-dessus son journal. Il se livrait à ce petit jeu depuis près de dix minutes — regardant par la fenêtre et claquant la langue, c'est tout.

« Que dirais-tu d'un film cet après-midi ? lui demanda-t-elle, résolue à ne pas s'irriter.

— Peux pas, hélas. Je vais au collège. J'ai réservé un ordinateur. »

Hope se força à parler sur un ton raisonnable.

« Combien de temps y resteras-tu ?

— Je devrais rentrer... » Il se retourna, la regarda, puis leva la tête, calculant : « Tôt dans la soirée. Si tout va bien.

— OK. » Elle se leva. Elle enfila son imperméable et ramassa son sac. « Je sors.

— Bien. A plus tard. » Il reprit sa contemplation des tours du Muséum d'histoire naturelle.

Dimanche se passa mieux. Ils allèrent déjeuner avec des amis du collège, Bogdan et Jenny Lewkovitch. Lui, polonais, blond et rondouillard ; elle, anglaise, petite et mince, effacée. Ils habitaient Putney avec leurs deux jeunes enfants. Durant le repas, John se montra très animé et d'une divertissante malice à l'égard de leurs collègues.

Bogdan était physicien. En dépit de quoi, avait expliqué John à Hope en route, il respectait son cerveau. « Ce qui, ajouta-t-il, est plutôt inhabituel pour moi car, normalement, je n'ai pas beaucoup de considération pour les physiciens

— Pourquoi ? dit Hope se demandant vaguement où il plaçait les écologistes qui dataient des haies dans le Dorset.

— Pourquoi ? Parce qu'ils refusent d'admettre — dans leur majorité — que ce qu'ils font tourne fondamentalement autour des mathématiques. Ils sont persuadés faire des choses grandioses avec leurs coûteuses machines, des choses incroyables. Mais ça n'est que des mathématiques, en réalité. »

Ils roulaient dans Fulham Palace Road en direction du pont de Putney. Hope regarda les arbres de Bishop's Park. Le soleil brillait et les marronniers commençaient tout juste à jaunir. Elle songea au travail qui l'attendait dans les bois et les halliers de Knap et eut envie d'y être de retour. Pour la première fois, elle se sentit un peu désolée pour John et son univers clos, aseptisé, d'abstractions parfaites.

« Tu ne trouves pas ça un peu enfantin ? dit-elle.

— Quoi ?

— Ma spécialité est mieux que la tienne. Na. Bisque-bisque-rage. »

John sourit :

« Demande à Bogdan. S'il est honnête, il te dira que j'ai raison. »

133

Ce soir-là, ils firent l'amour.

« T'es un mec difficile, dit-elle, tout en lui embrassant son long nez.

— Je sais. Heureusement que c'est pas ton cas ou on serait drôlement dans la merde.

— Ouais. »

Il glissa sa main sur le ventre de Hope, posa un instant sa paume sur l'os de sa hanche, puis la fit courir le long des côtes avant d'en enrober un sein.

« Des os, des os, des angles vifs », dit-il. Il rejeta le drap. « Hé ! Tes nichons rapetissent !

— Je ne suis plus grosse du tout.

— Toutes ces balades dans les champs de navets du Darzet, dit-il, imitant l'accent paysan de l'ouest.

— Ça devrait te plaire. »

Il se rallongea, sourire aux lèvres.

« Comment marche le travail ? s'enquit-il.

— Mince ! Je ne peux pas y croire. Tu tiens vraiment à le savoir ?

— Sûr.

— Laisse-moi te parler de cette fascinante méthode que j'ai mise au point pour dater les haies d'arbustes.

— Ah oui ?

— Ça se résume à compter le nombre de sous-espèces de mûriers-ronces. Tu comprends...

— Bonne nuit. »

En ouvrant la porte de son cottage d'East Knap, le lundi matin, Hope éprouva un agréable mouvement d'entrailles, une jouissive crispation du sphincter. Elle comprit qu'elle était contente d'être de retour. Elle s'en sentit un peu coupable parce que, tout bien considéré, le week-end avait été un succès malgré un samedi ardu. Mais il lui était difficile de contredire ou de supprimer les sensations palpables qui l'assaillaient.

Elle s'activa, d'abord à défaire sa valise, puis à se confectionner un sandwich au corned-beef. Elle se rappela, en le man-geant, que John détestait le corned-beef. Il ne pouvait pas en supporter l'odeur, clamait-il. Il n'aimait pas non plus qu'elle en mangeât — il affirmait pouvoir le renifler sur son haleine des heures plus tard...

Elle s'assit à la table de la cuisine et songea à lui, à leur mariage et sa nouvelle ambivalence à elle, cette légère mais régulière distanciation qu'elle éprouvait de manière croissante au fil des semaines. Peut-être la faute lui en était-elle imputable ? Peut-être n'aurait-elle pas dû l'épouser, lui ? Ni personne, d'ailleurs. Elle avait toujours pensé qu'elle se marierait. Elle avait toujours été certaine de rencontrer un jour quelqu'un possédant exactement le charme étrange qu'elle exigeait. Elle se connaissait, ou du moins le croyait-elle, et savait avoir besoin de quelqu'un de différent, de bizarre et de très mystérieux, au point même d'être difficile... Juste comme John, en fait.

Peut-être avait-elle fait preuve de trop de précipitation, de trop d'assurance. Elle repensa à cette première rencontre, à cet instant où elle avait pensé : oui, voilà, c'est celui-ci. Elle avait su comme par pur instinct qu'il serait bien, qu'il était digne d'elle... Elle contempla son sandwich à moitié consommé. Mon Dieu, se dit-elle, peut-être suis-je victime de ma propre arrogance ? Peut-être qu'épouser John représentait l'ultime acte d'égoïsme d'une vie plutôt égoïste.

Elle se leva, enfila ses bottes et son manteau, s'ordonna de mettre un terme à ces interrogations incessantes. Le week-end s'était bien passé. Ne le noie pas sous une tonne d'analyse.

Elle consulta sa montre. Little Green Wood l'attendait.

Toute la semaine Hope travailla dans les bois et les taillis du domaine. Elle trouvait cette tâche encore plus plaisante que la datation des haies. Le temps était beau, mais froid, et les feuilles des arbres commençaient tout juste à jaunir. Elle adorait les bois à cette période de l'année, les rayons pâles, couleur jus de citron, du soleil qui, à travers la mince couche de feuilles en voie de disparition, venaient marbrer le sol, et l'air toujours assez frais pour condenser son haleine. Dans les forêts de hêtres et les taillis de coudriers, avec le ciel caché et l'horizon invisible, elle se sentait encore plus coupée du monde et de sa frénésie. Ne lui parvenait, à l'occasion, que le bruit d'une voiture ou d'un tracteur dans un chemin voisin ou la pétarade d'un fusil de chasse. Autrement elle était seule avec les jeux de lumière et les ombres mouvantes des antiques taillis, n'entendant rien que l'incessant chuchotement de la brise marine dans les branches au-dessus de sa tête.

John aimait bien le cottage, affirmait-il, mais il n'y avait séjourné qu'une seule fois, peu après l'arrivée de Hope à Knap et avant qu'elle ne soit vraiment installée. A présent elle l'était, de manière définitive et confortable et, au fil des semaines, elle avait fini par beaucoup y penser comme à sa maison. Lorsqu'il y revint, John se comporta, bien naturellement, avec une aisance et une insouciance totales, exactement ainsi qu'il le faisait dans leur appartement de Londres. Pour une raison quelconque, cette familiarité, ce manque de veux-tu-bien-me-permettre, la vexa. Elle surveillait ses mouvements comme ceux d'un invité maladroit. Elle trouva la façon dont il s'emparait des coussins du fauteuil pour s'asseoir plus confortablement sur le canapé, puis d'explorer le frigidaire et le garde-manger pour ses énormes « casse-croûte », de terminer les biscuits, de boire pratiquement tout le jus d'orange, d'abandonner des tasses de café à moitié vides avec des peaux qui se formaient dessus, bêtement irritante. Elle n'était pas elle-même une fanatique de l'ordre, mais l'exiguïté des pièces du cottage l'obligeait à la propreté. Maintenant, avec dans les lieux un autre adulte encombrant dépourvu de ce qu'elle estimait le sens des convenances, elle avait le sentiment que la petite maison commençait à faire encombré et sale.

« Tu ne crois pas que tu pourrais pendre ta veste ? lui dit-elle au retour d'une promenade, alors qu'il venait de la jeter sur le dossier d'une chaise.

— Ne sois pas aussi maniaque. Pourquoi ?

— Ça fait désordre.

— Mais non.

— Mais si. Moi je pends la mienne.

— Ce n'est qu'une veste sur une chaise. J'ai pas dégueulé sur le tapis.

— Il se trouve simplement que ça m'agace.

— Alors, pends-la toi-même. Merde, on croirait qu'on va nous passer en revue. »

Ils se chamaillèrent à propos de bottes tout le week-end. Puis John annonça qu'il avait envie de rester deux jours de plus. Parfait, dit Hope, ils iraient ensemble le mercredi chez ses parents.

« En quel honneur, que diable ? s'étonna John.

— Je te le répète depuis des semaines. Les soixante-dix ans de Ralph.

— Oh ! Il y a une fiesta ?

— Oui, répliqua-t-elle, avec une patience exagérée. Une grande fiesta.

— Ne compte pas sur moi, dans ce cas. Bon Dieu, tu sais bien que je ne peux pas supporter ce genre de manifestation.

— Très bien, dit Hope, vaguement surprise de ne pas être plus contrariée. Comme tu voudras. »

Parfois John l'accompagnait dans les bois où elle travaillait. Il ne la gênait nullement ; il disait être très content de la regarder bouger, mesurer et ramasser ses échantillons. Parfois aussi, il partait seul explorer la propriété. Il avait découvert un endroit qu'il aimait particulièrement, non loin des ruines du vieux manoir jacobéen.

Là, une petite vallée avait été transformée en lac d'agrément, à présent obstrué par la vase et les roseaux. Le panorama original avait été gâté par une plantation de conifères sur un flanc de la vallée, mais l'approche du lac, qui se faisait par une longue allée cavalière, possédait encore une étrange magie.

On traversait une hêtraie, le long de l'allée envahie par les herbes. Sur la gauche coulait la petite rivière qui alimentait le lac. Elle avait été aménagée avec des barrages de telle sorte que l'eau tombait en cascade dans une série de bassins d'ornement. Juste avant d'atteindre le lac, et alors qu'il était encore caché par les hêtres, le sentier virait brusquement à droite, vous obligeant à contourner une rangée d'ifs vert foncé.

Et puis, soudain, la vue se dégageait : le drap d'eau argenté, nappé de ciel et, au-delà, les prés herbeux plantés de vieux chênes et de limes. A l'autre bout du lac s'ouvrait une avenue soigneusement plantée d'ormeaux avec l'intention d'attirer le regard sur un lointain monument, une colonne de granite rose, au sommet d'une colline à quinze cents mètres environ de là, mais qui n'avait jamais été édifiée.

Hope connaissait le lac, bien entendu, mais elle n'y était jamais venue par le chemin que John avait découvert. Il l'emmena l'admirer.

« Eh bien, est-ce que ce n'est pas astucieux ? » dit-il en désignant la rangée d'ifs qu'ils contournaient. « Juste au moment où l'on se croit arrivé, il faut s'arrêter, obliquer, faire le tour et alors, vlan ! Attente, frustration et puis effet redoublé parce qu'on a momentanément oublié ce qu'on était venu voir. »

Les parents de Hope habitaient encore la propriété où elle avait passé la plus grande partie de son enfance, dans la région d'Oxford, pas loin de Banbury, une longue maison rectiligne dans un petit village pas trop défiguré par les sinistres HLM ou les modernes Sam-suffit destinés aux retraités. Hope prit un bus à Banbury, histoire de s'abandonner un peu à la nostalgie, et laissa les vieilles images du passé se dérouler dans sa tête tandis qu'ils roulaient vers le sud et Oxford, se détournant de temps à autre pour une incursion dans les villages situés à l'est ou à l'ouest de la route principale.

Elle descendit du car sur la place du village, passa devant l'église, le cimetière et la rangée jaune des bâtiments de l'hospice et, faisant craquer les faines sous ses pas, prit à gauche l'allée ombreuse qui menait à la maison familiale.

Une vaste tente rayée bleu et blanc occupait la grande pelouse en façade. Des hommes déchargeaient des chaises en bois doré et des dessus de table ronds en aggloméré, d'un camion garé en marche arrière dans l'allée. Hope entendit, venant de l'intérieur de la tente, les voix de sa mère et de sa sœur vociférant aux livreurs des ordres concernant le placement du mobilier.

Elle se glissa derrière le camion et pénétra dans la maison. Elle déposa sa valise au pied de l'escalier, traversa le salon et la salle à manger pour atteindre la cuisine. Il y avait des bouquets partout et l'air embaumait les fleurs et la cire d'abeille. Par la fenêtre de la cuisine, elle aperçut son père, au fond du jardin jonché de feuilles mortes, qui brûlait quelque chose dans l'incinérateur placé à la lisière du verger. Elle alla le rejoindre.

Le père de Hope était grand et mince. Ses cheveux, épais et brillants toute sa vie, se raréfiaient rapidement depuis deux ans, un fait dont il prétendait se moquer mais qui, en réalité, le tourmentait considérablement. Il avait toujours été exagérément fier de sa chevelure et, sur nombre de photos de lui, jeune, placées un peu partout dans la maison, c'était le premier trait qui frappait. Il avait connu, avant la guerre, une période de gloire brève mais lucrative en qualité d'acteur adoré des femmes, et pourtant, même à cette époque-là, on n'aurait pas pu le créditer d'une beauté classique. Néanmoins, les gens le trouvaient superbe, et il jouissait de cette réputation parce qu'il possédait exactement la sorte de chevelure − plantée en un V pas trop prononcé et rejetée en arrière en une lisse et brillante parabole pour dégager un grand front − qu'on attendait d'un bel homme. Personne ne remarquait vraiment ses yeux plutôt petits, ni les lèvres un peu trop minces, ni s'il avait une moustache ou non (ce qui variait comme les saisons) parce que le regard de chacun se fixait immédiatement sur cette superbe crinière d'une luxuriance presque indécente.

Grisonnante, elle avait conservé sa séduction, mais maintenant elle s'amenuisait, dépouillée de toute sa splendeur. Par défi, il s'était laissé pousser la barbe − une affectation qu'il avait jusqu'alors méprisée avec fracas, tout juste bonne à dissimuler un menton fuyant, clamait-il − mais ce n'était guère que quelques frisoulis clairsemés comme si son corps, ayant dépensé toute son énergie à fabriquer cette magnifique toison de choix pendant près de soixante-dix ans, souhaitait souffler un peu.

Hope s'approcha sans bruit. Il portait une vieille veste en tweed tellement usée qu'elle pendait sur ses épaules carrées comme un châle, des jeans impossibles et une paire d'affreuses chaussures de daim marron.

« Hello, Ralphie », dit-elle. Certains de ses amis continuaient à lui donner du « Raife », mais, depuis qu'il avait abandonné les planches dans les années cinquante, il était redevenu tout bonnement Ralph Dunbar pour la majorité des gens, y compris sa famille.

Il se retourna, pas surpris (elle était la seule à l'appeler ainsi) et vint vers elle, le visage grave, les bras ouverts.

« Hopeless, ma désespérance chérie ! », s'exclama-t-il.

Elle embrassa sa joue barbue et il la serra fort contre lui.

« Bon anniversaire, dit-elle. Je n'ai pas de cadeau, hélas.

— Au diable tout ça. Comment me trouves-tu ?

— Superbe. Mais je ne peux pas souffrir cette barbe.

— Donne-lui une chance, petite, donne-lui une chance. »

Ils repartirent lentement bras dessus, bras dessous vers la maison. Ralph sentait le feu de bois et un parfum légèrement musqué. Il essayait en permanence de nouvelles eaux de toilette et lotions d'après-rasage.

« Si content que tu sois venue, Hopeless. Maintenant je vous ai tous autour de moi. » Il renifla. « Ciel, les grandes eaux. Et voilà. »

Hope n'avait jamais rencontré quiconque, homme ou femme, qui pût pleurer aussi facilement. Cela faisait partie de son répertoire de réactions émotives au même titre qu'une grimace ou un rire.

Il s'essuya les yeux et embrassa de nouveau Hope passionnément. « C'est un drôle de monde, mais une sacrée belle vie », dit-il. C'était une de ses expressions familières. « Merveilleux. Sacrée belle vie. » Ils avaient atteint la porte de la cuisine. Il se tourna vers elle.

« A propos, où est John ? »

Hope ne manquait jamais, quand l'occasion s'en présentait, d'examiner attentivement le visage de sa sœur, Faith, à la recherche de traits semblables aux siens. Y avait-il quelque chose de familier dans l'avancée légèrement belliqueuse de la lèvre inférieure. Une correspondance dans l'arc audacieux des sourcils ? Penserait-on, en les voyant côte à côte, qu'elles étaient parentes... ? Pour Hope, elles n'avaient pas la moindre ressemblance, excepté leur manière de rire identique. Dès qu'on le lui avait fait remarquer, Hope s'était efforcée de ne jamais plus rire de cette façon. Un rire profond, une explosion de gaieté incontrôlable. Parfois, Hope ne pouvait pas l'éviter et elle riait comme sa sœur. Cependant deux facteurs évitaient les commentaires des gens sur ce point : Hope et Faith se voyaient très peu et leur sens de l'humour différait totalement.

Hope ne détestait pas Faith ; simplement le fossé qui avait commencé à se creuser entre elles au cours de leur adolescence s'était désormais élargi au point de devenir infranchissable. Dix ans plus tôt, peu avant d'épouser son mari, Bobby Gow, Faith avait annoncé à sa famille qu'elle ne voulait plus de son prénom : dorénavant on devrait l'appeler Faye.

« Quel dommage que John n'ait pas pu venir, disait à présent Faye/Faith à sa sœur. L'idée était justement de réunir toute la famille. »

Elles buvaient du thé dans la cuisine. Ralph était reparti dans le jardin. Leur mère supervisait la décoration florale de la tente. Un instant, Hope pensa à inventer une excuse pour John — un surcroît de travail, une conférence —, mais décida d'avouer la vérité à Faith.

« Franchement, il déteste ce genre de réceptions. Il les fuit comme la peste.

— Charmant. » Faye produisit un sourire déçu. Une telle attitude relevait clairement d'une aberration poussée au dernier degré. « Enfin, dit-elle, c'est le soixante-dixième anniversaire de son beau-père. Papa est très chambardé. Il ne le montre pas, mais je pense qu'il est rudement peiné.

— Ralph s'en fout complètement. D'ailleurs je ne crois pas qu'il aime particulièrement John.

— Allons donc ! Hope ! » Dans le monde de Faye, les membres d'une même famille s'adoraient sans réserve pour l'éternité.

« Je ne crois pas qu'aucun de vous l'aime.

— C'est injuste, dit Faye, un rien troublée, tâchant de gagner du temps, peu habituée à tant de candeur. John est... Bien sûr que nous l'aimons. Nous ne le voyons pas beaucoup, voilà tout. »

Hope la laissa continuer de protester. Faye avait un joli visage, régulier, avec un petit nez parfait que Hope lui enviait. Hope possédait le nez de son père, long et imperceptiblement crochu. Mais Faye traitait sa joliesse comme un handicap ou presque. Ses cheveux bruns lisses étaient coupés court, sévèrement et sans audace, et séparés par une raie de côté bien nette. Elle se maquillait à peine. Elle portait en fait de vêtements l'uniforme des femmes de son milieu : une jupe à plis creux, une blouse ou un chemisier de soie, des petites vestes cintrées, des chaussures quelconques à talons plats. Hope lui avait un jour suggéré de laisser pousser ses cheveux, mais Faye rétorqua qu'à son avis les cheveux longs faisaient toujours sale. Hope encaissa sans broncher l'insulte implicite.

Faye avait trois enfants, Timmy, Carol et Diana, et pour époux Bobby Gow, un conseiller juridique qui exerçait à Banbury. Chaque fois que Hope réfléchissait à la vie que menait Faye, elle était atterrée par son vide, son manque de toute excitation, sa rigide culture du normal. Elles avaient été bonnes amies au début de leur adolescence — Faye avait trois ans de plus — mais l'approche de l'état d'adulte les avait séparées à peu près à tous points de vue.

Hope soupçonnait que l'existence de sa sœur — sereine, heureuse et florissante en surface — n'était en réalité qu'un long catalogue de grandes et petites insatisfactions. Et elle voyait la nervosité due à cet état de choses, avec les compromis sans fin qu'il nécessitait, la rendre plus dure d'année en année. Pour Faye, le passage du temps signalait seulement l'improbabilité croissante et accablante d'un changement de vie, le recul constant d'une exploration possible d'alternatives — aussi saugrenues, aussi mineures fussent-elles — à son existence présente.

Hope se désolait de voir Faye sombrer dans les sables mouvants de la prudence, de la modération et des convenances, mais elle savait que c'était là le seul sentiment, l'unique témoignage de sympathie qu'elle ne pourrait jamais exprimer.

Faye préférerait mourir plutôt que de tolérer que Hope eut pitié d'elle. Le monde n'était pas censé être organisé ainsi. Supporter tout cet ennui, cette inéluctabilité, ce mensonge, n'avait pour seul but que de permettre à Faye de se sentir désolée pour Hope. Pas le contraire, certainement pas. Hope s'abstint donc de parler et Faye se retrouva à l'abri pour un peu plus longtemps.

Hope fit tinter sa cuillère contre sa tasse en remuant son sucre. Le silence était retombé.

« Où est Timmy ? » s'enquit Hope. Elle aimait bien Timmy, huit ans, le fils de sa sœur. Un petit garçon grave, gentil, avec des passions étranges, obsessives.

« Mais il n'est pas ici.

— Où est-il ?

— En pension. Depuis l'année dernière. Vraiment, Hope, je ne crois pas que tu écoutes un seul mot de ce que je dis. »

Les membres de la famille se rassemblèrent à sept heures, avant l'arrivée des invités. Ils levèrent leur coupe de champagne pour porter un toast à Ralph. Ralph leva en retour son verre de whisky et répondit par un hymne larmoyant et raffiné d'extravagantes louanges à l'adresse de « mes précieux trésors ». Hope nota l'avidité avec laquelle il descendit son whisky avant de tendre son verre pour qu'on le remplisse. A ce rythme, il ne tiendrait pas jusqu'au dessert. Hope vit sa mère se raidir, mais seulement un instant. Eleanor, élégamment vêtue d'un ensemble rose et blanc, avec même une trace de rinçage rose dans ses cheveux blonds, était une femme séduisante qui, aux abords de la cinquantaine, avait décidé que prendre du poids serait plus avantageux pour son apparence que l'effort constant d'un régime. Elle s'était donc laissée grossir un peu. Elle avait le teint frais et portait ses kilos supplémentaires avec assurance. Aujourd'hui encore, elle demeurait désirable. Elle avait de gros seins et il émanait d'elle une impression générale de confort élégant et moelleux. Elle dépensait beaucoup d'argent en robes et en bijoux. Elle était intelligente et fine. Hope la vit retirer discrètement le verre de Ralph qui faisait du charme auprès des petites filles de Faye.

« Super que vous ayez pu venir », entendit-elle Bobby Gow s'exclamer près d'elle. Elle se retourna. « Dommage pour John.

— Enfin... nous tous... Plus les voisins. J'aurais pris la fuite à sa place. »

Bobby Gow lui adressa un sourire nerveux, incertain. Plaisantait-elle ou non ? S'il protestait, le jugerait-elle constipé ? S'il approuvait, paraîtrait-il déloyal... ? Hope le sentit passer en revue ses options.

« Penser qu'au boulot, c'est pas rigolo, dit-il enfin, stupidement, avant de laisser échapper un petit rire.

— Alors, comment va la vie, Bob ? » coupa Hope.

Il fronça les sourcils et grimaça un peu :

« Bien, bien... enfin, vous voyez, on n'a pas à se plaindre. On conseille, on conseille... » Hope était sûre qu'il lui avait resservi ça à chacune de leur rencontre.

« Comment Timmy se débrouille ? » Elle commençait déjà à se sentir épuisée.

Gow agita les mains, marquant ainsi une hésitation. « Je crains qu'il ne prenne un bout de temps à s'habituer. Mais c'est une bonne école. » Il avala son champagne et contempla son verre. « Fondamentalement. De toute manière, poursuivit-il, ça lui fait du bien de s'éloigner des jupons de sa mère.

— Vraiment ? Pourquoi ? »

Il ne répondit pas.

« Mais il nous manque terriblement à tous, ce vieux Timbo, reprit-il. Surtout aux filles.

— Je le parierai.

— Enfin. C'est comme ça. » Il s'arracha un sourire. Il a l'air d'un homme au martyre, pensa Hope, et qui meurt d'envie de m'échapper.

« Et si je vous remplissais ça ? » proposa-t-il brusquement en s'emparant de son verre. Il partit à la recherche du champagne et Hope se tourna vers ses nièces Carol et Diana, très jolies dans leur tenue de fête. Elle regretta de ne pas les aimer davantage.

144

Hope portait une vieille robe de velours noir à manches longues avec un col en V. Elle avait relevé ses cheveux en un chignon lâche tenu par quelques épingles et passé autour du cou un antique collier de chien en perles appartenant à sa mère. Elle s'attarda sans nécessité dans la cuisine, répugnant à rejoindre la cohue du salon. La plupart des invités, quatre-vingts au total, étaient arrivés et le volume du bruit s'amplifiait à la minute tandis que chacun sifflait son champagne et s'empiffrait de canapés.

La petite Diana entra avec un plateau vide et Hope lui en tendit un autre rempli de vol-au-vent miniatures.

« C'est quoi, ça, Tatie Hope ? demanda Diana.

— Des vol-au-vent. Et s'il te plaît, Diana, ne m'appelle pas Tatie, OK ?

— Comment il faut que je t'appelle, alors ?

— Hope. C'est mon nom.

— Mais Maman dit que...

— Dis à Maman que je préfère. Allez, file. »

Hope la suivit. La pièce était bourrée de gens. Les hommes, jeunes et vieux, en smoking ; les femmes — que de blondes ! — peintes et laquées. Le bruit était insupportable.

« Hé, Hope ! Hope Dunbar ! » lança une voix traînante derrière elle.

Elle se retourna sur un jeune homme blond au visage vif et rougeaud qu'elle reconnut vaguement sans pouvoir se rappeler son nom et qui l'embrassa sur les deux joues.

« Comment va ? Je ne t'ai pas vue depuis... Bon Dieu, combien de temps ? Tu t'es fait passer la corde au cou récemment, non ?

— Oui, en effet. Je veux dire, je me suis mariée.

— Tu reviens de vacances ? T'es drôlement bronzée. Tu étais au ski ?

— Non. J'ai travaillé tout l'été en plein air.

— Pas possible ? » Il était sincèrement étonné. « Qu'est-ce que tu fais ? Moniteur d'équitation ou quoi ?

— Écologiste.

— Oh... » L'inquiétude surgit dans ses yeux. « Ça doit être

145

épatant. Mais... » Il inspecta la pièce du regard. « Où est ton Jules ? J'adorerais le connaître. »

Hope resta debout aux côtés de sa mère pendant que les invités pénétraient sous la tente. Des tables rondes avaient été disposées en demi-cercle face à une piste de danse en bois. Au-delà, sur une estrade, les instruments de l'orchestre — piano, tambours, une double basse appuyée contre un tabouret et un saxophone sur un support de fer — attendaient les musiciens. Des nappes roses recouvraient les tables, la tente était décorée de ruchés de tissu blanc et rose, et, ici et là, de grands bouquets blancs ornaient les troncs de colonnes doriques décapitées. L'ensemble était joli et de bon goût. Chacun savait où s'asseoir. Eleanor Dunbar souriait gentiment à ses invités à mesure qu'ils entraient.

« C'est ravissant », déclara Hope.

Sa mère la regarda :

« Comme toi, dit-elle. En moins désordre. » Elle désigna la coiffure de Hope : « Tu aurais dû me laisser t'arranger ça.

— Je serai de retour dans les bois demain. Ça n'en vaut guère la peine. On va s'asseoir ? »

Sa mère la retint une seconde :

« Garde un œil sur Ralph, n'est-ce pas, chérie ?

— Que veux-tu dire ?

— Que je vais avoir à passer de table en table et que, en mon absence, il boira trop.

— Enfin, c'est son soixante-dixième anniversaire ! »

Eleanor ne sourit pas.

« Certes. Mais je ne veux pas qu'il s'écroule ivre-mort avant le plat de résistance. Simplement... surveille-le pour moi. »

Elles se dirigèrent vers leur table.

« Il me paraît en bonne forme, dit Hope.

— Il y a un moment que tu n'es pas venue. Il n'est plus drôle du tout. »

Le visage de sa mère demeurait impassible. Quelque chose se serra, se tordit, en Hope.

« Je suis désolée, maman. Je suis vraiment désolée. »

Sa mère s'arrêta, la regarda et lui fit un sourire cérémonieux :
« N'aie pas pitié de moi, Hope. Je refuse tout net. »

Hope sentit une véritable dépression s'emparer d'elle en se voyant placée entre Bobby Gow et un homme du nom de Gerald Paul, un vieil ami de la famille, un impresario à la retraite pour qui Eleanor avait travaillé avant d'épouser Ralph. Hope les soupçonnait d'avoir été amants autrefois. Peut-être l'étaient-ils encore, après tout.

Bobby Gow lui tourna en fait le dos dès qu'elle fut assise et elle se vit donc forcée de parler à Paul. Il avait une grande bouche étroite pleine de ce qui ressemblait à des dents brunâtres incluses et disposées dans tous les sens. Bizarrement, son haleine n'avait pas une odeur dégoûtante, mais simplement un peu sucrée, comme s'il s'était rincé la bouche à l'essence de vanille.

« Merveilleux de voir Ralph avec une si bonne mine, dit Paul, en regardant en face de lui. Et votre mère. Quelle ravissante créature ! »

Hope dévisagea ses parents : sa mère, léchée par le regard salace de Paul ; son père, qui écoutait la conversation tout en se caressant la barbe... A sa gauche, Faye faisait boire une goutte de champagne à Carol. Paul évoquait ses souvenirs de la « merveilleuse Eleanor ». Hope ferma les yeux et éprouva une envie soudaine d'être à Little Barn Wood. Elle résolut de quitter la table au moment des discours.

Elle prit une profonde respiration et attaqua à la cuillère la poire d'avocat posée sur son assiette. Un serveur s'approcha, se pencha vers sa mère puis fit le tour de la table pour venir à elle.

« Mrs. Clearwater, on vous demande au téléphone. »

Elle s'excusa et gagna le salon. Ce doit être John, pensa-t-elle en prenant le récepteur. C'était Graham Munro.

« Que se passe-t-il, Graham ? » dit-elle, coupant court au préambule de Munro.

Il lui expliqua. Dans l'après-midi, trois des ouvriers agricoles de la ferme du domaine traversant le bois de hêtres voisin du vieux manoir avaient entendu un bruit bizarre. Au cours de leurs recherches, ils avaient découvert un homme en train de creuser

147

un « système de tranchées » — les mots mêmes de Munro — sur la rive du lac. Apparemment un fossé de près de quarante mètres de long sur un mètre de profondeur était déjà excavé. Les ouvriers avaient interpellé et réprimandé l'individu avant de l'amener *manu militari* dans les bureaux du domaine.

« Il semble qu'il soit alors devenu violent et qu'il ait essayé de s'enfuir, dit Munro, la voix retentissante d'excuses inexprimées. Je crains que les hommes n'aient été obligés de le retenir de force.

— Il va bien ?

— Juste quelques égratignures et quelques bleus, me dit-on.

— Vous ne l'avez pas vu ? »

L'administration du domaine ayant établi l'identité de John avait téléphoné à Munro, à West Lulworth. Qui avait à son tour téléphoné à John pour lui dire de regagner le cottage et de l'y attendre.

« Malheureusement, poursuivit Munro, je n'ai pas pu me libérer tout de suite et, quand je suis arrivé chez vous, il avait disparu.

— Comment ça ?

— Il était parti. Les lumières étaient allumées et la porte d'entrée pas fermée. » Il se tut un instant. « C'est pourquoi j'ai cru devoir vous appeler. Il y avait un petit mot aussi.

— Qui dit quoi ?

— Je n'arrive pas à lire. C'est juste un gribouillis. Mais j'ai déchiffré le mot Londres, je crois.

— Il est probablement rentré là-bas. Merci Graham. »

Elle raccrocha et pensa tout d'abord : crétin, sale crétin. Et puis, égoïstement, qu'elle tenait là la meilleure excuse pour fuir la réception. Sa mère vint aux nouvelles et Hope lui exposa brièvement le problème, se bornant à raconter que John était tombé malade et qu'elle jugeait préférable de rentrer immédiatement. Eleanor parut un instant sur le point de protester, mais elle se ravisa.

« Eh bien... Dis simplement au revoir à ton père avant de partir. Je vais te le chercher. » Elle se pencha pour embrasser Hope.

Hope sentit les tendres seins maternels s'écraser contre elle et ses narines se remplirent des senteurs d'un parfum à l'eau de rose. Elle la retint dans ses bras un moment.

« Reviens me voir, n'est-ce pas, chérie ? Au calme. Juste pour passer un peu de temps avec moi.

— Bien sûr. Très bientôt.

— Je ne te vois plus ces jours-ci. » Elle la regarda fixement : « Tu me manques. » Puis elle sourit. « Je vais chercher Ralph. »

Hope remonta dans sa chambre boucler rapidement sa valise. Elle ne prit pas la peine de se changer. Elle enfila son manteau et retira les peignes qui retenaient ses cheveux.

Ralph l'attendait en bas. Elle lui résuma la situation.

« Je suppose qu'il vaut mieux que tu y ailles, concéda-t-il avec tristesse et mauvaise grâce avant de l'embrasser. Qu'est-ce qui cloche avec John ? Il est devenu dingue ou quoi ? »

Hope réussit à rire.

« Non, bien sûr que non. Pourquoi dis-tu ça ? Il travaille trop, c'est tout.

— Grosse erreur. »

Elle lui serra le bras :

« Passe une bonne soirée.

— Tu parles ! » Il l'accompagna à la porte. « L'ennui, dit-il, c'est que je m'emmerde si foutrement. C'est pour ça que je bois. Je sais que ta mère n'est pas contente, mais je ne peux pas m'en empêcher, tu comprends. » Hope crut qu'il allait se mettre à pleurer, mais il garda les yeux secs et la voix ferme. « Je hais tout ça, ajouta-t-il.

— Allons, voyons, Ralphie. Amuse-toi un peu. Toute ta famille est là. Nous t'aimons, et tous tes vieux amis aussi. »

Il la regarda :

« Tous mes vieux amis... Quelle bande de chieurs ! »

Elle attrapa l'omnibus de Banbury à Oxford. Elle arriverait avec plein d'avance pour prendre un des derniers trains à destination de Londres. Elle s'assit dans le compartiment suréclairé et surchauffé, l'œil fixé sur la campagne sombre, mais ne voyant que le reflet de son propre regard dans la vitre. Elle pensa à John et s'obligea à reconnaître que ses excentricités devenaient problèmes et ses accès de bizarrerie alarmants... Mais elle se découvrit une réticence à aller plus loin dans son analyse. Puis, alors qu'elle s'interrogeait sur ce qu'elle devait faire, il lui sembla s'enfoncer dans un épais brouillard d'immobilisme et d'apathie. Rien n'était clair, aucune direction évidente.

Cette humeur fit place à quelque chose de plus froid : une sorte de colère se mit à monter en elle. Elle ne s'était pas attendue à cela. Elle n'avait pas prévu ce genre d'événement. Son brillant et original époux n'était pas censé tomber malade de la sorte, devenir instable et assommant.

Elle fit face à son égoïsme de la même manière qu'à son image dans la froide vitre noire du compartiment et s'ordonna de réexaminer l'affaire. A sa vague inquiétude, elle se rendit compte qu'elle s'y refusait.

A Oxford, elle avait vingt minutes d'attente. Elle s'installa dans la cafétéria crasseuse de la gare au milieu du ramassis habituel de jeunes amoureux éperdus, de très pauvres gens et d'ivrognes marmonnant, et sentit sa colère toujours ancrée en elle, comme une brique sous sa cage thoracique.

Non, se dit-elle, c'est trop injuste. De quel droit se comportait-il ainsi ? Se montrait-il aussi têtu et insouciant ? Elle l'imagina l'attendant dans leur appartement et tenta de deviner l'humeur qui l'habiterait : désinvolte et indifférente ? Ou gaie et loufoque ? Muette et désemparée, ou boudeuse et renfermée... ? Elle les connaissait toutes désormais, et beaucoup trop bien. Elle entendait déjà dans sa tête leurs monologues respectifs. Je ne voulais pas... Je n'ai jamais pensé... Je n'étais pas certain... Je me fous complètement...

Elle se sentit lasse, rongée d'inquiétude, comme on l'est souvent avant de s'attaquer au gros du travail ; ce sentiment d'épuisement prématuré, ou imaginé à l'avance, qui est à l'origine de tout atermoiement.

Le train pour Londres entra en gare et repartit. Hope resta assise à réfléchir dans la sordide salle du buffet, et puis prit un taxi pour aller chez Meredith. Il y avait encore de la lumière dans la chambre à l'étage. Meredith vint lui ouvrir, les cheveux en bataille, pâle dans sa robe de chambre.

« Mais qu'est-ce que tu fiches ici ?

— Je me défile. »

LE BONHEUR DU CHIMPANZÉ

João m'a raconté une histoire un jour au cours d'une de nos sorties. Nous observions Rita-Mae, Lester et Muffin. Muffin jouait avec Lester, et Rita-Mae se joignait à eux de temps à autre, soit pour à son tour taquiner le petit ou bien freiner Muffin quand le jeu devenait trop violent. Il m'apparut évident que les jeunes chimpanzés prenaient beaucoup de plaisir à s'ébattre et gambader : ils s'amusaient bien. Bref, ils étaient heureux.

En rentrant au camp, João me rapporta cette curieuse fable qu'il tenait de son père.

Deux chasseurs, Ntino et Iko, se promenaient un beau matin dans la forêt. Ils rencontrèrent des chimpanzés qui s'amusaient sur les branches d'un mulemba.

« Regarde les chimpanzés, dit Ntino, vois comme ils se balancent facilement d'une branche à l'autre. Voilà le bonheur du chimpanzé.

— Comment peux-tu savoir ? répondit Iko. Tu n'es pas un chimpanzé. Comment peux-tu savoir s'ils sont heureux ou non ?

— Mais toi tu n'es pas moi, rétorqua Ntino. Comment sais-tu que je ne sais pas ce qu'est le bonheur du chimpanzé ? »

Je ne retrouvai jamais les restes du petit de Lena. Nous fouillâmes tous les sites de nids, avec l'espoir de découvrir un lambeau de peau ou un os minuscule que je pourrais présenter comme un début de preuve, mais nous ne réussîmes pas à élucider ce que Rita-Mae avait pu bien faire avec le morceau de

151

cadavre déchiqueté qu'elle avait emporté sur son épaule cet après-midi-là près du figuier.

Durant plusieurs jours après le meurtre, nous ne revîmes pas Lena, non plus. Et puis, un matin, elle réapparut. Elle se tenait à distance de Rita-Mae mais, ceci mis à part, on ne notait aucun changement réel dans son attitude envers les autres ni des autres envers elle.

Du reste, la même apparente normalité régnait également entre mes collègues et moi. Je n'avais parlé à personne, sauf à João et Alda, de la tuerie, et j'étais certaine que Mallabar s'était montré aussi discret qu'il l'avait promis. La bonne dose de sympathie résiduelle dont je jouissais encore en tant que victime d'un incendie n'avait pas diminué, la meilleure preuve, je suppose, qu'il avait tenu parole. Mallabar lui-même était parfaitement cordial. Bien que je ne me fusse ni excusée ni rétractée, il se comportait comme si je l'avais fait : une aberration passagère qu'il m'avait pardonnée.

Je continuai à sourire et, chaque soir, travaillai à mon article.

Un matin, je quittai le camp de bonne heure pour gagner le lieu de mon rendez-vous avec Alda. En passant devant la zone nourricière artificielle, j'entendis appeler mon nom. Mallabar, debout au milieu du terrain défriché, me faisait signe d'approcher.

Il était juste après six heures et le soleil ne se montrait pas encore au-dessus du faîte des arbres. La lumière avait la couleur du vin blanc et l'air était frais. En traversant, je regardai si quelqu'un occupait les affûts, mais ceux-ci étaient vides. C'était la première fois que Mallabar et moi nous nous retrouvions en tête à tête depuis que je lui avais annoncé la mort de Bobo. Je lui offris une cigarette qu'il refusa. J'allumai la mienne. Je remarquai la présence de trois grands chandeliers jaunes de bananes contre les cages de béton.

« Vous êtes bien matinale, dit-il.

— Il faut que j'aille vérifier quelque chose, répliquai-je, m'efforçant d'être aussi sibylline que possible.

— Je me demandai si vous aimeriez vous joindre à nous aujourd'hui. »

Je lançai un coup d'œil aux bananes :

« Grande bouffe ?

— Oui. Mon éditeur américain débarque et je veux lui présenter nos chimpanzés.

— Désolée, j'ai trop à faire ce matin.

— Dommage. » Il haussa les épaules. « Il vous plairait. Ça pourrait être utile de le rencontrer. Un type bon à connaître.

— Une autre fois. Mais merci quand même.

— Vous n'approuvez pas tout ça, hein ? lança-t-il tout à trac.

— Quoi donc ?

— La zone. » Il montra d'un geste les cages et les bananes. « Hope, la rigoriste. »

Je le regardai en face :

« C'est une machine. Une source de nourriture artificielle abondante, ouverte et fermée à votre gré. Je ne crois pas... » Je me tus un instant. « Ça n'a absolument aucun rapport avec la vie telle que la mène les chimpanzés sauvages, ça c'est certain. Vous attirez deux douzaines de chimpanzés ici et vous les laissez se gaver. Ce n'est pas naturel. Vous avez fait tomber une machine à bananes en plein dans la jungle. Vous jouez à être Dieu, Eugène. Ce n'est pas bien. » Je lui souris : « Mais je suis persuadée que vous connaissez tous les arguments contre.

— Dont la plupart formulés par moi. » Il s'assit sur la cage de béton et se renversa en arrière en croisant les jambes. Il était très détendu, très sûr de lui. Je jetai ma cigarette par terre et l'écrasai du pied.

« Hope, je vous aime bien, dit-il.

— Merci.

— En dépit de nos... différences méthodologiques, vous êtes exactement la sorte de personne dont nous avons besoin dans cette équipe. »

J'attendais. Il continua à me flatter. Maintenant que la guerre était finie, dit-il, et qu'arrivaient de nouvelles subventions, Grosso Arvore reprendrait bientôt sa taille originale, en fait s'étendrait davantage. Il songeait à ouvrir une nouvelle station, un autre camp, à quinze kilomètres au nord. Je me trouvais être précisément le genre de personne qu'il imaginait le dirigeant.

Les premiers rayons du soleil avaient dépassé la cime des arbres et je sentais leur chaleur se répandre sur mon visage. Je me demandai vaguement, et pas pour la première fois, si Mallabar éprouvait un intérêt sexuel à mon égard. Je n'en avais certainement aucun pour lui, mais je savais que, chez certains hommes, pareille indifférence faisait office d'un puissant aphrodisiaque.

« S'agit-il d'une offre ? » m'enquis-je.

Il perdit un instant son sang-froid.

« Enfin... Disons, disons que c'est une... une nette possibilité. » Il se leva et se frotta les mains comme s'il les lavait. « Je voulais simplement que vous sachiez mon sentiment, poursuivit-il, son assurance revenant au galop, et la manière dont les choses se présentaient. Le monde appartient à ceux qui se lèvent tôt. Il y a un avenir pour vous ici avec nous, Hope, un avenir considérable. » Il laissa sa main reposer une seconde sur mon bras et me regarda droit dans les yeux. Je perçus l'éclat brûlant de sa sincérité. « Je veux que vous le compreniez, dit-il.

— C'est compris. »

Alda me rencontra à l'endroit prévu et me conduisit à l'est vers la zone où il avait vu les six singes mâles non identifiés. Il n'existait pas de pistes là-bas, seulement de vieux chemins de brousse, mais, à mesure que nous avancions, le terrain montait légèrement et la végétation devenait moins dense.

Alda me montra le sentier où il avait repéré les chimpanzés. Il les avait suivis pendant dix minutes avant de les perdre de vue dans le sous-bois. Je vérifiai notre position approximative sur la carte. S'il s'agissait de chimpanzés nordistes, alors ils avaient traversé le Danube et pénétré un kilomètre et demi à l'intérieur du territoire sud. Quand il les avait perdus, Alda pensait qu'ils repartaient vers le nord. Il m'indiqua où cela s'était passé. Le Danube se trouvait à six cents mètres plus loin au-delà d'un épais rideau d'arbres. C'était une hypothèse raisonnable.

Je consultai de nouveau la carte et décidai qu'il était tout aussi raisonnable de supposer que ces chimpanzés avaient fait une incursion exploratoire, le long d'un arc couvrant deux kilomètres ou trois de territoire sudiste... Une analogie me trottait dans la tête.

« Tu dis que c'était tous des mâles ? demandai-je à Alda.

— Oui, maâm. Je crois. Et eux se déplacent très lent — regardant ici, regardant là — et eux pas faire de bruit. Pas de bruit du tout. »

Pour moi, cela ressemblait exactement à une patrouille.

Ce soir-là, je tapai à la machine la dernière version de mon article. Vingt pages, un peu succinctes quant à l'appareil de notes, mais fort lisibles. Je savais que celui à qui je le soumettrais le publierait, étant donné la nature incendiaire et provocante de son contenu. En fin de compte, je décidai de l'expédier à un magazine intitulé *Les Grands Singes*. Un mensuel avec une bonne réputation dans le milieu universitaire et une assez large audience populaire. De plus, je connaissais l'un des rédacteurs.

Je mis l'article dans une enveloppe, inscrivis l'adresse puis glissai le tout dans une autre enveloppe que je scellai et envoyai au professeur Hobbes avec une note explicative lui demandant de bien vouloir faire suivre au magazine. Je ne prenais aucun risque.

Deux jours plus tard, au moment où Toshiro s'apprêtait à partir en corvée de ravitaillement, je lui tendis mon paquet. Il s'en empara sans même y jeter un second regard et l'ajouta à la pile de courrier sur le siège à côté de lui.

Mon article expédié, je passai plus de temps à analyser et transcrire les notes de João et d'Alda. J'y décelai une autre contradiction. En calculant les distances parcourues par chaque chimpanzé au cours des trois ou quatre dernières semaines, je m'aperçus qu'elles décroissaient. Si on les reportait sur la carte, il sautait aux yeux que l'aire de déplacement des chimpanzés sudistes avait spectaculairement diminué d'environ 35 %.

Il se passait quelque chose d'étrange, mais je ne savais pas très bien quoi. C'est à la lumière de ces remarques que je mis un arrêt temporaire à nos procédures normales d'observation et de poursuites et que j'instituai la surveillance du Danube. Chaque jour, João, Alda et moi prenions nos positions, à quinze cents mètres de distance, sur les pentes sud de la petite vallée que creusait le Danube en descendant de l'escarpement, d'est en ouest. Nous trouvâmes chacun des points d'observation surplombant la rivière et qui nous permettaient de couvrir à nous trois une importante surface.

Notre guet ne donna aucun résultat durant trois jours. Puis, au matin du quatrième, vers neuf heures et demie, João m'appela sur le walkie-talkie. J'occupais le poste du milieu, João celui à quinze cents mètres à l'est.

« Ils arrivent, maâm, dit-il. Je crois sept, peut-être huit. Ils viennent de vot'côté. »

Il annonça qu'ils venaient de passer un grand mafumeira que j'apercevais de ma position. J'ordonnai à João de continuer à les suivre et je partis à leur rencontre.

Ils étaient sept, à la file, espacés en une sorte de colonne, et avançant à quatre pattes avec précaution. Leur silence complet, leur totale concentration tenaient d'une irréalité inquiétante. Ils étaient menés par Darius que je reconnus immédiatement. Une femelle anœstrus suivait à l'arrière. Ils venaient droit sur moi.

Les abris étant rares, je quittai le sentier afin de leur donner largement du champ. Je fis le tour pour aller rejoindre João qui les talonnait à une centaine de mètres, l'air sombre et mécontent. Aucun de nous n'avait jamais vu rien de semblable.

Nous suivîmes pendant près d'une heure les chimpanzés qui continuèrent de progresser en territoire sudiste. Puis ils s'arrêtèrent au flanc d'une étroite vallée que traversait une petite rivière et grimpèrent dans un veranista. Ils restèrent là quarante minutes, immobiles et muets, à écouter et à observer. Aucun son ni aucun signe de mes chimpanzés sudistes.

Finalement, les intrus descendirent de leur arbre et reprirent la direction du nord à une allure plus rapide. Arrivés dans la vallée du Danube, ils éclatèrent en un chœur bruyant de huées et d'aboiements, se mirent à courir frénétiquement à travers la rivière, à tambouriner sur les troncs des arbres, et à casser des

branches qu'ils brandissaient en l'air. Puis ils filèrent en territoire nordiste, en continuant à hurler et à glapir.

« J'aime pas », dit João. Inquiet, troublé, il fronçait les
sourcils. « J'aime pas du tout, du tout.

— C'est tellement étrange, dis-je. Qu'essayent-ils donc de
faire ?

— Je crains beaucoup trop. » Il me regarda : « Je crains
beaucoup trop. »

Je demandai à Ian Vail si je pouvais revenir passer encore
quelques jours avec lui et ses nordistes. Il accepta volontiers,
mais, lorsqu'il voulut connaître mes raisons, je lui répondis
seulement que d'étranges individus avaient été repérés dans le
Sud et qu'à mon sens il pouvait s'agir de ses chimpanzés.

Au cours des deux jours en sa compagnie, je vis la plupart des
mâles appartenant au groupe. Un groupe à forte majorité mâle.
Des trois femelles adultes, deux venaient de mettre bas et ne
recommenceraient pas leur cycle sexuel avant deux ou trois ans.
La seule femelle « en fonction » était Crispina. Quatre jeunes
mâles, une demi-douzaine d'adolescents (mâles et femelles) et
deux vieux mâles complétaient la bande. A l'époque, avant la
scission de la troupe, l'équilibre des sexes avait été meilleur,
mais le départ de Clovis avec trois femelles adultes — Rita-Mae,
Rita-Lu et Lena — avait, d'après la théorie de Ian, déstabilisé la
communauté. Une autre jeune femelle avait également disparu
dix-huit mois auparavant, accentuant la disproportion. Elle
pouvait avoir été tuée par un prédateur ou bien attirée par
l'autre communauté chimpanzée au nord de Grosso Arvore.
Depuis ma dernière visite, le cycle de Crispina s'était achevé. Il y
avait toutes chances qu'elle fût enceinte.

Ian jugeait la patrouille dans le Sud très significative.

« Je suis sûr qu'ils cherchaient Rita-Mae, dit-il, en passant.
Elle était très populaire.

— Ça n'en avait pas l'air.

— Est-elle en chaleur ?

— Non, mais sa fille ne tardera pas à l'être.

— Ah, ah. Et celle qui était enceinte ?

— Elle... le petit est mort.

— Eh bien, elle recommencera son cycle. » Il réfléchit : « Comment appelles-tu ton mâle alpha ?

— Clovis.

— Il va en avoir plein les bras. » Il eut un sourire lubrique. C'est à des moments pareils qu'il était facile à détester. Je changeai de sujet.

« As-tu des photos de tes chimps ?

— Des clichés anthropométriques ? Ouais, des masses. »

Nous étions assis sur un rocher au soleil. Au pied de certains arbres, devant nous, des chimpanzés cherchaient des nids de termites. Je chassai de la main un cercle de mouches et j'hésitai un instant à raconter à Vail la mort de Bobo. Je décidai finalement de ne pas le faire à cause de Roberta et de ses liens avec Mallabar.

Vail observait ses singes à la jumelle. Il portait une chemise et un short kaki, et des bottines de daim. Ses jambes, brunes et poussiéreuses, étaient couvertes de petites égratignures. Des poils blonds épais lui ornaient les genoux et les mollets. Peut-être fallait-il tout lui raconter, me répétai-je. J'avais besoin d'un allié, après tout. Mais il m'avait déjà mise en garde une fois.

« Sais-tu quelque chose à propos du nouveau livre d'Eugène ?

— Oui, oui. Roberta en corrige les épreuves en ce moment. Il est énorme.

— Fichtre. Quel est le titre ?

— *Le Primate : la société d'un grand singe,* lança-t-il avec un accent américain sonore.

— Ils ont les épreuves ? Quand paraît-il ?

— Dans quatre, cinq mois. » Il se tourna et me regarda d'un air moqueur : « On peut aussi bien boucler nos valises et nous tirer. C'est très le " Dernier Mot ", si tu vois ce que je veux dire. » Il ôta ses jumelles d'autour de son cou. « Vaudrait mieux se trouver un autre champ d'études. » Il se leva. « A propos, que faisais-tu avant de joindre ce cirque ?

— Datation de haies.

— Ah oui ?

— Ça a toujours eu le don de couper court à la conversation. »

Nous regagnions la Land Rover. Je décidai de le pousser un peu plus loin.

« Ian, crois-tu... Je veux dire, jusqu'à quel point ces chimpanzés sont-ils agressifs ? Violemment agressifs. »

Il s'arrêta et me regarda avec curiosité. Il essayait de deviner ce que la question cachait.

« Je ne sais pas, dit-il. Pas vraiment agressifs. Pas plus que toi et moi.

— C'est ce qui m'inquiète.

— Comment ça ?

— Je ne suis pas sûre, mais je te raconterai s'il se produit quelque chose. »

Nous vîmes trois autres patrouilles nordistes. Elles traversèrent le Danube plus ou moins au même endroit, et chaque fois pénétrèrent plus avant dans le Sud. Avec l'aide des photos de Ian Vail, je fus bientôt capable d'identifier les individus par leur nom. Les groupes étaient toujours menés par Darius et comportaient invariablement quelques adolescents (que je trouvais plus difficile de reconnaître) et, en général, trois autres mâles adultes : Gaspar, Pulul et Americo. De temps à autre un vieux mâle, appelé Sébastien, les accompagnait. Ces cinq-là formaient le noyau des patrouilles nordistes.

C'est au moment de traverser le Danube que leur comportement normal de singes bruyants changeait. Ils devenaient tendus, prudents et presque complètement silencieux. Leurs raids dans le Sud se firent plus longs et plus vastes. Souvent ils s'arrêtaient, grimpaient aux arbres, observaient et attendaient. Pour moi, il était évident qu'ils guettaient mes chimpanzés.

Notre veille sur le Danube et la filature des patrouilles faisaient que j'avais perdu contact avec le groupe sud. J'envoyai un jour João et Alda avec mission de les localiser. Nous savions maintenant où les nordistes tendaient à passer la rivière. Je pouvais les surveiller efficacement toute seule.

Cette fois, ils arrivèrent vers quatre heures de l'après-midi. Je les entendis avant de les voir — un vigoureux tambourinage des troncs d'arbres. Puis j'aperçus Darius, poil hérissé, l'air méchant, qui brandissait des branches et hurlait. Les autres le rejoignirent, criant, piaillant, lançant des grosses pierres dans le Danube. Ils traversèrent alors la rivière et se turent. Darius les menait avec, derrière lui à la file, Pulul, Gaspar, Sébastien et Americo — plus un adolescent que je ne reconnus pas. Je les suivis de mon mieux. Ils me virent, bien entendu, mais ils étaient complètement habitués à la présence humaine. Malgré tout, je demeurai prudemment à quarante ou cinquante mètres à la traîne.

Ils avancèrent avec précaution pendant une heure avant de faire halte au bord d'une petite falaise rocheuse pour attendre et guetter. A ce moment-là la voix de João me parvint faiblement sur le walkie-talkie — j'avais mis le volume au point le plus bas et lui se trouvait à la limite de sa portée — qui m'annonça avoir vu Clovis, Rita-Mae, Lester et Rita-Lu. Aucun signe de Muffin, Mr. Jeb, Conrad ou Lena.

Je sortis mon appareil photo et pris quelques instantanés du groupe au bord de la falaise. Leur concentration était intense. Près d'eux, les fruits abondaient sur des buissons de chavelho, mais personne ne paraissait tenté d'en manger. Ils observaient. Ils humaient l'air. Ils écoutaient.

Puis je remarquai que l'attention de Darius se portait maintenant sur un petit bosquet de palmiers-dattiers à environ cinq cents mètres. J'appelai João.

« Où es-tu ?

— Très loin au sud, maâm. Près des bambous.

— Rita-Mae et Rita-Lu ?

— Elles sont ici. Je les vois. »

Je me détendis un peu. Si Ian Vail avait raison, et que l'objet de ces patrouilles fût sexuel, alors ces nordistes se trouvaient à des kilomètres de leur but.

Soudain, Darius poussa un petit grognement, sauta de son rocher, dévala la falaise et disparut dans le sous-bois. Les autres suivirent immédiatement, à toute allure. Il me fallut un certain temps pour trouver un endroit d'où descendre sans danger et, à mon arrivée en bas, les chimpanzés avaient filé. Je les entendais se frayer un chemin à travers le sous-bois. Je découvris un sentier qui paraissait mener vers la palmeraie et le pris en courant. Je devais me trouver à peine à cent mètres des dattiers quand j'entendis les hurlements d'alarme d'un chimpanzé sudiste. D'autres lui répondirent. Je trébuchai sur une racine et tombai, couronnant méchamment mon genou. Je me relevai et courus en boitant en direction du vacarme. Tout à coup, il y eut une explosion insensée de cris et d'aboiements doublés d'un hurlement aigu persistant, toute la panique hystérique d'une bataille. Et, alors que j'atteignais les premiers arbres, je vis un chimpanzé s'enfuir en s'élançant d'une branche à l'autre d'un énorme alfonsia. Dans la brève vision que j'en eus, il me sembla reconnaître Conrad.

Je m'approchai doucement. Entre les troncs des palmiers, j'aperçus des chimpanzés qui tournaient en rond, très excités. Et je vis Mr. Jeb, cerné par les nordistes. Il était accroupi par terre, montrait les dents et hurlait. Debout autour de lui, les mâles nordistes paradaient, cabrés, le poil raide de bravoure belliqueuse. Darius tenait à la main une branche de palmier sèche dont il fouettait le sol, tout en poussant des cris gutturaux à l'adresse de Mr. Jeb. La réaction de Mr. Jeb avait un côté faible et pathétique. Tandis qu'il se contorsionnait et s'agitait, son bras atrophié battait mollement l'air en vain. Sa calvitie et sa maigre barbichette donnaient à ses gestes menaçants une allure de simulacre frivole. Mais il rugissait aussi bravement qu'il le pouvait, retroussait ses lèvres pour montrer ses vieilles dents usées et, de son bras valide, lançait des cailloux à la bande des intrus nordistes.

C'est alors qu'ils lui tombèrent tous dessus. Darius, deux fois la taille de Mr. Jeb, le renversa facilement, s'assit sur sa poitrine et lui plaqua les bras au sol. Gaspar empoigna ses pieds et Pulu et Americo lui sautèrent sur la tête à plusieurs reprises. Puis Gaspar se pencha et enfonça ses dents dans les testicules de Mr. Jeb, provoquant un effroyable cri de douleur chez le vieux chimpanzé qui, assommé par la raclée que lui flanquaient les autres, s'effondra. Un à un, ses attaquants le lâchèrent.

Darius le saisit alors par les jambes et le traîna violemment de long en large sur le sol. Au cours de cette opération, la tête de Mr. Jeb frappa le tronc d'un palmier-dattier et des caillots de sang jaillirent de son nez. Darius s'arrêta immédiatement pour lécher et avaler bruyamment le sang qui coulait des narines.

Il s'éloigna et ses compagnons se rassemblèrent autour du corps inerte de Mr. Jeb. Celui-ci gisait face contre terre, immobile. Soudain, il remua. Il leva sa main et poussa un petit gémissement. Il s'assit et, avec son bras valide, tenta de se relever, mais il retomba sur-le-champ, secoué de tremblements.

Pulul s'avança, s'assit sur le dos de Mr. Jeb et se mit à lui tordre et retordre la jambe. Je vis, plutôt que je ne l'entendis, le craquement. Toute la tension naturelle de la jambe disparut. Pulul mordit les orteils, en arracha un et coupa pratiquement deux autres. Pendant ce temps, Mr. Jeb n'émit pas un son.

Finalement, Pulul recula en poussant des cris stridents. Puis tout le monde s'assit et contempla pendant cinq bonnes minutes Mr. Jeb étendu avant que Darius s'approche d'un air majestueux et lui enfonce plusieurs fois un doigt dans le corps, sans obtenir aucune réaction du vieux chimpanzé. Alors Darius l'attrapa par sa jambe brisée et le traîna sur deux mètres en le retournant sur le dos. Après quoi, il lui bourra le visage de coups de poing pendant deux ou trois minutes.

Il s'arrêta enfin, s'éloigna et soudain, à toute vitesse, les chimpanzés nordistes détalèrent, bondissant et gambadant à travers la brousse.

Je consultai ma montre. L'attaque contre Mr. Jeb avait duré près de vingt minutes. Je me sentais épuisée, douloureusement tendue. Je me levai en titubant — je n'avais pas bougé de toute la bataille — et m'approchai de Mr. Jeb.

Il vivait encore. Les doigts d'une de ses mains remuèrent légèrement. Une blessure en V sur son crâne chauve avait arraché un triangle de cuir chevelu qui brillait d'un rouge-orange vif sur le gris noir de sa peau. Le sang s'était figé sur la plaie de ses testicules et, déjà, des mouches à viande grouillaient dessus. Mais ce furent ses pieds déchiquetés qui me désolèrent le plus : je voyais l'os briller tout blanc sur le moignon de son orteil coupé.

Une sorte de choc me secoua, me faisant suffoquer et chercher l'air comme si je me noyais. Je me tournai et respirai profondément plusieurs fois, exhalant lentement. « Oooh, Mr. Jeb, m'entendis-je dire. Pauvre Mr. Jeb. » Puis je revins près de lui, m'agenouillai et caressai doucement son épaule.

Il ouvrit ses yeux dont l'un n'était plus qu'une fente, pratiquement clos par des contusions couleur prune. Il me regarda.

J'étais trop près et me repliai de quelques mètres. Mr. Jeb se mit à frissonner et tenta une fois encore de se soulever, mais il était trop faible. Alors, il entreprit de se traîner sur le sol, utilisant son bras valide et sa jambe encore en état, pour se diriger vers un épais taillis, laissant derrière lui, dans la poussière, un sillon irrégulier tacheté de sang.

Il s'enfonça profondément dans le fourré. J'essayai de le suivre un peu, mais la végétation d'épineux était trop dense. Je reculai avec une vilaine égratignure au bras. Je m'assis contre un arbre et me reposai une minute ou deux. Il était tard dans l'après-midi et le crépuscule approchait : il me fallait songer à regagner le camp. J'ouvris mon sac et pris une pommade antiseptique que j'étalai sur ma blessure et mon genou écorché. En la rangeant, j'aperçus mon appareil.

Je n'avais pris aucune photo de la bataille. Et, maintenant, Mr. Jeb était mort ou en train de mourir au fond d'un impénétrable taillis épineux... Que se passait-il donc à Grosso Arvore ? Déjà les révélations de mon article étaient dépassées. Ces chimpanzés du Nord étaient venus avec l'intention de tuer et, chose beaucoup plus inquiétante, avec celle de faire souffrir. A ma connaissance, c'était sans précédent.

J'entendis un petit cri haletant − hou hou hou − et me retournai. Conrad accroupi à six mètres me regardait fixement. J'éprouvais un soulagement stupide, un absurde élan de bienvenue.

« Conrad... », dis-je à voix haute.

Il décampa immédiatement en bondissant à travers le sous-bois. Puis je l'aperçus quelques minutes plus tard grimpant sur le citronnier dont le tronc pâle dominait le fourré qui abritait le corps de Mr. Jeb. Il s'avança lentement sur les branches les plus longues et s'y installa pour scruter l'enchevêtrement d'arbustes où Mr. Jeb, sans aucun doute, finissait de mourir lentement dans des souffrances immenses.

Je rentrai avec beaucoup de retard au camp. J'allai droit à la cantine pour dissiper tout soupçon. Je ne racontai à personne ce qui s'était passé, expliquant mes égratignures par une chute au cours d'une poursuite. Je mangeai mon poulet filandreux et mes patates douces avec un plaisir inhabituel et demandai à un des cuistots de m'apporter une bière. Elle était à peine fraîche, mais j'avais un terrible besoin d'alcool. J'avalai donc mon dîner et bus ma bière tiède. Je venais d'allumer une Tusker quand Ginga s'approcha.

« Hope, ça va ?

— Très bien. Pourquoi ?

— Tu m'as l'air... pas très d'aplomb.

— Juste fatiguée. » Je lui souris. « Une longue et dure journée. Et je crois qu'un de mes chimps est mort. » Je ne sais toujours pas pourquoi je lui dis cela. Je pense qu'il me fallait lâcher un peu de ce que j'avais accumulé en moi. Je lui racontai que j'étais tombée sur la scène d'une bagarre et que j'avais découvert une traînée de sang menant à un fourré épineux.

« Comment sais-tu qu'il s'agissait d'un chimp ?

— Il y en avait un autre dans un arbre au-dessus du taillis. Comme s'il montait la garde. »

Ginga haussa les épaules :

« Peut-être un léopard ? » Elle me pressa la main. « Mon Dieu, si tu savais combien de douzaines de chimps j'ai perdues depuis qu'on est ici. Des douzaines.

— Je sais. C'est simplement qu'il n'y en a pas des masses dans le Sud. Si l'un disparaît, on le remarque.

— Tu l'as dit à Eugène ?

— Non. Je voulais tenter d'aller récupérer le corps. Pour être sûre. De toute manière... » J'écrasai mon mégot et changeai de sujet, l'air innocent. « Le livre sort bientôt, paraît-il ? »

Elle me lança un brusque coup d'œil et puis se détendit. « Oui. Nous corrigeons les épreuves... » Elle se tut avant de reprendre, pensivement : « Ça va être une grosse affaire, je crois. Dix traductions déjà. Mais excellent pour nous tous. Après cette guerre, tu comprends, nous serons de nouveau sur la carte.

— J'adorerai le voir, dis-je d'un ton aussi dégagé que possible.

— Comme tout le monde. Mais tu connais Eugène. On ne montre rien tant qu'il n'est pas prêt. »

Elle se leva et nous échangeâmes nos bonsoirs d'une manière parfaitement amicale. J'ignore pourquoi l'idée m'en vint, mais je sus alors que notre amitié n'irait pas plus loin. Je fus certaine que désormais Ginga ne me ferait plus jamais entièrement confiance.

PULUL

Cruauté [kryote] n.f. Caractère de ce qui est cruel ; tendance à infliger la souffrance ; plaisir ou indifférence à la douleur d'un autre ; dureté, inclémence.

Quand Hope repense à la mort lente de Mr. Jeb, elle se rappelle très vivement la manière dont Pulul s'est assis sur le dos du vieux chimpanzé, a tordu sa jambe jusqu'à ce qu'elle se brise et puis a tenté de lui arracher les orteils avec ses dents. Un acte cruel et d'apparence cruelle. Mais Pulul savait-il ce qu'il faisait ? « Plaisir ou indifférence à la douleur d'un autre. » Si c'était cruel, alors c'est que c'était délibéré. Si c'était délibéré, alors il faut éliminer l'instinct aveugle, un certain niveau de conscience a dû intervenir.

Hope sait (comment le sais-tu ?) que ceci représentait le Mal chez le chimpanzé. Pulul voulait faire souffrir, et le plus possible.

« Je refuse d'en parler ! lui cria John. Tu ne comprends donc pas ? » Il s'agrippait des deux mains au dossier d'une chaise de cuisine dont il frappait le sol en cadence tout en répétant : « Je refuse d'en parler ! Je refuse d'en parler !

— Très bien ! Ferme-la ! hurla Hope. Ferme-la, c'est tout ! »

Ils se faisaient face de chaque côté de la table. Elle avait passé la nuit chez Meredith à Oxford avant de revenir à Londres par le train, à l'aube. John était sorti. Elle avait donc téléphoné au collège pour s'entendre dire qu'il travaillait dans son bureau et qu'il ne voulait pas être dérangé. Il rentra le soir vers sept heures et demie. Il l'accueillit comme si de rien n'était. « Alors, cette fiesta ? Comment allaient tes parents ? » Elle le laissa continuer sur ce ton une minute ou deux et puis exigea l'explication de ce qui s'était passé près du lac. Sur quoi, il avait commencé son crescendo de faux-fuyants qui venait de culminer avec leurs hurlements réciproques.

« Très bien, dit-elle calmement. N'en parlons pas. » Elle le rejoignit et passa son bras autour de lui. « Je me suis fait du souci, voilà tout. » Elle l'embrassa, sentit son corps se détendre et sa respiration se ralentir. Il repoussa la chaise à laquelle il s'agrippait et s'assit.

« Bon Dieu, dit-il d'un ton las. Faut pas que je m'énerve. Faut que je me calme. » Il se frotta les yeux, fort, avec le dos de ses mains. Puis il renversa la tête en arrière, exposa son cou et souffla. Il remua le menton de droite à gauche en mouvements semi-circulaires pour détendre les muscles noués de ses épaules. Hope se plaça derrière lui et entreprit de lui masser la nuque du bout des doigts.

« Bon, de toute façon, comment était la soirée ?

— Horrible. »

Elle lui raconta en détail à quel point, inventant n'importe quoi, sans lui mentionner son départ prématuré ni la nuit passée chez Meredith.

« Ralph misérable. Ma mère nerveuse, tendue comme un arc parce qu'il boit. Faye et Bobby... Bon Dieu, je suis navrée pour cette pauvre fille. » Elle interrompit son massage pour aller se verser un verre. « Tu as bien fait de ne pas venir, lança-t-elle par-dessus son épaule.

— Bobby Gow, dit-il pensivement. Quel con !

— Bobby ? » Cette sourde véhémence le surprit.

« Oui. C'est un abruti paumé de connard d'Anglais qui a épousé sa réplique. Qu'est-ce que tu espères ? »

Elle ne se retourna pas. Elle garda son regard fixé sur son verre de vin. Elle ne l'avait jamais entendu parler ainsi.

« Enfin, dit-elle, attentive à ne pas le provoquer. Je pense qu'elle voulait une vie, une vie complètement différente de celle de Ralph et Eleanor. Je crois que c'est ça.

166

— Ralph et Eleanor ! Ne me laisse pas entamer le sujet. Une paire de répugnants, d'affreux...

— Et si on se tirait ailleurs ? Si on allait bouffer un morceau quelque part ? »

Ils descendirent Brompton Road à pied pour gagner un restaurant italien qu'ils fréquentaient beaucoup. Ils y furent accueillis par l'amabilité bruyante de serveurs superhumainement enthousiastes. Hope éprouvait une sympathie spontanée pour ces hommes. Quels que fussent leurs soucis et leurs malheurs, leurs tragédies ou leurs échecs personnels, ils étaient forcés de contribuer à créer cette ambiance entraînante de bonhomie facétieuse, tout en « *Ciao, bella, ah ! la bellissima signorina !* » et « *Amore, amore !* ». Mais ce soir, cette comédie d'insouciance était exactement ce qu'il lui fallait et elle fut ravie de constater le succès immédiat sur John de cette absurde familiarité. Nous avons besoin de nous distraire un moment, se dit-elle, d'avoir d'autres gens autour de nous, de changer de sujets de conversation...

Le restaurant était bondé, mais on leur trouva une table dans le fond. Au beau milieu du dîner, John parut soudain se rappeler ses propos sur la sœur de Hope et son mari.

Il s'excusa. « Merde. Je n'ai pas voulu dire ça en réalité, affirma-t-il avec gravité. C'était injuste. Très méchant. » Il fit la grimace. « Mais je pense que c'est bien que je le reconnaisse, tu ne trouves pas ? Que je puisse, tu vois, réfléchir et comprendre que j'ai eu tort ?

— Écoute, ça n'a pas d'importance. Ça nous arrive à tous de prendre la mouche.

— Mais je suis capable de me critiquer moi-même. C'est bien, non ?

— Oui... Oui. On devrait... on devrait tous le faire un peu plus souvent. »

Et c'est alors qu'il commença à lui raconter ce qui s'était passé au lac. Il avait tellement aimé son séjour là-bas, dit-il, qu'il avait décidé de rester un peu plus longtemps avec elle. Il n'avait pas besoin de travailler autant sur les ordinateurs. Il était bon de simplement réfléchir, de laisser le cerveau fonctionner tout seul.

« Vois-tu, poursuivit-il, je ne venais pas parce que je

167

m'inquiétais. Je m'inquiétais à l'idée d'être en passe de perdre quelque chose. » Il lui expliqua comment les mathématiciens se divisaient : sur dix mathématiciens, neuf pensaient en chiffres et un seul en images. C'étaient ceux qui pensaient en images qui produisaient les travaux les plus étonnants.

« Par exemple moi. J'ai toujours été un homme d'images jusqu'à ce que je commence à travailler sur la turbulence. Soudain ça a changé. J'ai commencé à voir les réponses, les solutions en *formes*. Incroyable. »

Puis il lui parla hydrologie, dynamique des fluides, lui affirma que personne ne pouvait comprendre la manière dont la turbulence résultait des équations différentielles pour l'écoulement du liquide. Le comportement erratique et les discontinuités fichaient les calculs en l'air. Chacun essayait de traiter la turbulence par des méthodes analytiques, en écrivant des équations toujours plus compliquées pour tenter d'expliquer l'activité hyperbolique des fluides et gaz turbulents.

« Je me décarcassais aussi, dit-il, sans arriver à rien. Ma pensée... » Il balaya l'air d'un grand geste. « Ma pensée était sur la bonne voie, je le voyais bien. Mais soudain, il s'est produit un changement. Je ne sais pas comment ça s'est passé, mais j'ai commencé à regarder les formes, les formes produites par la turbulence et alors les choses se sont peu à peu mises en place avec toutes sortes de ramifications fascinantes. » Il se tut un instant. Avec une expression bizarre sur le visage, comme s'il souriait et fronçait les sourcils à la fois.

« Le plus drôle, et c'est ce qui m'inquiète, ça n'a duré que six mois à peu près. » Il striait la nappe blanche avec les dents de sa fourchette. « Il semblait que j'avais perdu le don. Je voyais des formes et je pensais en chiffres. »

Et puis, dit-il, le fait de creuser en Écosse, avait — pour une raison inexplicable — ranimé son pouvoir de mise en images.

« Peut-être simplement la fatigue. L'effort physique. Ou simplement le geste de découper une forme dans le sol. Un carré, un rectangle. Ça m'a paru revenir. »

Il se tut encore. Hope contemplait son visage pâle, soucieux, ses yeux fixés sur l'assiette de nourriture. Le sourcil froncé. Réfléchissant. Elle vit la force de cette réflexion déformer et gauchir ses traits. Il poussa un soupir tremblant, entrecoupé. « Mais ça repart de nouveau, ça s'affaiblit, dit-il. Il faut que je m'y résigne. J'ai eu le don pendant quelques mois. Un prêt. » Il secoua la tête, les narines pincées. « Et le travail que je faisais, bon Dieu, tu ne le croirais pas... incroyable. » Il leva alors la tête vers elle et elle vit que ses yeux étaient remplis de larmes.

« Tu comprends, à Knap, j'ai pensé que peut-être, si je me remettais à creuser, quelque chose reviendrait. » Sa voix baissa. « Tu ne sais pas comme c'est terrible d'avoir ça, ce genre de pouvoir, et puis soudain de se le voir arracher. » Il émit un son étrange — mi-grognement mi-éructation — du fond de la gorge. « J'essaie de me forcer, de forcer mon cerveau à continuer, mais ce n'est pas... » Son corps entier parut être ébranlé par une secousse et son visage devint rouge vif. Il ferma les yeux et pressa son menton contre sa poitrine. Un instant, Hope crut qu'il allait vomir.

Mais il se mit à pleurer. Il posa ses mains sur la table, se pencha en avant et laissa s'échapper les sanglots. Avec un étrange bruit, haletant, gémissant, la bouche ouverte, les larmes, morve et salive lui dégoulinant du visage.

« Non, mon Dieu, s'il te plaît, John ! » Hope fit le tour de la table pour venir s'accroupir près de lui et enlacer ses épaules secouées violemment. Elle était terrifiée par le bruit qu'il faisait comme s'il s'agissait d'un prototype de pleurs, inhabituels. « Johnny, chéri, arrête s'il te plaît ! *S'il te plaît !* »

Dérangé, inquiet, tout le restaurant s'était immédiatement tu. Sous les mains de Hope les muscles noués tremblaient. Il évacue toute sa tristesse, se dit-elle. Elle la sentait presque s'enrouler autour d'elle — un flot mince et aérien — comme un gaz, un gaz turbulent, qui s'échappait de sa bouche, son nez, ses oreilles.

Avec l'aide de deux serveurs, elle l'obligea à se lever et lui posa son manteau sur les épaules. Le personnel du restaurant compatissait, mais avait hâte de le voir partir. Pendant qu'ils traversaient la salle, Hope eut conscience des visages fascinés et troublés, des regards fixés sur leur couple. Pourquoi cette abjecte détresse ? semblaient-ils exiger de savoir. C'était un homme : pourquoi montrait-il tant de chagrin ? Quelle terrible tragédie l'avait donc réduit à cet état ? A sa grande honte, Hope sentit une gêne brûlante l'envelopper comme un châle. Dehors, la fraîcheur de l'air vint à leur secours. John fit quelques pas seul dans la rue et puis se tourna vers une vitrine sombre. Il appuya sa tête contre le verre froid. Hope l'enlaça tout en lui murmurant des mots tendres, rassurants.

« Ah, bon Dieu, Hope, dit-il. Je suis dans un sale état. Il faut que tu m'aides.

— Bien sûr, mais bien sûr. Tout ira bien.

— Tu vois, je crois que ça m'a fait du bien. C'est bizarre mais je me sens mieux.

— Allez, viens, laisse-moi te ramener à la maison. »

De retour dans l'appartement, elle l'aida à se déshabiller. Il paraissait, calme mais se déplaçait avec lenteur, comme un homme souffrant d'un épuisement mortel. Il se mit au lit et Hope contempla son visage affaissé, fixé en des angles et plans inconnus qui lui donnaient dix ans de plus. Il avait les yeux gonflés et cernés.

« Il faut que je dorme, dit-il.

— Tu vas dormir, ne t'en fais pas.

— Non. J'ai le crâne en ébullition. Je vais rester éveillé, à penser. J'ai des pilules dans ma serviette. »

Elle alla dans le salon, ouvrit la mallette et sortit des dossiers et des carnets de notes. Il avait des pilules pour parer à tout, elle le savait, une habitude contractée aux États-Unis. Elle trouva du Librium, un antiacide, des antihistaminiques et des somnifères.

Elle lui en donna deux. Des capsules jaune et blanc.

« Toi et tes sacrées pilules, sourit-elle, résignée.

— Tu vois ? Parfois, elles tombent à pic. »

Il avala les capsules et tira les couvertures sur ses oreilles. Elle s'accroupit près du lit, lui caressa les cheveux. Elle l'embrassa, le rassura et ébaucha des plans pour qu'il vienne se reposer à Knap. Il commença bientôt à somnoler.

« On sera OK, dit-il mollement. On s'en sortira. »

Elle éteignit la lumière, ferma la porte et retourna au salon. Elle mit sous clé le Librium et les somnifères dans un tiroir du bureau et se versa un whisky-soda bien tassé. Elle s'assit à la table et entreprit de réarranger le contenu du porte-documents de John. Elle aussi se sentait lasse, les articulations doulou-reuses, mais sur un fond bizarre de nervosité.

Son regard tomba sur le tas de papiers et de listes en désordre. D'étranges dessins et gribouillages, des calculs griffonnés. Parmi d'autres détritus, elle nota deux serviettes en papier, le couvercle en carton d'un paquet de cigarettes et la couverture déchirée d'un livre de poche. Elle examina les chiffres minuscules, en pattes de mouches : dire que quelqu'un pouvait déchiffrer ces trucs-là, pensa-t-elle en ramassant des feuilles en vrac, donner un sens à ces nombres et à ces gribouillis... Elle secoua la tête avec regret. Voilà la magie pour laquelle, elle devait l'avouer, elle éprouvait un immense respect, le langage runique des mathématiciens. Un langage mystérieux, appartenant à un autre monde. Elle prit un bout de papier arraché à un bloc-notes, et sur lequel étaient écrits quelques mots — def. fonct. gamma d'Euler — et au-dessous :

$$t^{-\gamma} = [\Gamma(\gamma)]^{-1} \int_0^\infty \gamma^{-(\gamma+1)} \exp(-t/\gamma) d\tau$$

Quelle sorte d'esprit extraordinaire autant qu'étrange faisait métier de ce type de discours, utilisait ces symboles pour communiquer des idées capitales... ? Distraitement, elle retourna la feuille. Une autre note y était griffonnée, pas de l'écriture de John.

> J. chéri,
> Viens à quatre heures. Il part pour Birmingham trois (!) jours, à partir de demain.
> Peux-tu passer une nuit ? Je t'en prie, essaie. Je t'en prie, je t'en prie.

XXXXX

L'UNIQUE GRAND AXIOME

A Brazzaville Plage, le temps s'écoule lent et lisse. Les jours où je ne travaille pas, je mange, je nage, je lis, je me promène, je dessine, j'écris. La journée ne s'écoule pas très vite. La vue est familière, les changements saisonniers négligeables. Brazzaville Plage ne varie guère durant les pluies. Les palmiers sont là, les filaos... les vagues déferlent. Ceci est mon temps, personnel et privé. Ce qui se passe là-bas dans le monde, avec sa hâte et ses préoccupations, est autre chose. Son progrès est marqué par le temps aussi, celui des horloges et des calendriers — le temps civil — mais, sur la plage, les jours sont rythmés par le tic-tac d'une pendule différente.

« Le temps légal » comme l'appelle les chronologistes, a toujours été basé sur la rotation de la terre. Mais notre sens du temps « privé » est inné. Les neurologues pensent que ce sens du temps, qui est toujours celui du moment présent, est conditionné par notre système nerveux. A mesure que nous vieillissons, notre système nerveux ralentit et notre sens personnel du temps musarde aussi. Mais, bien entendu, le temps légal, avec ses divisions permanentes et inexorables, avance impitoyablement. C'est pourquoi nos vies semblent passer plus vite avec l'âge.

J'essaie donc de ne pas tenir compte du temps légal sur Brazzaville Plage et je mesure mes jours aux horloges de mon corps, quelles qu'elles soient. Cette idée me plaît : si je réussis à ignorer le temps légal, tandis que je vieillirai et que mon système nerveux se ralentira, le sens du passage de ma vie ne cessera de s'atténuer. Je me demande, cédant aux chimères, si je tiens ici une idée que je pourrais appeler le Paradoxe Clearwater — d'après Zénon — avec moi, en Achille, ralentissant perpétuellement, jamais tout à fait capable de rattraper la tortue de ma mort, aussi près que j'en approche.

Non. Il y a une chose dont nous pouvons être sûrs — l'unique grand axiome : quand mon système nerveux fermera entièrement boutique, et il le fera, mon temps personnel s'achèvera.

Je plongeai et fis deux brasses sous l'eau, jouissant de cet instant de fraîcheur et de silence. Je gardai les yeux fermés à cause du chlore, et les ouvris après avoir refait surface, puis je me mis sur le dos et regagnai lentement la partie basse de la piscine. Tout en nageant, j'aperçus Hauser qui grimpait au sommet du plongeoir à trois étages. Il portait un minuscule caleçon de bain cerise, presque invisible sous sa solide brioche. Il se posta au bout du tremplin, se hissa sur la pointe des pieds et mima un plongeon. J'entendis vaguement les huées des autres et un lent applaudissement ironique. Hauser fit la révérence et redescendit.

Ma main toucha le bord de la piscine et je me mis debout. Je rejetai mes cheveux en arrière et en essorai l'écheveau dans mon cou. Assis sur le rebord, ses pieds dans l'eau, Toshiro en profita pour détailler carrément ma poitrine. Je contemplai tout aussi carrément la sienne. J'avais toujours imaginé Toshiro en forme et musclé, mais il avait un torse mou et rondouillard, comme un adolescent trop potelé, ses seins en cônes effrontés avec des mamelons bruns.

« Pourquoi ne sautez-vous pas ? dis-je
— Je ne sais pas nager. »

Je pataugeai jusqu'aux marches.

« Voulez-vous que je vous apprenne ? Après déjeuner ? »

Il parut surpris : « Euh... Oui, s'il vous plaît. Vous pouvez ?

— On peut commencer. C'est ridicule pour un homme de votre âge de ne pas savoir nager. »

Je sortis. Hauser, le mort de la partie qui venait de se terminer, avait rejoint la table de bridge. Mallabar, Ginga et Roberta étudiaient l'éventail de leurs cartes. Un peu plus loin, à l'ombre d'un parasol, Ian Vail lisait un livre de poche. Je retournai à ma chaise longue et me séchai.

Nous étions en « excursion de travail » ainsi que Mallabar avait bizarrement baptisé ce voyage. Nous avions parcouru en jeep les soixante-quinze kilomètres qui séparaient le camp du Nova Santos Intercontinental Hotel. Le Nova Santos n'était qu'à moitié terminé quand la guerre avait éclaté, et sa construction n'avait pas repris depuis. Conçu comme un hôtel de luxe, avec cinq cents chambres, une piscine olympique, courts de tennis et un golf de dix-huit trous, le premier et le plus important symbole de l'industrie hôtelière du pays, il était aujourd'hui une ruine toute neuve, attendant la fin de la guerre et de nouveaux financements, un triste rappel de ce qui aurait pu être.

Situé sur une petite colline, l'hôtel avait vue, au-dessus d'une monotone savane arborée, sur les lointaines pentes grises de l'escarpement de Grosso Arvore, au nord. La route d'accès en demi-cercle menant au portique d'entrée avait été achevée ainsi que le portique lui-même, le hall et l'aire de réception et, mystérieusement, la piscine. Tout le reste demeurait dans l'état où il était quand les fonds avaient manqué. De ma chaise longue, j'apercevais les briques de béton gris et les bambous formant l'échafaudage branlant d'un bloc résidentiel à moitié terminé. Déjà diverses plantes grimpantes avaient recouvert les trois étages de murs, tandis qu'arbustes et herbes folles atteignaient le rebord des fenêtres du rez-de-chaussée. Les surfaces défrichées pour les courts de tennis avaient été plantées d'ignames et de manioc par les familles du personnel réduit assurant la garde, et le terrain de golf se résumait à quelques piquets blancs et noirs, décolorés par le soleil, rongés par les termites, et plantés ici et là. Mais les lignes électriques branchées sur le réseau national l'étaient encore et le ministère du Tourisme continuait à payer le personnel et à assurer l'entretien de la piscine, en attendant des jours meilleurs. L'épais comptoir en teck sombre du bureau de la réception brillait de cire et les sols en terrazzo du hall étaient régulièrement passés à la serpillière. On pouvait même commander un verre, à condition que ce fût une bière.

Mallabar nous avait annoncé notre visite au Nova Santos quelques jours avant. Il invitait ainsi périodiquement l'équipe chaque fois qu'il sentait qu'un jour de repos et un complet changement de décor nous feraient du bien. Nous étions partis de fort bonne humeur pour les deux heures de trajet à bord de deux Land Rover, les membres du projet entassés dans l'une, les cuisiniers et le matériel de barbecue dans l'autre.

A présent, étendue au soleil, je sentais les effluves du charbon de bois, ce qui me donnait faim. Je me relevai pour siroter ma bière et jeter un coup d'œil à mes collègues. C'était drôle de les voir tous en maillot de bain — en vacances, pour ainsi dire. Dans leur quasi-nudité, ces compagnons familiers redevenaient des étrangers pour moi. A part Hauser, bien entendu. Aussi répugnant que fût son cache-sexe cerise, quel soulagement de ne pas avoir à contempler ce qu'il dissimulait ! Mallabar portait des jeans absurdement raccourcis, style garçonnet. Il était musclé et bronzé (où et quand bronzait-il ?), avec une curieuse bande de poils large de cinq centimètres allant verticalement de la gorge au nombril. Par contraste, Roberta donnait l'impression d'une pâleur presque anormale, sa peau d'un blanc laiteux à la transparence bleuâtre. Elle portait un deux-pièces démodé — un grand short et un haut avec un bavolet aux allures de rideau qui n'exposait que cinq centimètres d'une taille crémeuse et potelée. Elle avait des seins gros et mobiles et semblait parfaitement inconsciente de la quantité de sillon mammaire qu'elle exhibait. C'est Ian qui paraissait gêné pour elle. Il s'était montré maussade et taciturne toute la journée et n'avait même pas pris la peine de se mettre en maillot. Assis un peu plus loin, en short et T-shirt, il se concentrait sur sa lecture. Il détestait les bains de soleil, avait-il annoncé, et l'eau terriblement chlorée irritait je ne sais quel bobo dont il souffrait.

Ginga arborait un minuscule bikini vert pomme. Elle était très brune, presque émaciée, les deux goussets de son soutien-gorge pendaient, froissés et vides. Je remarquai les poils luxuriants des aisselles, deux touffes denses brunes, et le bout de tissu sur son aine ne pouvait en aucun cas prétendre cacher la toison pubienne qui s'étalait jusqu'à l'intérieur de la cuisse. Je savais que Ginga s'en moquait : en venant, elle avait évoqué, pleine d'enthousiasme, les plages nudistes des îles de Lérins, au large de Cannes, où elle et Mallabar avaient passé des vacances, un été, au début de leur mariage. Le bikini ne représentait guère plus qu'une concession aux convenances.

Et moi ? Que portait le docteur Hope Clearwater ? J'avais choisi ma tenue avec soin. J'étais la bonne élève disciplinée, le capitaine de l'équipe de natation du groupe scolaire, vêtue d'un maillot une-pièce noir opaque qui — je l'espérais — ne laissait absolument rien voir.

Il faisait beau, seule une légère brume voilait le bleu parfait du ciel. Nous flemmardâmes ; la partie de bridge s'acheva ; on déjeuna. Nous eûmes du poulet grillé et de grosses écrevisses, du plantain frit et des patates douces en robe des champs, une énorme salade de tomates et d'oignons, et de la rarissime laitue. Quantité de fruits et quantité de bière.

175

Après le déjeuner, on continua à se bronzer. Comme promis, je tentai d'apprendre à nager à Toshiro, mais il refusa de mettre sa tête sous l'eau : j'abandonnai au bout de dix minutes. Je repris ma lecture, mais en fus distraite par la vue de Mallabar qui s'enduisait d'huile solaire. Jamais je ne vis quiconque le faire avec autant de minutie. Il huila chaque centimètre visible de son corps : il huila les creux entre ses doigts de pieds et le dessus de ses mains. Puis il demanda à Ginga d'huiler son dos, mais elle refusa — elle lisait et ne tenait pas à se graisser les mains.

« Demande à Roberta. Ou demande à Hope », conseilla-t-elle.

Mallabar se tourna vers moi, les sourcils levés d'un air interrogateur. Il lut ma réponse dans mon regard et appela Roberta.

« Roberta ? Pourriez-vous me rendre un service ? »

Jamais dos ne fut huilé avec autant de zèle prolongé. Mallabar s'étendit face contre terre sur sa serviette, les yeux clos, tandis que la pâle et grassouillette Roberta, penchée sur lui, faisait pénétrer la lotion, de long en large et de large en long.

Je m'approchai de Ian Vail, qui continuait à lire sous son parasol. Une demi-douzaine de bouteilles de bière vides gisaient à côté, sur une table basse. Je m'assis au bout de sa chaise longue. Il replia ses pieds pour me faire de la place.

« Salut, dit-il

— Comment va ?

— Bien. Et toi ?

— Bien. En fait, je me suis plutôt amusée.

— Moi aussi — en me beurrant un brin avec cette bière faiblarde. » Il brandit son livre de poche. « Tu as lu ça ?

— Non. Merci. Après toi.

— Ce n'est pas mauvais.

— A propos de livres », j'attendis une seconde, « comment Roberta s'en sort-elle avec celui d'Eugène ?

— Presque fini, je crois.

— Tu l'as lu ? »

Il rougit un peu.

« Non. Je n'ai pas la permission. Eugène préfère ça. Et tu connais Roberta...

176

— Certes. Enfin, je peux comprendre ça, je suppose. » Je me demandai s'il avait vu son épouse oindre le maître, ses mains blanches lisser le dos brun de Mallabar.

Je tournai les yeux pour voir Hauser retraverser obstinément l'allée de béton en direction du plongeoir. Tu as déjà fait ton numéro, pensai-je, on ne va pas trouver ça aussi drôle la deuxième fois.

« Que crois-tu, s'enquit Ian Vail, paresseusement, que crois-tu que nos chimps fabriquent aujourd'hui, pendant que nous ne sommes pas là pour les observer ? »

Je faillis le lui dire, une réponse machinale, ou presque, à une question distraite : ils s'entre-tuent. Mais je me retins. Hauser avait atteint le dernier tremplin et il s'avança d'un air digne jusqu'au bout, la poitrine gonflée, très style champion des pieds à la tête, et il étendit les bras.

« Oh, non ! Pas encore », dis-je avec lassitude. Puis à Vail : « A tout à l'heure. »

Je regagnai mon siège, les yeux sur Hauser et sa pantomime.

Hauser se jeta dans le vide, presque cambré, en un parfait saut de l'ange, horizontal une seconde puis, dans une sorte d'arrêt à mi-vol, il joignit les bras, piqua de la tête, remonta ensuite, d'un mouvement expert et précis, ses jambes potelées à la verticale et pénétra nettement dans l'eau sans pratiquement la moindre éclaboussure. Des bulles bouillonnèrent.

« Mince ! » m'exclamai-je sur un ton d'étonnement jaloux, et je me joignis aux applaudissements. Hauser fit surface et salua de la main.

J'atteignis ma chaise longue et ôtai mes lunettes. Je vis que les cuisiniers avaient fini de démonter le barbecue. Les braises avaient été arrosées d'eau dans la moitié de baril qui nous servait de grill et qu'on transportait pour être vidé quelque part. Un des boys emballait les assiettes en plastique, les couteaux et les fourchettes dans une boîte orange.

Je retournai vers la piscine et descendis par l'échelle chromée dans l'eau turquoise. Je m'élançai et me laissai glisser au fond. J'ouvris les yeux en grand et sentis presque immédiatement le chlore me piquer. Je nageai encore un peu, remontai à l'air et sortis. Mes yeux me donnaient l'impression d'être à vif. Je m'essuyai avec ma serviette et me frottai les orbites vigoureusement. Je remis mes lunettes de soleil et ramassai mes affaires.

« Eugène ? » dis-je à Mallabar toujours étendu au soleil. Il se retourna et tendit l'avant-bras pour se protéger les yeux. « Je repars avec les cuistots. Le chlore m'a eue. »

Il se leva. Je soulevai mes lunettes pour lui montrer les dégâts.

« Aïe ! fit-il. Je vous avais prévenue.

— Je n'ai pas réfléchi.

— Rince-toi les yeux avec du lait, dit Ginga. Ça ira mieux d'ici une heure ou deux. »

Je suivis son conseil. De retour au camp, je baignai mes yeux avec une faible solution de lait en poudre et un certain succès. En moins de dix minutes, même si mon univers demeurait encore un peu déliquescent, je pus voir sans souffrir de brûlure.

Debout au milieu de la Grand-Rue, je réfléchissais. Il était maintenant cinq heures de l'après-midi et je pensais avoir une avance de deux heures sur les autres. Bizarre de se sentir seule dans le camp, avec les ombres qui s'allongeaient et aucun des bruits habituels de la cantine ni de la cuisine. Je me trouvais juste en face du laboratoire de Hauser ; à ma gauche, le gros arbre et au-delà, au détour d'un virage de la route, mes propres quartiers — encore non reconstruits. A la transversale, sur ma droite, entre un nime et un bouquet de frangipaniers, j'apercevais la bougainvillée pourpre à l'extrémité du bungalow des Vail. Je jetai un dernier coup d'œil rapide autour de moi et traversai la route d'un pas ferme.

La porte d'entrée n'était pas fermée à clé. Nous ne fermions jamais nos maisons. Je poussai la porte et pénétrai dans le salon : net et ordonné, les papiers sur le bureau arrangés en tas, les carnets de notes empilés bien au carré. J'étais certaine, j'ignore pour quelle raison, que Roberta ne gardait pas ici les épreuves de Mallabar. J'entrai dans la chambre. Meublée simplement, elle dégageait un parfum de fraîcheur. Un couvre-lit d'aspect mexicain et de couleurs vives recouvrait le lit, un vase de zinnias ornait la table de chevet. Les vêtements étaient pendus dans une vilaine armoire de plastique imprimé de motifs poissons et coquillages. Le long du mur, sous la fenêtre, se trouvait une rangée de boîtes et de malles. Je les vérifiai toutes :

elles ne contenaient que des papiers, de vieux journaux, des carnets de bord périmés. Une des cantines était verrouillée. Je regardai sous le lit. Je défis la fermeture Éclair de la penderie. Aucun signe des épreuves.

Revenue au salon, je fouillai les tiroirs du bureau — rien. Je commençai à me sentir ridicule : si les épreuves étaient dans la maison, Roberta devait très naturellement les garder sous clé. Mais, pour autant que je sache, elle pouvait aussi bien aller les chercher et les remporter chaque jour chez Mallabar. Je me demandai si j'avais le temps — si j'avais le courage — de fouiller le bungalow de Mallabar.

Je m'approchai de la bibliothèque. Une grande pile de papiers, de chemises et deux classeurs accordéon débordants s'entassaient par terre à côté. J'ouvris une chemise : remplie d'informations sur la zone nourricière artificielle. Je la reposai par terre. De toute évidence, il n'y avait rien là. Je regardai par la fenêtre en soupirant.

J'aperçus Roberta Vail qui arrivait sur le sentier de sa maison.

Je m'en sortis très bien, je dois dire. Quand Roberta ouvrit la porte d'entrée, j'étais debout près de la bibliothèque avec un livre ouvert à la main, le genre flâneur dans une librairie.

« Salut, Roberta, dis-je avec une immense nonchalance. Je savais bien que c'était toi. »

Elle se montra très surprise. Son expression passa rapidement du choc, de l'outrage et du soupçon à une feinte bonne grâce. Je me retournai et replaçai soigneusement le bouquin sur l'étagère.

« Il faudra que je t'emprunte ça un de ces jours, ajoutai-je en souriant. Où est Ian ? »

Ian, juste derrière elle, surgit à ce moment précis.

« Hope ? dit-il bêtement avant de jeter un regard nerveux à sa femme.

— Hope... Hope nous attendait, lui expliqua Roberta.

— Oh ! fit-il d'un air entendu comme s'il s'agissait d'un événement quotidien.

— Je suis passée pour t'emprunter ton article.

179

— Quel article ?

— Celui dont tu me parlais l'autre jour, répliquai-je immédiatement.

— Ah, oui, énonça-t-il avec lenteur, manifestement perdu. L'article...

— Quel article ? s'enquit Roberta.

— Celui au sujet des stratégies sexuelles », répondis-je, impatientée par la stupidité de Vail. Je n'avais pas achevé ma phrase que je la regrettai. Roberta me lança un regard décapant.

« Dans la société chimpanzé, précisai-je.

— Oh, cette idiotie-là ! ironisa Roberta avec lourdeur.

— Je vais te le chercher, dit Ian, comprenant enfin. Si je peux le retrouver.

— Ce serait épatant, l'assurai-je dans un grand sourire, en regagnant la porte. A tout à l'heure. » Je partis.

Cuisiniers et marmitons ayant congé ce soir-là, il n'y eut pas de dîner servi dans la cantine. Je passai le temps seule dans la case du recensement à revoir mes plans pour le lendemain. Je relus l'article que j'avais expédié en Angleterre et me demandai comment Mallabar réagirait lors de sa publication. Je me rendis compte qu'avec la mort de Mr. Jeb, ses conclusions étaient déjà dépassées.

Plus tard, je sortis prendre l'air et demeurai un moment dans le noir à écouter les grillons et les chauves-souris. Je m'apprêtais à rentrer quand je vis la lumière d'une torche électrique se balancer sur la route. Je me glissai sans bruit derrière la haie d'hibiscus et, dans la pénombre à l'arrière-plan du rayon, j'aperçus Roberta Vail. Elle se dirigea vers le bungalow de Mallabar, frappa à la porte. On lui ouvrit et elle entra.

Le lendemain matin, je me levai et partis avant que quiconque ait fait surface. J'emmenai João sur le lieu du meurtre de Mr. Jeb. Je lui dis simplement que j'avais trouvé Mr. Jeb gravement blessé et qu'il avait rampé dans les buissons d'épineux pour y mourir. Nous scrutâmes le sous-bois. Une nette odeur de putréfaction régnait dans l'air.

« Regardez, dit João, le doigt tendu. Conrad ! »

Assis dans le citronnier, Conrad nous contemplait ainsi que l'endroit où Mr. Jeb se décomposait.

« Moi je crois le léopard », annonça João lugubre avant de cracher par terre. L'odeur était terrible. « Nous avoir des léopards ici.

— Non, dis-je. Je crois que c'était des chimpanzés. »

Il me regarda comme si j'étais folle.

« Je pense, continuai-je avec précaution, avoir vu des chimps — les nordistes — dans le voisinage. J'ai entendu le bruit d'une bagarre.

— Je ne crois pas possible, maâm », dit-il avec respect, mais aussi une conviction totale.

Je sortis mon carnet de notes.

« Bon, eh bien nous l'enregistrerons simplement sous l'indication " prédateur inconnu ". Qu'en penses-tu ? »

João se rappela soudain quelque chose :

« Oh, oui, maâm, docteur Mallabar veut mes papiers. Toutes les notes données à vous.

— Toutes ?

— Oui, maâm.

— A-t-il dit pourquoi ?

— Il dit pour les archives. »

Mallabar avait vaguement parlé de ce projet autrefois : un dépôt des travaux accomplis à Grosso Arvore depuis la création. Tous ses papiers seraient rassemblés là ainsi que ceux des autres chercheurs. Le plus grand répertoire de primatologie au monde, assurait-il, dont par ailleurs le potentiel financier ne devait pas être négligé : il pourrait être vendu à une université ou autre institution, on pourrait y ajouter le nom d'un bienfaiteur... tout était possible.

« As-tu dit au docteur Mallabar que j'avais tes papiers ? demandai-je à João.

— Oui, maâm. »

Je découvris grâce à la liste de rotation sur le tableau d'affichage de la cantine que Ian Vail était désigné pour la prochaine expédition de ravitaillement. Je partis droit en jeep dans la zone nord, et un des assistants de Vail m'indiqua où le trouver.

C'était le milieu de l'après-midi, avec une humidité considérablement accentuée, un air lourd et moite. Les pluies saisonnières approchaient. La semaine précédente, nous avions entendu, venant des montagnes au-delà de l'escarpement, les grondements lointains du tonnerre, tandis que les nuages sombres s'amassaient sur la ligne d'horizon. Je remontai à pied un vieux sentier recuit par le soleil à travers l'herbe haute et blonde, chassant les mouches qui bourdonnaient autour de ma tête. Il n'y avait ni vent ni brise à cette heure de la journée, et chaque feuille, chaque brin de végétation de part et d'autre du sentier semblait pendre, mou et épuisé.

J'aperçus Dias, l'assistant en chef de Vail, assis à l'ombre d'un fitinha. Il porta son doigt à ses lèvres et désigna un bouquet d'arbres. Je scrutai la pénombre mouchetée de soleil et vis Ian à quarante mètres assis devant un appareil photo, muni d'un long téléobjectif et monté sur un trépied. Je me frayais avec précaution un chemin jusqu'à lui, prenant garde à ne pas marcher sur des branches ou des feuilles mortes. Le silence régnait sous les arbres et, malgré l'ombre, il y faisait plus chaud et plus oppressant.

Ian tourna la tête en m'entendant venir. Son visage ne s'illumina pas exactement de son habituel timide sourire de plaisir. Je me sentis un peu coupable ; je ne lui avais pas parlé depuis l'après-midi où Roberta m'avait surprise dans leur bungalow. Mais je savais quand même pouvoir m'arranger de ses sentiments blessés.

Je m'accroupis près de lui. A vingt-cinq mètres de nous, deux chimpanzés festoyaient sur un nid de termites. Je reconnus Pulul ; l'autre était un jeune mâle, à peine adolescent. Pulul insérait délicatement une grande tige d'herbe dans le nid, la secouait un peu, la retirait et puis dégustait les masses de termites accrochés sur toute la longueur.

Après un certain nombre de resucées, il s'arrêta et laissa l'adolescent tenter de le copier. Mais le jeunot utilisait un fétu trop souple qui, une fois enfoncé dans le nid, s'obstinait à se mettre en accordéon et ne pouvait pas atteindre les profondeurs riches en insectes de la mince tige de Pulul. Sa pêche ne lui rapporta qu'un termite ou deux.

Bientôt, il rejeta son brin d'herbe et se mit à la recherche d'un outil plus adapté. Pulul l'observait en silence. Ian commença à photographier. L'adolescent découvrit une branchette de cinquante centimètres de long qui portait encore quelques feuilles. Il ôta les feuilles et introduisit la branche dans le nid. Quand il l'en ressortit, elle grouillait de termites.

Ian se retourna vers moi : « Chaque fois que je vois ça, ça me sidère », dit-il avec une certaine solennité et un geste du pouce en direction des chimpanzés. Il me parut nerveux et un peu gêné. Je lui expliquai la raison de ma venue, et il accepta de changer de tour avec moi sur la liste.

« Mais pourquoi veux-tu repartir en ville ? demanda-t-il. Une tirée pareille !

— J'ai des choses à faire qui ne peuvent pas attendre.

— Ah ! » Ma réponse ne le satisfit point, je le vis. Il entreprit de démonter et de remballer son matériel photo.

« Écoute, Hope, dit-il. Au sujet de l'autre jour... C'était très embêtant pour moi, toute cette histoire à propos de l'article.

— C'est la seule chose à quoi j'ai pu penser.

— Mais d'abord que fabriquais-tu là ? »

Je réfléchis. Peut-être le moment était-il venu de me montrer franche. « Je cherchais les épreuves du livre de Mallabar.

— Nom de Dieu... » Il secoua la tête de stupéfaction. « Mais pourquoi ? Quelle différence...

— Je voulais simplement voir ce qu'il avait écrit. Ce qu'il démontrait.

— Je ne comprends toujours pas...

— Je crois qu'il se fourre méchamment le doigt dans l'œil. »

Ian Vail me regarda d'un air condescendant :

« Oh ! allons, voyons !

— Il a des idées... fondamentalement fausses, j'en suis certaine. »

Il ramassa son appareil et son trépied et se releva.

« Ne sois pas ridicule.

— Ah, ouais ? Que dirais-tu si je te racontais que les chimpanzés sont capables d'infanticide et de cannibalisme ? »

Son visage demeura une seconde sans expression tandis qu'il digérait l'information.

« Je pense, dit-il lentement, je pense qu'il me faudrait conclure que tu es folle.

— Très bien. Et que dirais-tu si je te racontais qu'un groupe de chimpanzés était capable d'attaquer et de tuer brutalement un autre chimpanzé ? »

Cette fois, il décida de ne pas me provoquer.

« Je dirais : prouve-le.

— Je l'ai vu de mes yeux. »

Je lui racontai Rita-Mae et Bobo. Je lui racontai la manière dont ses chimpanzés nordistes avaient attaqué et tué Mr. Jeb. Les détails que j'utilisai le troublèrent. Ils n'étaient visiblement pas les fruits délirants d'un esprit dérangé.

« Bon Dieu, dit-il, inquiet, lorsque j'eus terminé, je n'arrive pas... En as-tu parlé à Mallabar ?

— J'ai essayé. Il ne veut pas savoir.

— Je peux presque comprendre ça... » Ian, les lèvres pincées, réfléchissait intensément. « Ouais, je vois bien pourquoi. Je peux comprendre. Nom de Dieu.

— Écoute, je ne sais pas ce qui se passe ici — à Grosso Arvore — mais il y a quelque chose de très bizarre avec ces chimpanzés.

— Tu parles !

— Enfin, je constate des choses qui, théoriquement — si l'argumentation de Mallabar est correcte —, ne devraient jamais exister. »

Nous repartions sur le sentier. Ian demeurait très pensif. Je résolus de l'entraîner plus loin.

« Je crois que ton article est une sorte d'indice, dis-je. Du moins c'est la seule hypothèse un peu plausible. Je pense que tout ceci est dû à la rupture, au départ de Rita-Mae avec Clovis. Je crois », je ne pus m'empêcher de sourire, presque d'affolement, à l'audace de mon idée, « je pense que tes chimpanzés nordistes veulent la récupérer et que pour ce faire ils sont prêts à tuer tous les mâles sudistes.

— Nom de Dieu, Hope. » Il semblait angoissé. « C'est dingue. Nous sommes des primatologues, pour l'amour du ciel. Ce que tu racontes ressemble à... à la guerre de Troie !

— Je ne sais rien du tout, concédai-je, mais je constate des choses. J'assiste à des scènes qui sont complètement extraordinaires. Tes mâles nordistes viennent patrouiller en territoire sudiste. Ils ont attaqué deux chimps, tout à fait délibérément et sans avoir été provoqués. » Je réfléchis un instant. « Ils en ont pris un et ils l'ont tué, en essayant de le faire souffrir le plus possible. C'était horrible. » Je me repris : « J'ai même failli dire inhumain. En réalité, c'est horriblement humain ce qu'ils ont fait. Ils voulaient sa mort et ils voulaient qu'il souffre. »

Nous marchions sans penser vraiment où nous allions, Dias nous suivait discrètement à quelques pas, hors de portée de nos voix.

« Tu te rends exactement compte, dit Ian, de ce que ceci signifie pour Mallabar. Et tout ce pourquoi il a travaillé.

— Écoute, je n'ai pas inventé tout ça simplement dans le but de l'embêter, bon Dieu !

— Je sais... Mais c'est tellement bizarre. Tellement inattendu.

— Ça arrive parfois, vois-tu.

— Mais ça ne correspond pas aux données.

— N'est-ce pas ce qu'on a répondu à Galilée ? Que savons-nous de ce qui est " bizarre ". De ce qui est " inattendu " ? Rien. »

Il se passa les mains sur le visage. Soudain, il parut exaspéré. « Il faut que tu lui parles.

— Oh, sûr... Regarde ce qui s'est passé quand j'ai trouvé le bébé mort. Avoue-le, Ian, si je lui dis qu'il se trompe depuis vingt ans, que penses-tu qu'il fera ?

— Je suppose que tu as raison... Trop de choses en dépendent.

— Exactement. Il me discréditera. Il racontera des coups. Il me traitera de fumiste ou autre.

— Il faut qu'il retarde le livre.

— Au moins. Ça oui.

— Que vas-tu faire ?

— Il faut que je le lui prouve. D'une manière quelconque. »

Nous avions atteint l'endroit où étaient garées les Land Rover. Je n'avais pas tout à fait terminé.

« Ne parle à personne de tout ceci, Ian, dis-je. Personne... et ça inclut Roberta.

— Bien sûr que non. Ne t'en fais pas. »

Mais je m'en faisais. « Comprends-moi bien, Ian. Tu ne dois même pas laisser échapper un mot. » Je le regardai bien en face : « Sinon, je le saurais immédiatement, vois-tu. Et dans ce cas... »

Je laissai la menace informulée. Un risque que cette menace, même implicite, mais un risque nécessaire, j'en étais convaincue. Je lus instantanément sur son visage qu'il comprenait de quoi il retournait. Mais ce choc brutal et cette surprise me firent comprendre aussi que je lui avais un instant tendu un miroir, lui permettant de voir l'image que le monde avait de lui et qu'il en avait été blessé.

Je savais ce qui suivrait.

« Salope, dit-il. Ne t'en fais pas, salope.

— Je suis navrée », répliquai-je. Il avait toutes les raisons d'être furieux. « Il faut simplement que je puisse en être sûre. »

Je grimpai dans la Land Rover, mis le moteur en marche et filai. Tout en cahotant sur la piste de Grosso Arvore, je me demandai si je venais de commettre une erreur. Tout compte fait, me dis-je, probablement pas.

Le jour suivant, au coucher du soleil, derrière la grille de l'aéroport, j'attendais l'arrivée d'Usman. L'officier de l'armée de l'air, au poste de garde, m'avait dit qu'il devait rentrer incessamment de mission. Je songeai à retourner à l'hôtel, mais décidai de rester. L'air se rafraîchissait gentiment et le ciel bleu-blanc se teintait de citron pâle sans les habituels reflets orange ou roses. Un crépuscule qui paraissait mieux adapté à l'Antarctique ou à une toundra glaciale.

186

J'avais arrêté ma voiture non loin de l'entrée, côté militaire, de l'aéroport. Comme dans tout endroit où circulent voitures et gens, une petite communauté s'était établie là. Face au portail, de l'autre côté de la route, quelques éventaires offraient de la nourriture et, au-delà du fossé, se dressaient deux ou trois cases. D'ici un an ou deux, elles auraient formé un village. Devant l'une d'elles, une vieille mémé cuisinait quelque chose sur un brasero, et l'odeur de la fumée, assaisonnée d'une épice poivrée, m'arrivait avec la brise qui soufflait sur l'océan. Je descendis de la Land Rover, assurai les marchands ambulants que je n'étais pas là pour acheter quoi que ce fût, m'assis sur le capot et fumai une cigarette.

En voyant les trois points noirs surgir dans le ciel à l'est, je sautai à bas de la voiture, enjambai le fossé et m'agrippai à la clôture, mes doigts enfoncés dans les losanges du grillage, attendant que mon aviateur atterrisse.

Il y avait trois Mig, deux couleur argent, un vert olive sale. Ils passèrent au-dessus de l'aéroport, puis virèrent sur l'aile pour amorcer leur descente. Ils sortirent brusquement leurs trains d'atterrissage et se posèrent sur la piste, l'un après l'autre, à une vitesse surprenante, presque sans précaution. Ils roulèrent lentement vers leurs parkings respectifs sur le tarmac. J'agitai la main et puis je me sentis un peu idiote. Ces gens ne revenaient pas de vacances.

Je repris la Land Rover pour aller me poster à l'entrée même. Au bout de vingt minutes, je vis sa voiture — une Peugeot beige — surgir derrière des baraques préfabriquées et sortir de l'aéroport. J'appuyai sur l'avertisseur et, quand il s'arrêta, j'abandonnai ma Jeep pour remonter le bas-côté de la route et rejoindre sa voiture. Tu pourrais au moins descendre pour m'accueillir, pensai-je, mais il ne fit pas le moindre geste.

« Hello, dit-il en me dévisageant. Bon Dieu. Mon jour de veine. »

Je ne me penchai pas pour l'embrasser.

« Je passais par là », dis-je.

Il portait encore des marques sur son visage de ce que je supposais être son masque à oxygène — des marques symétriques, en ogive. Il paraissait fatigué et ses yeux ne tenaient pas en place.

« Tu vas bien ? m'enquis-je.

— Oui, je vais bien. Mais nous avons perdu un homme aujourd'hui. Dawie. Tu sais, le Sud-Africain. »

Je m'en souvenais vaguement : petit et vif, des cheveux blonds fins pas très abondants.

« Que s'est-il passé ? »

Il fit tourner sa main d'un geste insouciant.

« Nous revenions tous les quatre. Nous sommes entrés dans un nuage et nous n'en sommes ressortis qu'à trois... Panne d'instruments, je suppose.

— Comme Glenn Miller.

— Qui ?

— Peu importe. Je suis désolée... En tout cas je suis ici pour deux nuits.

— Tu es allée dans ma chambre ?

— Non. Pourquoi ?

— Bien. » Ses traits se ranimèrent un peu. « J'ai quelque chose de spécial à te montrer. »

Je le suivis jusqu'à l'hôtel. Là, il me fit attendre cinq minutes devant sa porte. Je fis les cent pas en contemplant l'obscurité bleuâtre s'emparer lentement des jardins de l'hôtel et fredonnai *La Fille d'Ipanema* dont des bribes me parvenaient du hall. Puis Usman m'appela.

« Je peux entrer ?

— Oui, oui. »

J'ouvris la porte. Usman était au milieu de la pièce dont tous les sièges avaient été repoussés contre les murs pour faire de la place. Tout d'abord, je crus voir trois gros papillons de nuit blancs voler autour de lui. Je refermais très vite derrière moi. Mais, en y regardant de plus près, je m'aperçus qu'il ne s'agissait nullement de papillons. Ils ne montaient, ni ne descendaient, ni ne voltigeaient, et leurs circuits étaient trop constants. Ils se déplaçaient en cercles larges et étroits, comme des mouches en patrouille, en émettant un vrombissement distinct. Je les examinai attentivement : ils avaient des ailes, un empennage et, semblait-il, un train d'atterrissage aussi. Ils ressemblaient à des machines volantes miniatures sorties tout droit du carnet de dessin d'un inventeur victorien.

« Diable, qu'est-ce que c'est ?

— Les plus petits avions à moteur du monde. »

Il tendit la main, en cueillit un avec soin, d'un geste délicat, et me le montra. On aurait dit un minuscule planeur, fragile et beau, fait de papier de soie verni et de lamelles de bois d'allumettes. Il mesurait cinq centimètres d'envergure. Sous la voilure, dans un minutieux harnais de fils raidis de colle, se trouvait un taon ; ses ailes, un brouillard de mouvements.

« Regarde », dit Usman tenant le minuscule appareil à bout de bras. Il le lâcha et la chose tomba de dix ou quinze centimètres avant de reprendre son cycle de vol, serpentant et zigzaguant autour de la pièce.

« J'ai besoin de ton témoignage, dit-il avec un sourire. Je vais l'envoyer à ce livre. Tu sais, ce livre des records mondiaux. Mets-toi ici. » Il me poussa au centre de la pièce. « Il me faut une photo. »

Il alla chercher son appareil. Je demeurai debout immobile et observai les petits avions tourner autour de moi, dans le bourdonnement furieux de leurs insectes-moteurs.

Leur instinct contrôlait, je suppose, le mouvement de leur vol ; ils semblaient s'éviter facilement et ils changeaient de direction dès qu'ils s'approchaient trop d'un mur. Ils n'essayaient jamais d'atterrir ni de se poser sur quoi que ce soit. Leur harnachement empêchait probablement ce genre de manœuvre et, d'une manière ou d'une autre, à mon sens, ils devaient en être conscients. Ils continueraient donc à naviguer interminablement jusqu'à ce que, victimes de la fatigue — d'usure en vol — ils tombent en vrille sur le tapis.

Usman prit plusieurs photos au flash. Je tenais ma main aussi près que possible des avions pour donner une idée de l'échelle.

« Peux-tu les libérer ?

— Non. Ils sont collés en place. » Il sourit. « Pilotes pour le restant de leur vie.

— Ils sont beaux. Beaux à voir », dis-je.

Il prit une dernière photo.

« Et maintenant ?

189

— Ils meurent au combat », annonça-t-il. Il s'empara d'une bombe d'insecticide. PifPaf, ça s'appelait, une boîte jaune avec des lettres rouges. Il la pointa sur un de ses aéroplanes et l'enveloppa d'un nuage de produit.

« Comme le pauvre Dawie », dit-il.

L'avion continua à voler normalement un instant puis il commença à vibrer et à glisser sur l'aile et, une ou deux secondes après, il tomba en tourbillonnant comme une feuille morte. Usman visa les deux autres.

« Non, non, Usman, dis-je précipitamment. Ne fais pas ça. » J'ouvris la porte. « Fais-leur au moins cadeau d'un dernier grand vol. »

J'en attrapais un en l'air et Usman captura l'autre. Sur le seuil du bungalow, nous lançâmes les petits appareils dans la nuit. Tout d'abord, libérés des limites frustrantes de la pièce, ils parurent perplexes et se contentèrent d'aller-retour serrés sur une trajectoire de moins d'un mètre. Puis, très brusquement, l'un d'eux prit de l'altitude et disparut hors de vue, au-delà de la zone éclairée par la lampe au-dessus de la porte d'entrée. L'autre continua à zigzaguer un peu plus longtemps et puis, lui aussi, peut-être emporté par un coup de vent, parut virer sur l'aile et s'élever très haut dans l'obscurité immense.

Nous rentrâmes et Usman me montra ses dessins et ses prototypes. Il conservait, dans un placard, un pot à confiture bourdonnant de taons qu'il avait ramassés avec un filet à papillons sur la plage. Il les mettait une seconde ou deux dans un flacon de cyanure pour les paralyser momentanément avant de les coller à leur harnais. C'était l'angle précis, objet d'un long calcul, auquel on devait les installer dans ce harnais. Une affaire de tâtonnements, m'expliqua Usman et il lui avait fallu plusieurs jours avant de découvrir la position exacte qui permettait aux mouvements des ailes du taon, convenablement dirigés, de ne pas annuler ni de travailler contre l'aérodynamique des ailes de papier découpées et modelées avec soin.

Il me montra une machine sans mouche. Elle tenait dans ma main, incroyablement légère, comme une pelure, le fantôme d'une libellule. Les ailes étaient superbement travaillées, en sections recourbées pour assurer la portance, avec des extrémités repliées. L'empennage, d'une taille disproportionnée, avait une forme en V inhabituelle. C'est ce qui permettait à l'avion de voler droit, dit Usman. Il fallait un gros effort au taon pour le faire tourner. C'est pourquoi leurs mouvements paraissaient si étudiés, leurs virages d'une lenteur si délibérée.

Le taon était donc drogué, installé dans le harnais avec ses ailes libres de mouvement, et puis collé en place, basculé légèrement en arrière. Usman me montra ses dessins, aussi impeccables que des plans d'architecte. Je signai et datai la déclaration confirmant que j'avais assisté au fonctionnement en vol prolongé de ces machines. Je fus surprise et impressionnée par les dessins plus grands que la réalité. Ils possédaient une beauté étrange, surréelle.

« Tu as manifestement beaucoup de loisirs, dis-je. Je croyais qu'il y avait une guerre en cours ?

— Moi je croyais qu'elle était finie. Et puis nous avons fait trois missions en trois jours après un mois ou presque d'inactivité.

— Que se passe-t-il ?

— Je l'ignore. UNAMO est sorti de son enclave. » Il haussa les épaules. « Tout ce que je sais, c'est que maintenant c'est UNAMO. Pas FIDE ni EMLA. » Il sourit. « Mais on ne les trouve nulle part. Bon, viens, allons dîner. »

Couchée nue dans son lit, j'attendais Usman. Je me sentais calme et lucide. Les chimpanzés, les patrouilles des nordistes, Mallabar et son livre n'étaient pas oubliés, mais replacés dans leur contexte, et par conséquent plus faciles à affronter.

« Tu t'es lavée ? cria Usman.

— Oui. »

Il était très méticuleux sur ce point : il entendait que nous procédions tous deux à notre toilette intime avant de faire l'amour. Une question de politesse, disait-il.

Je me glissai hors du lit pour aller à la salle de bains. Debout dans la baignoire, Usman se rinçait l'aine avec un broc d'eau. Il sortit et s'essuya. Son pénis et ses testicules étaient curieusement

191

sombres, presque gris foncé sur le caramel de son ventre et de ses cuisses.

« Que regardes-tu ? dit-il.

— Ton gros ventre. »

Il le rentra et tapa dessus.

« Du muscle, affirma-t-il en essayant de ne pas sourire. Rien que du muscle. »

Il continua à se frotter avec la serviette et je vis qu'il commençait à bander. Il aimait bien, je crois, que je me montre directe et sans inhibition. Un jour, alors qu'il prenait une douche, j'étais venue déféquer dans la salle de bains. Je l'avais fait sans réfléchir, mais Usman m'avoua plus tard avoir été choqué et ravi.

« A tout à l'heure, gros patapouf », lui criai-je. Je retournai me coucher et l'attendis.

Le lendemain, je me levai très tôt. Je tapai (sur une machine empruntée à la réception) un long post-scriptum à mon article, sur la mort de Mr. Jeb. Usman l'emporta, avec les documents de João, au secrétariat de l'aéroport pour les faire photocopier. Je rassemblai le tout dans un colis que je confiai à Usman. Le matériel de Grosso Arvore ne serait pas entreposé au complet dans les archives de Mallabar.

Puis je retrouvai Martim et Tunde, les cuistots qui m'avaient accompagnée. Nous fîmes notre ravitaillement et moi les diverses petites courses réclamées par mes collègues. Je me rendis à la poste centrale, juste au pied de la colline de la cathédrale, pour expédier mes derniers commentaires à mon ami journaliste. J'attendis quarante minutes dans une cabine de verre surchauffée que l'opérateur réussisse à établir la communication avec Londres. Finalement, le voyant clignota au-dessus du téléphone m'informant que c'était fait. J'eus beau crier allo dans l'appareil pendant un moment, je n'entendis en retour que les grésillements et crachotements des ondes.

De retour à l'hôtel, je trouvai les photocopies des notes et un message d'Usman me donnant rendez-vous à la maison de la plage pour un déjeuner tardif.

Au large, à des milles nautiques de distance, je voyais une grosse tempête menacer, un énorme continent de nuages chancelants, avec montagnes et plateaux, falaises et abîmes. Installés sur la terrasse en planches, à deux mètres au-dessus du sable, nous contemplions le spectacle. Le soleil brillait, mais la présence de ces nuages au large semblait placer la journée, la plage et les lames crémeuses, sous le signe du danger et de l'impermanence.

Usman avait emprunté cette maison à un commerçant syrien de sa connaissance. Elle venait d'être repeinte, mais n'était qu'à moitié retapée. La terrasse était solide, avec bordées et pilotis neufs, mais quand on ouvrait la porte pour pénétrer dans la maison, on s'apercevait que le toit manquait, écroulé. Cela dit, sur la terrasse tout allait bien. On y bénéficiait de la moindre brise et on s'y trouvait à suffisamment bonne distance du sol pour échapper aux phlébotomes.

Usman avait préparé un déjeuner baroque composé de saucisson à l'ail et d'une salade de patates douces et d'oignons. Il y avait du pain, de la Vache-qui-rit et un ananas. Nous bûmes de la bière gardée au frais dans une glacière.

Assis sur des chaises d'aluminium — notre repas sur une table assortie, entre nous — les pieds sur la balustrade, nous regardions les vagues déferler. Usman m'annonça que le Syrien avait proposé de lui vendre le chalet.

« Pour quoi faire ? dis-je. Tu ne vas pas rester ici beaucoup plus longtemps.

— Mais il ne coûte pas cher du tout. Et puis je n'ai rien sur quoi dépenser mon argent.

— Tu ne l'envoies pas chez toi ? » Je n'avais jamais vraiment interrogé Usman sur ses arrangements domestiques.

« J'en envoie un peu à mon frère et à mes sœurs, bien sûr.

— Et ta femme et tes enfants ? »

Il me regarda et éclata de rire :

« Ah, Hope, je ne suis pas marié !

— Ça m'est égal. »

Il avala une longue gorgée de bière, toujours souriant, l'air moqueur.

« J'étais trop passionné pour me marier, Hope.

— Passionné par quoi ?

— L'espace. »

Il me raconta qu'il avait suivi pendant des années l'entraînement d'astronaute. Quand les Russes avaient ouvert leur programme spatial à certains pays du tiers monde — notamment l'Inde, le Viêt-nam et l'Égypte — Usman avait été l'un des six pilotes égyptiens sélectionnés pour le stage d'entraînement initial. Il avait passé quatre ans à Baïkonour même, attendant le grand jour. Les six élus s'étaient réduits à deux, Usman et un autre. Il y avait toujours un remplaçant : deux Indiens, deux Vietnamiens, deux Égyptiens. Personne ne savait lequel serait finalement choisi.

« Je savais que ce serait moi, dit-il avec simplicité. Vois-tu, c'était mon rêve d'aller dans l'espace. Je parlais à ceux qui en revenaient, qui avaient contemplé le monde de là-haut. Je voyais les photos... » Il sourit avec tristesse. « Je crois que c'est là où j'ai eu tort. Les photos étaient si belles, tu comprends. » Il plissa les yeux, hanté par le souvenir de cette beauté. « Je cessai d'être le parfait technicien. Je commençai même à écrire des poèmes sur la terre vue de l'espace. Je crois que c'est là où j'ai fait erreur.

— Et ils ont choisi l'autre...

— Je suis resté jusqu'au départ de la fusée. Au cas où quelque chose aurait cloché avec lui. Mais non.

— C'est triste. » Je me sentis, à cet instant, remplie d'amour pour lui.

Il prit un air résigné.

« Et maintenant les Américains vont sur la lune.

— Alors, tu peux parler russe ? » demandai-je pour tenter de changer son humeur.

« Oh, j'ai presque tout oublié... Mais ça a été long, tu comprends, d'être là-bas, aussi obsédé par une seule chose et puis de ne pas l'obtenir... » Il se pinça le haut du nez. « Quand je suis revenu en Égypte, plus rien n'était pareil, je n'ai pas pu me fixer. Il a fallu que je quitte l'armée de l'air. » Il se retourna et sourit. « J'ai vu une annonce demandant des " moniteurs ". Et me voilà en train de faire la guerre de quelqu'un d'autre.

— Tu n'as donc pas de chez toi ?

— J'ai un petit appartement à Alexandrie. Mon cousin y habite en ce moment. » Il se leva et remonta son caleçon de bain. « Ce n'est pas vraiment mon chez-moi. C'est pour ça que j'aimerais acheter cet endroit.

— Eh bien tu devrais, si ça doit te rendre heureux. »

Il fit le tour de la table pour venir m'embrasser.

« Hope. Brillante Hope. Ce n'est pas si simple. Je ne crois pas qu'une seule vieille cabine de plage puisse me rendre heureux. »

Au cours de la nuit, très tôt le matin, avant l'aube, quelqu'un vint frapper à la porte pour le réveiller. J'entendis parler à voix basse un moment, puis Usman s'habilla. Il partait en mission à l'aube, dit-il. Il devait se rendre maintenant à un briefing. Une colonne d'UNAMO se dirigeait vers les marais et le delta du fleuve dans le Nord. J'étais à moitié endormie quand il m'embrassa sur la joue et me dit au revoir.

« A ton prochain voyage, Hope, j'achèterai cette maison sur la plage. Nous habiterons là. »

Je quittai l'hôtel quelques heures plus tard pour reprendre le chemin de Grosso Arvore. Juste au moment où je tournais sur la route qui longeait l'aéroport, j'entendis le sifflement de réacteurs et je vis six Mig décoller, deux par deux, gaz d'échappement orange, grimper et disparaître dans la brume bleue du matin.

L'AUBE COSMIQUE

Hope se sent désolée pour Usman et ses rêves perdus de vol dans l'espace. Elle aussi a vu ces photos de la planète terre prises très au-dessus de notre atmosphère brumeuse. Elle comprend son désir de se retrouver là-haut dans le noir infini, tourbillonnant à travers le vide de l'espace à huit kilomètres par seconde, contemplant à ses pieds le ballon bleu et blanc.

Voir les couleurs framboisées d'une aube cosmique. Contempler les vapeurs pelucheuses de la fragile biosphère. Vérifier le lever et le coucher de la lune, montant avec la rapidité d'une bulle dans un verre d'eau, tombant comme une balle de ping-pong d'une table. Observer les vastes spirales de plancton s'épanouir sur les océans, sur des centaines de milles. Compter les six levers et couchers du soleil que l'on voit chaque vingt-quatre heures tout en tournant autour de la superbe planète... Peut-être aurait-il pu aller plus loin et se laisser éblouir les yeux par les rayons de la terre, ou — qui sait — voir la terre elle-même se lever, bleue et paresseuse, au-dessus de la surface pâle de la lune, comme ces Américains qu'il enviait tant.

Les rêves d'Usman étaient extraordinaires. Ils pouvaient être difficiles à vivre.

Hope dressa un plan. Elle surveillerait John en secret durant tout un week-end pour en avoir le cœur net. Elle téléphona, annonça qu'elle rentrait et puis, tard le vendredi soir, rappela pour annuler. Une réunion importante, l'interview du remplaçant de Winfrith, sa présence requise. John répliqua qu'il était désolé : il s'était fait une joie de la revoir.

Elle attrapa un train pour Londres, loua une voiture, se rendit dans un de ces grands hôtels anonymes de Cromwell Road et y prit une chambre.

Le samedi matin, elle gara sa voiture dans leur rue. Elle vit John sortir de l'appartement, seul, et gagner à pied le collège. Elle surveilla le collège, presque sans interruption — elle dut aller se nourrir et se soulager — jusqu'à son retour, à sept heures. Il ne ressortit pas ce soir-là et ne reçut aucune visite.

Elle se leva assez tôt le dimanche matin pour le voir revenir de chez le buraliste avec les journaux du dimanche. Elle éprouvait un étrange sentiment à l'espionner de la sorte, à regarder cet être intimement connu comme des étrangers le voyaient. Cer-

tains traits familiers de John redevenaient singuliers : ses vêtements neutres, sans mode, sa veste cintrée, ses cheveux raides
rejetés en arrière. Quand il marchait, il roulait légèrement d'un
bord sur l'autre, comme déhanché. Il fumait en permanence.

L'après-midi fut beau, froid et sec, mais tiède au soleil. Vers
trois heures, John quitta l'appartement avec un paquet de
journaux et un carnet de notes. Il se dirigea vers Hyde Park. Il
s'assit sur un banc et lut un moment, puis griffonna quelque
chose dans son carnet. Après quoi, il gagna sans se presser la
Serpentine et se promena autour, s'arrêtant pour admirer les
derniers intrépides navigateurs de l'année et les amateurs de
modèles réduits.

Il paraissait pâle, le visage tiré et, en dépit de sa détermination
et de sa colère, Hope sentit la pitié monter en elle, presque
suffisamment pour l'inciter à se précipiter lui dire coucou, c'est
moi, je suis revenue impromptu... Mais pas suffisamment,
malgré tout. Elle se retint et le surveilla jusqu'à son retour à la
maison après un arrêt en route pour acheter des provisions. Elle
s'installa dans sa voiture à l'extérieur, attendit dix heures du soir
et puis rentra à l'hôtel. Elle lui téléphona.

« Salut ! c'est moi, dit-elle. Comment vas-tu ?

— Bien, bien.

— Tu as essayé de m'appeler ? J'étais sortie.

— Ah, non. J'allais le faire

— Télépathie.

— Ouais. Ça doit être ça.

— Tu vas bien ? Tu n'as pas l'air... très dans ton assiette.

— Non, vraiment, je vais bien.

— Qu'as-tu fabriqué ?

— Lu les journaux. Marché dans le parc.

— Il faisait beau ?

— Ouais. Frisquet.

— C'est drôle de te savoir à Londres en train de faire tout ça
sans moi.

— Simplement une balade dans le parc.

— Je te manque ?

— Comment ? Oui, bien sûr.

— Pourquoi ne viens-tu pas cette semaine ? Mercredi, jeudi ?

197

— Oui, peut-être bien. »

Ils continuèrent à parler ainsi un moment et puis se souhaitèrent bonne nuit. Elle pensa qu'il était déprimé, bien qu'il l'ait nié. Elle décida d'attendre un jour de plus, de téléphoner à Munro et de prétexter un rendez-vous chez le dentiste.

Le lendemain matin, elle était devant leur appartement à huit heures, assise dans la voiture, mangeant un beignet poisseux arrosé d'un café dans une timbale de plastique. A dix heures, il n'y avait toujours pas eu le moindre signe de John et elle se demanda si par hasard elle ne l'aurait pas raté. Peut-être était-il parti travailler particulièrement tôt ? Peut-être ne s'était-il pas réveillé ? Après réflexion, elle décida d'aller presser la sonnette, simplement pour voir s'il répondrait. Il y avait un interphone à la porte d'entrée. Leur appartement se trouvait au quatrième étage. John ne la verrait pas, même s'il se penchait par la fenêtre.

Elle descendit de voiture et traversa la rue. Elle approchait de la porte quand elle entendit appeler son nom. Elle s'arrêta net, faisant instinctivement le dos rond car elle se sentait coupable. Elle se retourna : Jenny Lewkovitch. Hope s'ordonna de ne pas être stupide : après tout, elle était devant sa propre porte, quoi de plus naturel ?

« Salut, dit Jenny, souriante. J'avais oublié que vous habitiez par ici. Je ne sais pas pourquoi, je croyais que vous viviez du côté de Notting Hill.

— Non, répliqua Hope en fouillant dans son sac pour y pêcher ses clés. Numéro 43.

— Je cherche une boutique de fromages, expliqua Jenny. Il y a, paraît-il, un étonnant marchand de fromages dans le coin, non ? »

Hope tendit son doigt :

« Bute Street. Trois rues plus loin.

— Épatant. »

Il y eut un silence. Hope, incapable de trouver quoi dire, sentit son visage s'enflammer.

« Eh bien...fit Jenny. A bientôt. Allez-vous à ce raout au collège ? Samedi ? »

Hope ouvrit la porte d'entrée :

« Non. Je serai dans le Dorset.

— Ah, bon. Dites hello à John de ma part. A bientôt. »

Elle partit. Hope referma la porte et se retrouva dans le hall sombre, complètement idiote. Elle s'était montrée incroyablement tendue et gauche, elle s'en rendait compte. Dieu sait ce que Jenny avait pensé. Elle tria le courrier et prit leurs lettres. Il faut que je monte maintenant, se dit-elle, ceci devient absurde. S'il est là, je prétendrai que je suis revenue pour un meeting.

Elle grimpa les escaliers quatre à quatre.

Alors qu'elle atteignait le palier précédant leur étage, elle entendit la porte de leur appartement s'ouvrir et John crier : « Miss Ponctualité ! » Hope ralentit le pas. Elle tourna pour aborder la dernière volée de marches. John était debout sur le seuil, avec un sourire jusqu'aux oreilles. Un sourire qui s'effaça en la voyant, l'espace d'une seconde.

« Salut, dit-il. Je pensais t'avoir entendue. »

Hope eut soudain froid. Une sorte de raideur monta le long de sa colonne vertébrale et vint comprimer son crâne.

« Miss Ponctualité, dit-elle. Qui est-ce ? »

Mais elle n'avait nul besoin de le demander. Elle savait maintenant qui était XXXXX.

« Il me fallait quelqu'un, lâcha-t-il tout net. Tu n'étais pas là.

— Allons, bon ! Encore ma faute.

— Elle n'est pas heureuse. Bogdan... Il veut la quitter. Et je me sentais misérable. Merde, tu sais à quel point je me sentais misérable. » Il tâtait et tripotait son visage comme s'il ne le sentait plus. « Que veux-tu que je dise ? Tous ces clichés. Moi, elle, un moment. Un baiser. Si foutrement banal. »

La pensée de Jenny Lewkovitch embrassant John donna à Hope envie de vomir.

« Je ne l'aime d'ailleurs pas particulièrement, ajouta-t-il. Elle ne me plaît même pas tellement.

— Est-ce censé me réconforter ?

— Ce n'est pas... une grande passion. C'est juste une chose qui est arrivée. On est tombés dedans.

199

— Dans notre lit.

— Ne me fais pas le numéro de l'ironie amère, je t'en prie. »
Il contempla ses mains sur la table.

« Tout va mal, soupira-t-il à voix basse. Tout. Je suis désolé. »
Il prit une profonde respiration. « C'est méprisable. Inexcusable. Je suis un faible. Je suis un menteur. » Il haussa les épaules
et leva les yeux vers elle. « Maintenant que tu es ici, je ne
m'explique plus moi-même. Je n'arrive pas à comprendre ce qui
m'a poussé. Maintenant que tu es là. »

Hope repensa à cet instant dans le parc hier et à son élan de
pitié envers lui. Elle repoussa sa chaise et le rejoignit de l'autre
côté de la table. Il se raidit en la voyant s'approcher. Même
alors, elle n'était pas sûre de ce qu'elle allait faire. L'envie lui
vint de le frapper.

« La vie est trop courte », dit-elle, et elle se pencha pour
l'embrasser.

Ils en parlèrent. Hope confessa l'avoir surveillé deux jours. Ce
qui le troubla beaucoup. Il ne l'aurait jamais imaginée aussi
sournoise. Hope rétorqua qu'elle ne l'aurait jamais imaginé
ayant une liaison avec Jenny Lewkovitch.

Ils allèrent faire une promenade et déjeunèrent dans un
restaurant. Ils essayèrent de parler d'autre chose puis reconnurent mutuellement qu'ils essayaient de parler d'autre chose et
rediscutèrent encore un peu de l'affaire.

La journée s'écoula avec une étrange léthargie.

De tous les sentiments que Hope éprouvait, le plus bizarre
était sa déception. Déception qu'il ait pu la tromper avec
quelqu'un d'aussi ordinaire, d'aussi quelconque que Jenny
Lewkovitch. Elle se rappelait leur rencontre devant la porte. Sa
gaucherie ; les mensonges désinvoltes, effrontés de Jenny. La
boutique de fromages... L'échange de propos... Elle revit le
petit minois de Jenny, son drôle de menton pointu, sa frange, ses
amples vêtements, genre artisan. Elle essaya d'imaginer ce que,
du point de vue d'un homme, Jenny Lewkovitch possédait qui
pût être décrit comme sexuellement séduisant. Elle n'y réussit

pas. Peut-être était-ce simplement une histoire de besoin et d'occasion réciproques... ? Mais alors, se dit-elle, comme ce doit être sinistre et comme c'est décevant. Et, en tout cas, où se trouve ma place dans tout ça ?

Au soir de cette lente journée, l'humeur de John commença à changer. Dans l'après-midi, il avait fait un effort, examiné de près son comportement et pris la responsabilité des conséquences de son acte. A mesure que la nuit tombait, Hope le sentit se replier sur lui-même.

A six heures et demie, il alluma la télé et s'installa pour regarder un jeu-concours, carnet de notes à la main.

« Pourquoi regardes-tu cette connerie ? dit-elle.

— Ça m'intéresse.

— La théorie du jeu ? Encore ?

— Ah... Ouais. Ben oui. »

Elle le laissa à sa télé. Elle alla dans la chambre changer les draps. Est-ce qu'il n'aurait pas dû, lui, le faire ? pensa-t-elle, se permettant un rien d'amertume. Ne devrait-il pas être un peu plus conscient de mes sentiments à moi ? Sûrement c'était au trompeur adultère que revenait ce travail et non pas à la femme trompée... Puis elle se conseilla de se calmer. Le tout, se rappela-t-elle avec un peu d'ironie, n'était pas de prétendre que l'affaire n'avait pas existé, mais de replacer son importance — ou son manque d'importance — dans la bonne perspective...

Elle fourra les draps dans un sac poubelle. Elle ne les ferait pas laver, elle les jetterait, un point c'est tout. Un geste symbolique coûteux, peut-être, mais qui n'en demeurerait pas moins très satisfaisant. Et elle...

« Hope ? » appela John, du salon.

Elle le rejoignit. Il continuait à suivre attentivement le jeu, avec le volume du son baissé au point d'être inaudible. Il lui jeta un coup d'œil, puis reporta son regard sur l'écran. Elle attendit patiemment.

« Je suis tout ouïe, dit-elle.

— Je crois... » Il se tut, les yeux rivés sur le jeu. « Je crois qu'il faudrait arrêter tout ça.
— Quoi ? La télé ?
— Cette farce.
— Je ne te suis pas. »
Il se leva, éteignit la télévision.
« Nous. Le mariage, dit-il. Je ne peux plus continuer. »

John déménagea. Hope ne le jeta pas exactement dehors mais, parfois, elle se consolait avec l'idée qu'elle l'avait fait. En réalité, elle le laissa dans l'appartement et regagna le Dorset, pensant qu'il serait parti lorsqu'elle reviendrait.

Avant son départ, elle téléphona à Bogdan Lewkovitch pour lui dire qu'elle voulait lui parler. Il suggéra qu'ils se rencontrent dans un café près du métro de South Kensington. Il l'attendait quand elle arriva. L'endroit était sombre, d'aspect vieillot, avec des toiles cirées craquelées sur les tables, et de grosses vieilles dames en guise de serveuses. Ils burent du café au lait dans des tasses de Pyrex éraflé.

Bogdan était un gros type avec des cheveux blonds en désordre et qui, bizarrement pour quelqu'un de son âge, souffrait encore d'acné : il avait toujours quelques boutons roses sur le cou, les mâchoires ou sous les oreilles. Avec ses manières brusques et directes, il offensait souvent par inadvertance les gens, au collège. Hope l'aimait bien. Durant leur conversation, il mangea trois gâteaux, des triangles de pâtisserie gluants, piqués de noisettes aussi grosses que des cailloux.

« C'est au sujet de John, non ? lança presque tout de suite Bogdan, la bouche pleine.
— Oui.
— Que voulez-vous que je vous dise ? Il change tous les jours. » De l'index, il récupéra quelques miettes sur la table. « Ça fait partie de son charme, évidemment. »

Il lui raconta que le travail de John sur la turbulence avait bien commencé, mais qu'il était allé trop vite. Ayant tiré certaines conclusions d'une étude de la dynamique des fluides, il avait essayé de les appliquer plus généralement à tous les types de discontinuités. Mais là, ça n'avait plus collé. Ces voies prometteuses s'étaient révélées des impasses. Des formules lucides et séduisantes avaient engendré des réponses prolixes d'une complexité confuse.

« Et il a donc donné dans la déprime pendant un bout de temps. Ce qui est bien naturel. On l'a tous remarqué. Mais quoi, il fit une énorme grimace, nous passons tous par là. Cette sorte de frustration. »

Selon Bogdan, John avait montré les premiers mauvais signes lorsqu'il s'était mis à travailler dans le désordre, presque au hasard, sur d'autres sujets — les nombres irrationnels, le pavage, la topologie. « Même l'univers affreux de la physique l'a attiré une semaine ou deux, ajoute Bogdan avec un sourire sarcastique.

— Et maintenant, il est revenu à la Théorie du jeu », dit Hope. Elle lui parla du quiz télévisé.

Au début, poursuivit Bogdan, John avait accompli un travail étonnant. Et fait, de l'avis général, une communication originale et excitante. L'ennui, c'était que, dans le monde de la science, il n'existait pas de délit de violation de propriété. Beaucoup de gens travaillaient simultanément un peu partout dans le domaine de John. Étudiaient et analysaient toutes sortes de phénomènes turbulents, discontinus : systèmes météorologiques, marchés économiques, interférences radio. John n'était pas tout seul, expliqua Bogdan avant de commander un autre café.

« Mais la cruelle ironie, c'est que ces premiers mois de travail accomplis par John sur la turbulence paraissent avoir ouvert des portes aux autres, mais pas à John. Il ressemble à… voyez-vous, un type qui invente un moteur à vapeur, mais découvre que James Watt s'est pointé le premier au bureau des brevets. » Il haussa les épaules. « Ça arrive tout le temps. Même si vous ne travaillez que sur des idées abstraites — des concepts. » Il claqua des doigts. « Quelqu'un se ramène de l'autre côté de la planète avec des preuves identiques.

— Et donc, John est parvenu à un certain point, mais ne peut pas avancer davantage.

— Ouais, et ça le tue, que voulez-vous. Ça me tuerait. Vous

comprenez, il pense que quelqu'un d'autre va lui piquer le gros lot.

— Que peut-il faire ?

— Rien. Il faut qu'il s'y résigne. Tous, nous le lui répétons, mais, voyez-vous, je crois que c'est là la source de ses ennuis. »

Hope fronça les sourcils. Elle n'était pas sûre que ceci expliquât pourquoi il avait couché avec Jenny.

« Je suis tombée sur Jenny, l'autre jour, dit-elle. Comment va-t-elle ? »

Bogdan mangeait. Il avala sa bouchée, qu'il fit passer d'une gorgée de café, avant d'informer Hope, avec un certain empressement, qu'ils songeaient à divorcer.

« Je fréquente quelqu'un d'autre, ajouta-t-il. A Birmingham. Je suis très heureux avec elle.

— Ah, merveilleux !

— Mais, vous comprenez, je m'inquiète pour les enfants, et cetera et tout le reste. »

Hope l'assura qu'elle comprenait.

« Sans compter Jenny, dit Bogdan. Je crois qu'elle pourrait bien avoir un amant, ici, à Londres. Mais je ne sais pas qui. »

Un instant, poussée par la malice, Hope fut tentée de prendre une petite revanche, mais elle résista. Elle se contenta d'évoquer vaguement ses problèmes avec John et leur décision d'une séparation temporaire. Il n'y avait personne d'autre, précisa-t-elle, c'était simplement une question de tempéraments belliqueux. Ils pensaient tous deux que vivre à part quelque temps pourrait tout résoudre. Hope inscrivit sur un papier son numéro de téléphone dans le Dorset et le donna à Bogdan. Elle lui demanda de garder un œil sur John.

« Appelez-moi si les choses empirent, dit-elle.

— Oh, sûr. Je le vois tous les jours. Je vous téléphonerai. »

Ils quittèrent le café. Il semblait faire très beau dehors après toute cette pénombre marronnasse. Un autobus passa dans un grondement de tonnerre et fit sursauter Hope. Bogdan l'embrassa et la rassura une fois de plus.

« Tout le monde divorce », dit-il d'un ton désabusé. Puis :

« Ce sont de drôles de types, ces mathématiciens. Vous auriez dû épouser un physicien. Nous ne sommes pas aussi cinglés. »

LE CALCUL

Le calcul est le sujet le plus subtil de l'univers des mathématiques. Il concerne, je lis, les proportions de changement des fonctions par rapport aux modifications des variables indépendantes. Il est la base de toute analyse mathématique.

Je suis perdue. Mais l'idée de sa subtilité et de son importance me séduit toujours. J'aime que nous le dotions de l'article défini. Le calcul.

Une définition plus simple m'informe que le calcul est l'étude du changement continu, qu'il a pour objet la croissance et la désintégration, et je commence à comprendre pourquoi il s'agit d'un instrument aussi capital. Croissance, changement et désintégration... Cela s'applique à nous tous.

Mais son défaut majeur, il me semble, c'est de ne pas pouvoir faire face au changement brusque, cet autre trait commun à nos vies et à l'univers. Tout ne se déplace pas par degrés, tout ne monte pas ni ne descend comme des lignes sur un diagramme. Le calcul exige la continuité. Le terme mathématique pour changement abrupt est « discontinuité ». Et là, le calcul n'est d'aucune utilité. Il nous faudrait quelque chose pour nous aider à nous en sortir dans ce domaine.

Les pluies menacèrent, mais ne tombèrent jamais. João et moi poursuivîmes notre surveillance du Danube, mais sans observer d'autres raids. Entre-temps, Alda enregistra tout seul, de son mieux, les mouvements du reste du groupe sudiste.

Après plusieurs jours dans ma planque surplombant le ravin de la rivière, je décidai, suante, collante et persécutée par les mouches, qu'il était inutile d'attendre davantage. A la suite de l'attaque contre Mr. Jeb, Clovis devait avoir conduit le groupe sudiste encore plus au sud, presque au bord de l'escarpement. Le cœur de leur territoire se situait désormais à trois bons kilomètres du Danube ; toute patrouille nordiste aurait à parcourir une vaste surface de la forêt avant de les trouver.

J'étais absente du camp de l'aube au crépuscule, ou presque. J'arrivais souvent en retard à la cantine, alors que les autres finissaient leur dîner, et je réussissais ainsi à réduire mes contacts au minimum. Après avoir abandonné notre vigile sur la rivière, je passai une matinée à revoir les rapports de filature d'Alda, essayant de calculer la distance à laquelle s'était déplacé le noyau de l'aire sudiste et ses limites actuelles. Il sautait aux yeux que mes chimpanzés se promenaient beaucoup moins, passaient beaucoup plus de temps en groupe et s'aventuraient rarement à deux ou trois. Sauf Lena.

Alda avait suivi Lena à deux reprises. Elle avait quitté le groupe, un beau matin, pour aller se ravitailler seule. A la fin de la journée, elle s'était construit un nid de couchage à huit cents mètres des autres. Elle avait rejoint le groupe le lendemain avant de repartir en vadrouille deux jours plus tard. Alda l'avait aperçue pour la dernière fois un après-midi vers quatre heures, au sommet d'un dalbergia. Depuis, plus de nouvelles. En superposant les mouvements de Lena sur ceux des autres, il devenait évident qu'elle se promenait plus loin qu'elle ne l'avait jamais fait, inconsciente, semblait-il, de tout danger.

Nous passâmes tous les trois les deux jours suivants avec le groupe sud. Toujours pas trace de Lena. Les autres chimpanzés paraissaient très détendus, sans aucun signe de prudence ni de peur excessives. Le seul changement depuis notre dernière rencontre, c'est que Rita-Lu était maintenant en plein rut. Nous vîmes Clovis et Conrad copuler avec elle, Clovis à plusieurs reprises, Conrad une seule fois. Et même alors, Rita-Lu s'écarta de lui d'un bond après trois ou quatre poussées et Conrad éjacula en plein air. Rita-Lu se représenta à Conrad, mais celui-ci parut avoir perdu son entrain. Comme si, Mr. Jeb étant mort, Conrad n'éprouvait plus de désir naturel. Muffin montra un certain intérêt à l'égard de Rita-Lu, mais elle le chassa.

Clovis lui rendit souvent hommage. Le postérieur enflé, brillant de Rita-Lu l'excitait infailliblement ; chaque fois qu'elle se présentait à lui, il interrompait son repas ou sa toilette et il s'accroupissait, les cuisses écartées, ses testicules — aussi gros que des balles de tennis — reposant sur le sol, comme des bulbes poilus à la racine d'une mince fleur dont la tige mauve se dresserait droit vers le soleil.

Un matin, João et Alda me racontèrent qu'un homme d'un village au sud de Sangui signalait avoir entendu des chimpanzés se battre dans la brousse. Je pris une carte et ils me montrèrent l'emplacement du village. Je calculai l'itinéraire le plus direct.

Nous marchâmes à travers la forêt pendant plus de trois heures. Nous étions à présent à la lisière de la végétation luxuriante qui marquait la pointe extrême sud du parc national. Là, l'escarpement opérait un virage sur quatre-vingt-dix degrés à l'est. Plein sud, se trouvait une vallée plate, un fossé tectonique de vergers sauvages sans grande particularité et de petits villages éparpillés à des kilomètres les uns des autres. La province était très peu peuplée et les gens qui vivaient à la frange du parc n'avaient pas encore eu besoin, jusqu'alors, d'émigrer sur les pentes vertes de l'escarpement à la recherche de meilleurs pâturages ou de terres plus cultivables. Quelques champs de maïs et de manioc empiétaient ici et là, un certain nombre d'arbres avaient été coupés pour faire du bois de chauffage, mais la population ne menaçait guère l'habitat des chimpanzés.

Nous émergeâmes de la forêt fatigués et les pieds un peu meurtris. J'examinai le paysage en contrebas. A notre gauche les collines boisées de l'escarpement s'orientaient à l'est sur une trentaine de kilomètres avant de reprendre la direction du sud. Les nuages gris des pluies toujours imminentes planaient au-dessus des sommets lointains, mais, sur nos têtes, le ciel était bleu, décoré de nuages ronds, blancs, immobiles. La brousse bigarrée, poussiéreuse, s'étendait sur des kilomètres devant nous. A nos pieds gisait le petit village anonyme avec ses champs irréguliers taillés au hasard dans la savane, les plantations de maïs d'un vert frais presque indécent au milieu de tant d'aridité. A l'horizon, un ruban de végétation plus foncée traversait la plaine, les arbres riverains d'un affluent du grand Cabule.

Nous mangeâmes notre casse-croûte. Alda désigna du doigt

l'endroit au loin d'où surgissait le fleuve venant d'une vallée creusée entre des montagnes brumeuses et dit : « Là-bas, c'est FIDE. Et là-bas — il fit un geste vers le nord —, derrière nous, il y a UNAMO.

— Regardez, dit João. Un avion. »

Il leva la main. J'aperçus, très haut, venant de l'ouest, laissant comme des traînées de sel, deux chasseurs à réaction. Des Mig, sans doute. Je n'en avais jamais vu dans nos cieux. D'après Usman, ils accomplissaient rarement des missions dans le Nord. Ils filèrent au-dessus de nous et disparurent dans la brume. Quelques secondes après, nous entendîmes le grondement de leurs réacteurs. Nous descendîmes vers le village : des huttes rondes en torchis, coiffées de chaume, au milieu d'enclos de nattes. João s'adressa à l'un des vieillards installés à l'ombre d'un arbre et un petit garçon fut chargé de nous conduire sur la scène approximative du combat de chimpanzés.

Nous traversâmes un terrain vague plat. A un bout se dressaient des buts de football, auxquels pendaient encore des morceaux de filet.

« Pour les missionnaires, expliqua João. Ils étaient ici avant la guerre. »

Hommes et femmes travaillant aux champs me regardèrent avec curiosité. Puis le sol commença à monter et la brousse se referma de nouveau sur nous. Le petit garçon désigna du doigt un bouquet d'arbres à coton, au bord de la falaise, au-dessus de nous. Le bruit était venu de là-haut, dit-il avant de s'en aller.

Il nous fallut encore une demi-heure d'escalade pour atteindre les cotonniers. Nous nous séparâmes pour fouiller l'herbe et les buissons. Je découvris beaucoup de noyaux de fruits. Des disques plats, couleur noisette, d'un pouce de diamètre, pareils à des petits noyaux de mangue, entourés de chair fibreuse jaune pâle dans un étui simili-daim floconneux. A en juger par le nombre de noyaux gisant par terre, on aurait pu croire que le groupe sud au complet avait festoyé ici. Il y avait aussi pas mal de feuilles et de branches arrachées mais rien n'indiquait autre chose que la manière brouillonne et insouciante de se nourrir propre à un groupe de chimpanzés affamés.

Puis João m'appela. J'accourus.

Juste sous les basses branches d'un gros arbuste gisait un bras coupé. Le bras droit d'un jeune chimpanzé qui semblait avoir été brutalement arraché à hauteur de l'épaule. Je l'examinai : il ne pouvait appartenir qu'à Muffin. Alda inspectait le sol sous l'arbuste. Il enfonça un bâton, accrocha quelque chose et tira. Aussitôt un énorme bourdonnement s'éleva, le buisson s'anima de myriades de mouches à viande, dures et brillantes. On aurait cru que des poignées de gravier s'abattaient sur les feuilles. Le buisson frissonnait et vibrait tandis que les mouches tentaient de s'échapper. Je reculai ; Alda tira sa chemise sur sa tête et plongea pour sortir le corps.

C'était Muffin. Quelque chose l'avait récemment rongé, quelque chose de petit et de carnivore, une gerboise peut-être, et son ventre ouvert laissait voir ses viscères, gonflés et gluants. Son visage était meurtri et tailladé, exactement comme celui de Mr. Jeb, et sa jambe gauche coupée à hauteur du genou. La cavité sanglante coagulée de son bras droit grouillait de fourmis. Il ne dégageait pas de puanteur, mais quand Alda le sortit de dessous l'arbre, une partie des entrailles s'échappèrent par le trou de son ventre avec un bruit mou.

J'eus un haut-le-cœur et la bile me remonta dans la bouche. Je me sentis défaillir sous le choc. Muffin : Muffin le névrosé qui détestait quitter sa mère. Je me détournai, crachai et respirai profondément. J'ouvris mon sac et sortis mon appareil photo.

Ce fut une longue marche de retour. J'avais voulu ramener le corps de Muffin, mais il était trop affreusement déchiqueté pour le transporter sur une aussi grande distance. Durant notre pénible progression, j'eus tout le temps de réfléchir à ce que je devais faire. Mr. Jeb et Muffin étaient morts. Lena avait disparu, mais j'étais désormais persuadée qu'elle aussi avait été attaquée et probablement tuée. Admettons, raisonnai-je, que trois de mes chimpanzés sudistes aient été massacrés par les nordistes. Je ne doutais pas un instant que Muffin fût la dernière victime. J'avais vivement en mémoire la vision de Pulul assis sur le dos de Mr. Jeb et lui tordant et retordant sa jambe jusqu'à ce que ligaments et tendons cèdent et qu'elle se brise. Les membres minces d'un jeune adolescent ne présentaient pas le moindre problème pour un adulte. Un mâle en pleine maturité était incroyablement fort : j'en avais vu casser des branches grosses comme le bras avec une aisance déconcertante. Ils auraient pu écarteler Muffin aussi facilement que vous et moi arracherions la cuisse d'un poulet rôti.

Trois chimpanzés étaient morts ; il n'en restait que cinq : Clovis, Conrad, Rita-Mae, Rita-Lu et bébé Lester. Il y avait sept mâles adultes dans le groupe nord et plusieurs adolescents enthousiastes. Quelles chances avait contre eux ma bande décimée ? Et puis se posait un autre problème, pas moins troublant : que devais-je dire à Mallabar ? Pour la première fois, je commençai à regretter d'avoir envoyé si précipitamment mon article. Les événements s'étaient déroulés beaucoup plus vite que je n'aurais jamais pu l'imaginer. Soudain, prendre ma revanche sur Mallabar ne semblait plus être ma grande priorité.

« Je ne comprends pas très bien ce que vous me racontez », dit lentement Mallabar.

Nous étions dans son bungalow, il était neuf heures du soir et nous nous trouvions dans son bureau, un véritable mini-temple de la suffisance, avec ses murs couverts de citations, photographies, diplômes et doctorats honorifiques encadrés. Mais le mobilier était d'une simplicité frisant l'austérité : deux classeurs de métal, une table carrée en bois et deux fauteuils pliants en toile. Mallabar prévenait toute critique de ce décor égocentriste en le qualifiant de pièce à financement. Les importants sponsors pouvaient voir les résultats acquis grâce à leur patronage et les accommodements spartiates les rassuraient quant à un éventuel gaspillage des fonds.

Assise dans un fauteuil de toile pliant, je regardais les couvertures de magazines encadrées représentant l'homme derrière la table en face de moi. Celui-ci arborait un léger sourire, mais ce n'était qu'une formalité polie. L'humeur manquait de bienveillance.

210

Je recommençai.

« Je voudrais prendre une femelle dans le Sud et la réinstaller dans le groupe nord.

— Hope, Hope, dit-il en se penchant d'un air pressant. Vous ne comprenez pas. Nous ne sommes pas dans un zoo. Nous ne pouvons pas déménager des animaux de cage en cage, pour ainsi dire. Faire ce que vous souhaitez serait...hors de question. Nous sommes dans un environnement sauvage. Ce que vous proposez est une manœuvre de manipulation. »

Je résistai à la tentation de lui faire remarquer la manipulation que représentait la zone nourricière artificielle.

« Je crois tout de même que nous devrions le faire.

— Mais vous ne m'avez pas dit pourquoi.

— Pour... pour éviter les problèmes. » Je levai la main afin de l'empêcher de m'interrompre. « Les mâles nordistes procèdent à des patrouilles régulières dans le Sud et....

— Je n'aime pas ce terme de " patrouilles ", coupa-t-il.

— C'est pourtant ce dont il s'agit, dis-je avec emphase. Je les ais vus et... » Je me tus une seconde. « Et il y a eu des agressions. »

Il se raidit.

« Que voulez-vous dire ?

— Trois de mes chimpanzés ont été tués. Et deux, certainement, sont morts à la suite de violentes attaques.

— Il y a une forêt là-bas, ma chère. Remplie de bêtes sauvages. »

Je ne relevai pas son sarcasme. « J'ai l'affreux sentiment », là, j'avançai très prudemment, « qu'ils ont été attaqués et tués par les chimpanzés nordistes.

— Maintenant, ça suffit ! » s'écria-t-il. Il se leva, furieux. « N'ajoutez pas un mot de plus. Pour votre propre bien. » Il frémissait un peu, bien qu'il continuât d'arborer un sourire pincé. Il posa ses deux mains sur la table et baissa la tête durant quatre ou cinq secondes. Lorsqu'il la releva pour me regarder, j'aurais juré qu'il y avait des larmes dans ses yeux. Très impressionnant.

Je l'écoutai en silence, sachant que j'avais été aussi loin qu'il était possible et que m'engager plus avant signifierait la fin de ma carrière à Grosso Arvore. J'écoutai donc Eugène Mallabar débiter les grandes lignes de sa biographie, me décrire ses ambitions et ses rêves, et résumer les énormes efforts et sacrifices qu'il avait faits au cours des vingt-cinq ans écoulés. Ceci s'avéra un simple préambule au discours qu'il avait à m'adresser personnellement. Lui et Ginga, me rappela-t-il, n'avaient pas connu le bonheur d'avoir des enfants. En conséquence, ils tendaient à considérer tous ceux qui œuvraient à Grosso Arvore comme les membres de leur vaste famille. Les gens venaient passer ici un an ou deux, ils y vivaient et travaillaient avant finalement de retourner en Amérique, en France ou en Suède ou n'importe où. Mais ils n'oubliaient jamais ce qu'ils avaient partagé et ils n'oubliaient jamais Grosso Arvore (je commençais à en avoir ma claque de ce discours). Chacun était admiré et chéri, chacun était spécial, tous œuvraient ensemble dans un but commun.

« Tenez, vous, Hope. Vous êtes, et je ne m'en cache pas, un membre très spécial de notre famille. Les circonstances exceptionnelles de votre arrivée, à un moment où nos fortunes déclinaient singulièrement, ont été très très importantes pour nous. Vous avez répondu à notre appel alors que nous étions dans le besoin. Vous êtes venue à nous... »

Il se tut pour ménager son effet. J'eus l'abominable pressentiment de ce qu'il allait dire et il ne me déçut point.

« Ginga et moi pensons à vous avec la plus grande tendresse. Il... il ne serait pas exagéré de dire que j'aime moi-même à penser à vous comme à ma propre fille... Il y a quelque chose en vous, Hope, qui stimule mon, notre, affection de parents. Et donc », il se tut de nouveau, détournant la tête comme pour me dissimuler une larme, « et donc j'espère que vous prendrez ce que je m'apprête à vous dire comme dit par un père parlant à sa fille très aimée mais encore jeune et inexpérimentée. »

Il chercha du regard mon approbation. Je gardai une expression rigoureusement neutre.

« J'étudie les chimpanzés depuis vingt-cinq ans, poursuivit-il. Et voilà que vous arrivez et que vous observez certaines choses, certains faits qui ne vous sont pas familiers, et vous les interprétez. Trop vite. Trop impatiemment. Vous partez à

212

l'étourdie. » Il fit le tour de son bureau et vint s'appuyer contre. Il joignit les mains et tendit ses poings vers moi.

« Ces... ces allégations que vous avancez sont de la pure conjecture. Vous en tirez prématurément des conclusions basées sur les données les plus disparates. Mauvais. Mauvais savoir, Hope. Quoi que vous pensiez qu'il se passe, vous pensez faux. Vous vous trompez, Hope. Je suis désolé. Je sais, voyez-vous. J'en sais plus sur les chimpanzés que tout être vivant, plus que tout individu dans l'histoire de l'humanité. Réfléchissez-y. » Il sourit, l'air de ne pas y croire lui-même :

« Et pourtant vous me défiez. » Il étendit ses mains. « C'est ce qui me met en colère. Vous êtes trop hardie. Dans la science, on avance de A à B à C à D. Vous allez de A à B et puis vous sautez à M N O. Ça ne se fait pas, c'est impossible. »

Il vint vers moi et posa ses mains sur mes épaules. Il approcha son visage bronzé près du mien.

« Ne vous tourmentez pas avec ces folles hypothèses, ma chère. Observez et notez. Observez et notez. Laissez-moi le soin d'interpréter. »

Il se pencha et pressa ses lèvres sèches sur mon front. Je sentis le frottement de sa barbe lisse sur mon nez et mes joues. Je ne répondis rien.

Il me reconduisit à la porte, tout en me souriant affectueusement. Je compris qu'il s'était énormément amusé.

« Merci Eugène, dis-je, platement. Je comprends maintenant.

— Dieu vous bénisse. » Il pressa mon bras : « Nous allons faire du beau travail ici, Hope. Vous et moi. »

Je m'éloignai dans l'obscurité chaude et moite de la nuit africaine, animée d'une détermination nouvelle.

Deux jours plus tard, je revenais au camp après une longue filature des survivants du groupe sud. Clovis et Rita-Lu s'étaient éloignés des autres, les laissant se nourrir sur les palmiers-dattiers. Je quittai João et Alda pour suivre Clovis et Rita-Lu qui continuèrent vers le nord pendant environ une demi-heure. Puis ils firent halte. Rita-Lu se présenta et Clovis la monta. Après quoi, ils se reposèrent à l'ombre, Clovis toilettant paresseuse-ment Rita-Lu.

Avec le transfert plus au sud du centre de la zone, nous consacrions une plus grande part de notre journée de travail à nous déplacer. Je continuai mes observations jusqu'à quatre heures de l'après-midi avant de décider qu'il était temps de retourner au camp. J'appelai João sur le walkie-talkie, lui indiquai où je me trouvais et l'informai que je rentrais, et qu'Alda et lui devraient en faire autant.

Dix minutes après avoir quitté les deux chimpanzés, je parvins dans un endroit que j'avais baptisé la clairière. Un lieu où le caractère de la forêt changeait du tout au tout. On y trouvait d'énormes bouquets de bambous de sept à dix mètres de diamètre à la base. Leur masse bloquait le soleil au point où la végétation, sous leur vaste feuillage, devenait inhabituellement rare. Les seuls arbres qui semblaient prospérer dans cette pénombre perpétuelle étaient de minces et chétifs épineux — connus localement sous le nom d'épines-de-rat, parce que l'écorce de leur tronc était curieusement incisée, un peu comme une queue de rat. Dans cette grisaille, les épines-de-rat pous-saient relativement droit jusqu'à une hauteur de six ou sept mètres. Les troncs dépourvus de branches jusqu'aux deux tiers étaient criblés de piquants tendres, bruns comme des verrues. Au sommet, leur couronne de branches et de feuilles, quoique fournie, offrait un aspect mal nourri. A cause de l'absence de sous-bois, c'était la seule partie de la réserve qui paraissait plantée. Les épines-de-rat demeuraient espacés et, avec leurs troncs dépourvus de branches, ils ressemblaient à des piquets enfoncés dans le sol. L'ensemble me donnait l'impression d'un verger surréaliste, destiné à produire un fruit encore inconnu.

J'atteignis la clairière et continuai d'un pas vif entre les épineux. Je savais où je me trouvais maintenant, pas aussi loin du camp que je le pensais. La piste que nous avions aménagée jusque relativement loin dans la zone sud n'était qu'à trois minutes de marche.

Je m'arrêtai brusquement. Je venais d'apercevoir quelque chose bouger dans les recoins sombres de la clairière. J'abandonnai le sentier et me plaçai derrière un écran de bambous pour attendre.

Les nordistes avançaient à une allure plus rapide que de coutume, bondissant presque, toujours en file indienne, avec Darius en tête. Ils ne s'étaient jamais aventurés encore si profondément au sud.

Ils passèrent à vingt mètres de moi, sans se rendre compte de ma présence. Ils étaient toujours aussi silencieux, mais cette vitesse accentuée leur donnait un air encore plus sinistre. Une nouvelle allure qui indiquait une absence complète de précaution : toute hésitation avait disparu.

J'appelai João pour lui annoncer que j'allais les filer et partis derrière eux à trente ou quarante mètres de distance. Tant qu'ils restèrent dans la clairière, je pus les suivre, mais dès la sortie je pris du retard. Puis je compris pourquoi les nordistes se déplaçaient avec autant de confiante résolution : ils savaient où ils allaient. Ils se dirigeaient droit là où j'avais laissé Clovis et Rita-Lu. Ils avaient dû les repérer à partir d'une position avantageuse.

J'entendis alors, sur l'avant, des cris et des piaillements, tous les vilains bruits de l'agression et de la peur. Je tournai à ma gauche pour rejoindre un étroit ravin, creusé par un petit cours d'eau, dont la berge érodée me permettrait d'avancer plus facilement. Tout en courant, je fouillais dans mon sac à la recherche de mon appareil. Il me fallait absolument une preuve photographique d'une attaque par les chimpanzés si je devais jamais pouvoir faire pièce à Mallabar. Le vacarme devant moi ne cessait de s'intensifier et j'entendais maintenant de violents fouettements et craquements de branches.

Mais en essayant à la fois de courir et d'extraire mon appareil de son étui, je ne voyais pas très bien où j'allais. Je posai un pied trop près du bord du goulet, le sol céda, et je tombai, dévalant sur les fesses plus de six mètres d'une pente pratiquement verticale avant d'atterrir au fond sur une touffe caoutchouteuse de cresson poivré qui poussait dans le lit de la rivière.

Étourdie et désorientée, je me relevai pour retomber aussitôt lourdement sur mes fesses. Je rampai un peu le long de la rivière afin de récupérer mon appareil photo sale, mais intact.

Reprenant mes esprits, je me rendis compte que le fracas de la bataille s'était déplacé plus loin en amont de la rivière. Je remontai le ravin sur cent mètres dans l'intention de le suivre. Mais il éclata de nouveau, cette fois sur le bord du goulet, au-dessus de ma tête. J'aperçus entre les arbres et les buissons plusieurs chimpanzés qui se débattaient et fuyaient, mais je fus incapable de les reconnaître. Puis, soudain, tout redevint calme. Quelques hululements s'élevèrent, suivis de cris furieux. Et de nouveau le silence.

A cet endroit, le ravin était très abrupt et, faute de végétation, les parois pierreuses offraient peu de prises. Je marchai en aval pour trouver un chemin de remontée plus facile. Je découvris un endroit où lianes et plantes rampantes tapissaient la face du ravin. Je saisis la plus épaisse, tirai dessus très fort pour vérifier sa solidité et commencer à grimper, me hissant main sur main.

J'étais à mi-pente quand j'entendis un bruit, un glissement de terre et de cailloux. Je levai la tête et vis une grosse pierre de la taille d'un ballon tomber en rebondissant droit sur ma tête. Je n'eus pas le temps de l'éviter ni de me protéger. Elle était déjà sur moi. Je sentis son souffle chaud m'effleurer, peut-être même toucha-t-elle mes cheveux avant d'aller s'enfoncer avec un plouc dans le sable humide du lit de la rivière. D'énormes mottes de terre, d'argile et de poussière suivirent. Celles-là ne me ratèrent pas. Je m'agrippai à ma liane et enfouis ma tête entre mes épaules.

Après quoi, je me laissai tomber avec précaution dans le ravin et secouai la saleté de mes cheveux et de mes vêtements. Je lavai ma figure dans le filet d'eau et remontai en amont vers un endroit où je pus sortir du ravin sans aide.

Je traversai lentement la clairière et rejoignis la piste qui menait au camp. C'est seulement alors que je me rappelai la bataille et me demandai ce qui était arrivé à Clovis et Rita-Lu. J'hésitai un moment à revenir sur mes pas pour partir à leur recherche, mais je me rendis compte qu'à cette heure tardive mes efforts solitaires équivaudraient à du temps perdu.

Je me remis en marche, tournai un coin du sentier et me retrouvai nez à nez avec Roberta Vail.

De la voir là me flanqua un coup. Je sentis le souffle me manquer.

« Bon Dieu ! m'exclamai-je. Nom d'un chien, Roberta...

— Tiens te voilà, dit-elle comme si de rien n'était. Eugène veut te voir. »

Nous rentrâmes ensemble. Elle me parut anormalement calme, même en sachant que ce n'était peut-être que par comparaison avec mon état de choc et de nerfs. Elle ignorait, dit-elle, de quoi Mallabar voulait me parler. Il était quelque part en brousse et avait envoyé un message radio lui demandant de me trouver et de me ramener. La Land Rover nous attendait. Tout ce qu'elle savait, c'est qu'il voulait me montrer quelque chose.

« Comment as-tu su où j'étais ? »

Elle tapota le walkie-talkie accroché à sa ceinture :

« J'ai appelé João. Il m'a dit que tu rentrais, alors je suis venue à ta rencontre sur la piste. » Elle me lança un coup d'œil : « Pourquoi es-tu si sale ?

— J'ai fait une chute. J'ai dégringolé la paroi de ce ravin.

— Il faut être plus prudente, Hope.

— Je sais. » J'eus une idée. « As-tu entendu des chimpanzés ? »

Elle réfléchit :

« Ah...non. Absolument pas. Et toi ?

— Oui. Un foutu boucan. J'essayai de les pister. C'est alors que je suis tombée.

— Non, je n'ai rien entendu. »

J'ignore pourquoi — peut-être à cause de son manque apparent de curiosité —, mais je me dis alors qu'elle mentait. Et le soupçon se glissa dans mon esprit, comme une petite écharde dans le gras du doigt, minuscule, mais indiscutablement présente. Il me parut désormais possible, envisageable, concevable, que cette pierre de la taille d'un medecine-ball, qui avait raté ma tête d'un ou deux centimètres, ait été délogée par quelqu'un et non par les efforts de mon escalade trop zélée.

De retour au camp, nous montâmes dans une Jeep qui nous emmena d'abord à Sangui, puis au sud, en direction, je le compris bientôt, du village au terrain de foot. A notre arrivée, la nuit tombait et on alluma les phares. On nous indiqua le chemin et nous aperçûmes bientôt la Land Rover de Mallabar et un groupe de deux douzaines de villageois rassemblés autour des buts.

J'ouvris la portière et descendis, lasse et les muscles raides. Une brise fraîche soufflait, apportant avec elle une odeur de terre mouillée. Ce soir, il pleuvrait.

Mallabar abandonna la foule et s'approcha à grands pas de nous. Sa mine et son allure décidée montraient qu'il était à la fois excité et content de lui.

« Hope ! Désolé de vous traîner jusqu'ici. Mais c'est important, vous verrez. »

Il me ramena vers la foule. Hauser, présent, me salua d'un sourire. J'éprouvais soudain beaucoup d'appréhension, comme si ces gens étaient désormais mes ennemis. La foule se fendit et je vis pourquoi on m'avait fait chercher.

Pendu par ses pattes de derrière à la barre de traverse des poteaux de but, se trouvait le cadavre d'un gros léopard. Sous l'éclat aveuglant des phares, la fourrure blanche de son ventre paraissait d'une propreté presque indécente.

« Voilà, Hope ! » Mallabar me le présenta triomphalement comme s'il s'agissait d'un *hors-d'œuvre* exotique. « Voilà votre prédateur. Voilà l'assassin de vos chimpanzés. »

CÉLÉBRITÉ

Depuis qu'elle vit à Brazzaville Plage, Hope est plus honnête avec elle-même. Elle peut s'avouer maintenant que, du jour, ou presque, où elle assista à la mort de Bobo, et certainement à celle de Mr. Jeb, d'autres motifs la forcèrent à agir comme elle le fit. Parallèlement à sa peur et à son choc, elle éprouva une autre sensation : l'excitation. Elle se sentait en veine de chance, pratiquement en état de grâce. C'était elle, Hope Clearwater, le témoin de ces événements extraordinaires. Ce qui se passait à Grosso Arvore était révélateur et sans précédent — quelle que fût l'explication qu'on pourrait en donner plus tard. Et Hope savait, depuis le début, qu'il y avait de grandes chances que son nom fût associé pour toujours à cette science et à ces découvertes nouvelles.

D'où sa hâte à faire imprimer quelque chose ; d'où sa manière réticente et décousue de procéder avec Mallabar. En lui en disant trop, en le choquant au point de se faire renvoyer, elle risquait que les tueries et le sort des chimpanzés sudistes fussent soit mal interprétés soit ignorés. Ou, pire encore, que quelqu'un d'autre annonçât la nouvelle au grand public. Bien qu'elle n'ait pas voulu l'admettre pendant longtemps, Hope devint l'esclave d'une vision de l'avenir dans laquelle son nom brillerait d'une célébrité durable. Elle eut à faire très attention de ne pas laisser passer cette occasion.

Five Acre Wood. Le Bois des Cinq Arpents. Noisetier, saule, hêtre, aubépine, érable, sycomore, prunellier, bouleau, chêne, frêne et ormeau.

Les ormeaux se mouraient.

En détachant l'écorce couturée, friable, Hope voyait les légers sillons vermiculés qui couraient le long du tronc, en dessous. Des égratignures trop petites, semblait-il, pour faire mal à d'aussi grands arbres. Mais l'évidence était irréfutable. Même à présent, avec l'hiver pratiquement là, et seules quelques feuilles jaunes s'accrochant encore, Hope distinguait bien les branches mortes, malades : dépourvues de ramilles, entartrées de lichen, sans le fouet ni l'élasticité des branches saines sous le vent.

Elle traversa *Five Acre Wood*. La journée était froide, avec des nuages lourds et bas, gris souris, denses. Le vent vif crachotait des gouttes de grésil. La forêt semblait rouler et tanguer dans les rafales. Quoique bien emmitouflée, Hope sentait ses joues et son nez engourdis par le froid. Sous ses pieds, le sentier était trempé, boueux, et la terre glaise collait à ses bottes en une épaisse peau ocre. Les aubépines et les prunelliers griffaient son ciré au passage. Une assommante mèche de cheveux échappée de son bonnet de laine lui fouettait les yeux.

Venu de la Manche grisâtre et agitée, le vent soufflait glacial, balayant les falaises, les collines et les champs d'hiver pour venir tourmenter les arbres des Cinq Arpents. La lumière était blême et neutre, avec une pointe de jaune pisseux qui annonçait probablement une chute de neige dans la soirée.

Hope songea avec une plaisante anticipation à son petit cottage. Le fourneau dans la cuisine bourré de bois et de charbon, les bûches flambant dans la cheminée du salon; en haut, dans la chambre glaciale, un radiateur électrique bourdonnait, une couverture chauffante tiédissait le lit. Tout fonctionnait à plein dans sa maisonnette durant ces soirées d'hiver; elle se moquait de ses notes de carburant. Les fenêtres pleuraient de condensation, les tuyaux d'eau chaude cognaient et tremblaient tandis que le Raeburn pétaradait de chaleur... Et que mangerait-elle au dîner ? Elle reprenait du poids ces temps-ci, à force de se faire de gros ragoûts bien relevés — agneau et poulet, queue de bœuf et porc — et de tartiner ses pommes de terre d'épaisses couches de beurre salé. Mais pour l'instant elle s'en fichait.

Penser ainsi à son cottage et à son repas du soir lui donna soudain envie d'être de retour à l'intérieur, à l'abri du froid. Elle se dirigeait vers Green Barn Coppice, le taillis de la Grange verte, une des cinq zones boisées qui lui restaient à dater et à classifier. Elle avait eu l'intention de s'y mettre dès aujourd'hui, mais elle se sentait fatiguée et vaincue par tout ce mauvais temps.

Elle se fraya un chemin prudent le long d'une pente rendue glissante par les feuilles mortes des hêtres, jusqu'au sentier muletier qui menait à la carrière et Green Barn. Elle fit halte. Si elle tournait à droite au lieu de gauche, elle couperait par la ferme de Blacknoll et serait à East Knap en un quart d'heure. Elle demeura un moment debout dans le chemin boueux, essayant de s'obliger à prendre une décision, le cerveau engourdi par l'effort. Et puis zut, se dit-elle, le taillis sera encore là demain et j'ai un tas de patates à peler. Elle tourna à droite, face au vent, et descendit l'allée qui menait à la ferme.

Depuis sa séparation d'avec John, Hope n'était revenue qu'une seule fois à Londres. John avait emporté tous ses effets personnels, mais laissé l'appartement sale et en désordre. Elle avait donc consacré un après-midi à faire le ménage, passer l'aspirateur, épousseter, essuyer comme pour tenter d'extirper l'odeur de John et d'effacer toutes les traces — cheveux, empreintes, taches de dentifrice — de sa présence.

Elle acheta des fleurs, une nouvelle lampe de chevet et une bouilloire à sifflet. Elle jeta pas mal de choses : des vilains verres ornés d'un motif de bateau à voile, un tapis élimé, une poêle à frire noircie, un rideau de salle de bain avec deux taches d'eau en forme de Nouvelle-Zélande. Des mesures pas simplement esthétiques ; Hope les considérait comme des marques de ponctuation : un point final ici, un nouveau paragraphe là. Sa vie avait changé désormais, et ces modifications soulignaient le fait. Elle ne retournait pas à un état ancien, elle franchissait une nouvelle étape. Nombre d'objets dont elle se débarrassa n'avait aucun lien avec John ni leur vie commune ; elle souhaitait seulement simplement donner à son appartement une atmosphère subtilement différente — une remise à neuf pour quoi qu'il advienne ensuite.

Ayant sacrifié tout son samedi à cette tâche, elle rendit visite à John le dimanche, l'esprit calme et confiant. Il vivait dans une rue derrière l'Albert Hall, une haute falaise d'immeubles victoriens en brique rouge. Il avait loué un minuscule meublé de deux pièces sous les toits, encombré maintenant de cartons remplis d'affaires qu'il n'avait même pas tenté de déballer. Il avait poussé une longue table sous la fenêtre en mansarde qui donnait sur le sommet du Albert Memorial et une section de Hyde Park. La table était couverte de papiers et de dossiers.

A son arrivée, il l'embrassa fermement sur la bouche. Elle s'attendait à une certaine timidité, une certaine gaucherie, mais il paraissait comme elle d'humeur gaie et confiante. Il alla dans la kitchenette préparer du café.

« Jolie vue », dit-elle en regardant par la fenêtre. Un gros pigeon gris installé sur la gouttière à cinquante centimètres se lissait les plumes en roucoulant. Elle tapota la vitre et il s'envola.

« Comment ? répliqua-t-il, revenant avec deux tasses fumantes.

— Les pigeons. Peux pas les supporter. »

Ils s'assirent.

« Tu m'as l'air très occupé. » Elle indiquait les papiers.

« J'avance bien, confirma-t-il. Étonnant. C'est drôle ce qu'un changement de décor peut faire, parfois. »

Elle but une gorgée de café et reconnut la tasse comme une des siennes. Ils continuèrent à bavarder, sans aucune tristesse ni mélancolie, mais avec une sereine et mutuelle autosatisfaction. Ils avaient pris la bonne décision, dit John. Hope approuva. Il savait qu'ils vivraient de nouveau ensemble, mais il devait d'abord rester encore un peu tout seul. Une fois le gros de son travail achevé, alors ils réexamineraient la situation et ils repartiraient à zéro.

« Tu me manques, dit-il avec un sourire. Tout le temps. Et je ne peux pas imaginer vivre sans toi.

— Bien. Parfait. C'est ce que j'espérais entendre. Je ne peux pas l'imaginer non plus.

— Mais je crois que c'est mieux ainsi, pour le moment.

— Oui. Remettons les pendules à l'heure.

— On s'est bien amusés, pas vrai ? On s'amuse bien, dit-il, d'un ton un peu surpris. Toi et moi. Non ? »

Ils continuèrent à raisonner comme des grands. Hope avança que, peut-être, le job dans le Dorset était venu au mauvais moment, les forçant à passer trop de temps séparés, à oublier un peu ce qu'était leur vie commune. Dès qu'elle en aurait terminé, ce serait l'occasion rêvée de faire de nouveaux projets.

« Peut-être pourrions-nous retourner aux États-Unis, dit-il. Ça ne t'ennuierait pas ?

— Non. Enfin, dans la mesure où ce serait dans un endroit agréable. Il faut aussi que je trouve un boulot.

— Ça peut s'arranger. Crois-moi, tu verras. »

Ils discutèrent plus avant cette option, avec un mutuel enthousiasme. Il s'agissait là définitivement d'une possibilité, conclurent-ils.

En partant, Hope se sentit ragaillardie, plus optimiste. Quand son travail marchait, John devenait un être différent.

A la porte, il lui annonça :

« Je crois que je brûle, cette fois. Quelque chose est en train de prendre forme. Un nouvel ensemble. »

Un ensemble ? Hope réfléchit. Qu'était donc un ensemble ? Mais elle voulut lui faire plaisir. Les doigts écartés, elle dessina dans l'air un titre invisible, une plaque.

« L'Ensemble Clearwater », proclama-t-elle. Elle comprit qu'elle avait dit exactement ce qu'il fallait.

Il sourit, un instant ravi, puis baissa les yeux, redevenu très vite modeste.

« Si seulement, dit-il à voix basse. Mon Dieu, si seulement ! »

Il releva la tête et, l'espace d'une seconde, Hope lut dans son regard la souffrance de son ambition.

« Vas-y doucement, Johnny, dit-elle. Ça m'est égal, tu sais. Qu'il y ait une courbe de Clearwater, un type de triangle ou la moitié d'un théorème, n'importe, je serais heureuse. »

Mais elle vit qu'elle l'avait inspiré.

Il lui agita deux doigts croisés sous le nez... « Ne t'en fais pas, s'écria-t-il avec une sorte de joie fiévreuse. On le tient presque. Le grand. Le Système Clearwater. »

Elle retourna à Knap soulagée et détendue. A sa surprise, elle découvrit qu'elle pouvait repenser objectivement et sans s'émouvoir à l'histoire Jenny Lewkovitch. L'infidélité de John ne la tourmentait plus. C'était un homme si peu ordinaire, ses motifs de vie, ses relations avec les gens étaient étranges et uniques. Même son adultère entrait dans une catégorie différente des trahisons classiques. Puis elle se demanda si elle ne se leurrait pas, ne se montrait pas moins qu'honnête, ne se faisait pas des illusions. Elle y réfléchit, sérieusement, et décida que non, en toute justice.

Cette nouvelle humeur dura quelques jours encore. Notes et données sur les haies revinrent de chez la dactylo, et les relevés modifiés de l'Institut de géographie furent envoyés aux cartographes. Un travail impressionnant et minutieux, déclara timidement Munro à Hope. Elle accepta avec plaisir le compliment : il était justifié. Elle avait examiné et classé 475 haies, dont 121 au

niveau un : haies anciennes d'une importance écologique capitale qui devaient être protégées et conservées. Son étude sur la
forêt s'achevait ; Munro lui proposa de rester pour classer les
prairies du domaine et un certain nombre de collines et de
landes. Un travail qui lui prendrait jusqu'à la fin de l'été. Elle
demanda quelques jours de réflexion avant de répondre.

Cependant, songer à son avenir entraîna chez Hope une
dépression qui refusa de se dissiper et même continua de
s'accroître. Elle voulut n'y voir que l'effet d'avoir à se remettre
en chasse d'un travail juste à la fin d'un autre, mais, les jours
passant sans apporter aucune amélioration, elle se rendit compte
que son inquiétude était plus profonde.

Elle téléphona à Bogdan Lewkovitch pour savoir comment se
portait John. En très bonne forme, autant qu'il en pouvait juger,
affirma Bogdan, travaillant dur, sociable et plutôt enjoué. Puis,
le lendemain, John appela et demanda s'il pouvait descendre à
Knap pour un week-end. Non, répliqua Hope inventant sur-le-
champ un prétexte quelconque. Elle se sentit coupable, mais
cette requête l'irritait. John savait parfaitement que le cottage ne
possédait qu'une chambre et un lit, alors où s'attendait-il à
coucher ? Avec elle ? Dans ce cas, à quoi bon se séparer
officiellement si on se revoyait aux week-ends pour faire
l'amour ?

Cet appel et sa réaction agacée suscitèrent chez elle une autre
froide réévaluation de leur couple. John était-il incorrigible ou
simplement fantasque ? Changerait-il jamais ? Agissait-elle
bien ? Faute de pouvoir fournir des réponses satisfaisantes à ses
propres questions, elle sentit sa colère le céder à une mélancolie
insidieuse. Et donc, tout en parcourant les allées et sentiers
muletiers du domaine, passant d'un bois trempé à un autre,
Hope, solitaire et cafardeuse, songeait à son mariage, à John et à
elle-même, distraite seulement par ses métrés, ses classifications
et ses rêves d'énormes repas.

Elle traversa la ferme de Blacknoll, désertée, à l'exception
d'un chien de berger tout crotté qui se faufila au milieu des

flaques d'eau brunes, sans lui prêter beaucoup d'attention. D'une vaste grange en asbeste venait le sifflement perçant d'une chignole mordant dans le métal. C'était drôle, se dit-elle soudain sans aucune raison, mais faire l'amour ne lui manquait pas. Il y avait des semaines que John et elle avaient couché ensemble pour la dernière fois, mais ça ne lui manquait pas du tout.

Elle réfléchissait encore à ce phénomène en ouvrant la porte de son cottage et en ôtant ses vêtements mouillés. Elle posa la bouilloire sur la plaque du Raeburn et se demanda vaguement si c'était là un signe indiquant que, génétiquement, elle avait l'étoffe d'une vieille fille. Peut-être en montrait-elle prématurément les symptômes... ? C'est ce dont Meredith prétendait souffrir depuis peu. A ceci près qu'elle s'en souciait comme d'une guigne. En fait, elle exultait presque : atteindre au contentement total en sa propre compagnie, proclamait Meredith, était un accomplissement rare et véritable. Tout besoin — affectif, intellectuel et physique — pouvait être satisfait, sans aide et pleinement, par la personne correctement disposée. Divine indépendance, c'est ainsi que Meredith décrivait la chose.

Hope se rappela son dernier séjour chez Meredith, après le désastre du soixante-dixième anniversaire de Ralph. Le lendemain matin, elle avait observé avec attention la routine de son amie. D'abord sa paresseuse descente de la chambre à coucher aux environs de neuf heures, encore en chemise de nuit et peignoir ; puis sa manière de brancher son transistor sur Radio 3, en baissant le volume du son. Debout près de l'évier, elle avalait ensuite le jus des trois oranges qu'elle venait de presser et de rafraîchir avec des cubes de glace. Après quoi, elle faisait mouvement vers la table de cuisine avec un pot de café, deux tranches de toast tartinées de marmelade de citrons verts, et un paquet de cigarettes. Elle ne parlait pas. Elle jetait un œil rapide sur un journal, le *Daily Telegraph*, qu'elle repliait à la dernière page, celle des mots croisés. Là-dessus, elle s'asseyait, buvait son café, fumait et s'attaquait aux mots croisés jusqu'à ce qu'ils aient raison d'elle ou elle raison d'eux, un laps de temps qui avait tendance à durer environ une demi-heure.

Hope l'avait regardée, penchée sur son journal, tenant sa

cigarette à hauteur de l'oreille — un filet de fumée montant en méandres vers le plafond —, un léger sourire ou un froncement de sourcils animant son visage selon les progrès accomplis sur la grille. Comme si elle stimulait son cerveau pour les heures à venir, pareille à un athlète s'échauffant avant une course. C'était un rituel — et sacro-saint —, disait Meredith, le meilleur moment de la journée.

Hope se demandait si elle pourrait jamais être ainsi, à moins que, qui sait, elle ne le fût déjà. Pourrait-elle atteindre cet état d'égoïsme satisfait jour après jour, mois après mois ? Et même dans ce cas, le souhaitait-elle ? Elle se rappela Meredith la mettant en garde, un jour, contre une infirmité mentale inquiétante qu'elle appelait la Malédiction de l'Intelligence. Était-ce le bon côté de la médaille, la compensation, que cette capacité d'aimer être seule ?

Hope pela des carottes et des oignons avant de préparer les autres ingrédients de son solide ragoût. Une fois la cocotte sur le feu, elle ouvrit une bouteille de bordeaux et mit un peu de musique. Elle s'installa devant la cheminée avec un verre de vin et un roman qu'elle lut en fumant une cigarette. Jusqu'ici tout allait bien, se dit-elle. C'était parfait. Pas de réclamations.

Le téléphone sonna.

Bogdan Lewkovitch.

« Que se passe-t-il ?

— C'est John, je regrette. Il est malade. »

L'ENSEMBLE CLEARWATER

Ceci est difficile. Ceci n'est pas évident. L'Ensemble Clearwater. J'avais lancé cela à John comme si je savais de quoi je parlais. Avec ma remarque fortuite, j'avais soufflé sur les braises vives de son ambition sans la moindre idée de ce qu'était l'Ensemble Clearwater ni de ce qu'il pourrait produire.

Et comme John le désirait ! Comme il mourait d'envie de voir son nom mériter une rubrique spéciale dans les dictionnaires de mathématiques. « John Clearwater, mathématicien anglais, inventeur de l'Ensemble Clearwater. » Mais de quoi s'agissait-il ?

Ou plutôt de quoi se serait-il agi ? Réponse : une simple formule. Une formule qui aurait fixé une interminable série de points sur un plan complexe. A partir des nombres répétés que la formule générerait – comme des chiffres de quadrillage et des coordonnées sur une carte –, on pourrait tracer une image sur une feuille de papier ou un écran d'ordinateur. En traçant l'image que les chiffres de John donneraient, une forme extraordinaire surgirait. C'était magique.

Il essaya un jour de me l'expliquer en usant d'une vieille comparaison.

Quelles sont les dimensions d'une pelote de ficelle ? me demanda-t-il. Réponse : cela dépend d'où vous la regardez. A quinze cents mètres, une pelote de ficelle apparaît sans dimensions. C'est un point. Un point final. En approchant, on voit que la pelote est tridimensionnelle, solide, pourvue d'une ombre. Plus près encore, et la pelote se réduit en un fouillis bidimensionnel de filaments. Placez un filament sous un microscope et il se transforme en une colonne tridimensionnelle. Agrandissez-le – de manière énorme, gigantesque – et la structure atomique du filament est révélée : le fil tridimensionnel redevient une série de points sans dimensions. Pour résumer : la position et l'échelle de l'observateur déterminent le nombre de dimensions d'une pelote de ficelle.

L'Ensemble Clearwater, m'affirma John, serait capable de reproduire sans fin cette subjectivité. Il essayait d'écrire un simple algorithme qui reproduirait l'infinie magique variété du monde naturel. L'extrême complexité se dégagerait de la plus simple des formules.

Ou bien renversons la proposition : derrière toute cette variété fourmillante se cacherait une simple instruction. Pour je ne sais quelle raison, je la comprenais mieux exprimée ainsi. Je voyais ce qui excitait John. N'importe quel scientifique, répétait-il, éprouvait sa plus profonde joie chaque fois que les démarches abstraites de l'esprit trouvaient une correspondance dans la nature, dans le monde où nous vivons. Ceci valait tout autant pour un mathématicien que pour un chimiste ou un physicien. Ce moment, disait-il, constituait le plus vif de tous les plaisirs intellectuels réservés à l'homme.

Un ensemble, une pelote de ficelle, une variété et une complexité somptueuses gouvernées par une règle simple. Je ne saisissais pas le détail de ce que John faisait, mais je comprenais bien vers quoi il tendait. Souder le monde des mathématiques au monde où nous vivons ; mélanger la pure abstraction au concret erratique. S'il réussissait à écrire l'Ensemble Clearwater, il mourrait heureux. Mais, en comprenant cela, je m'aperçus aussi que les phases finales lui échappaient. Arrivé à un certain point, il s'était arrêté. Il avait beau se talonner, il demeurait bloqué, immobile. Comme si, ayant inventé tout seul le moteur à combustion interne, son cerveau se fût finalement refusé à concevoir un carburateur. La masse des composants se trouvait là, réunie sur la table de son laboratoire, inerte, n'attendant que la touche finale pour s'éveiller en rugissant à la vie.

Clovis arborait une coupure à l'oreille mais, autrement, Rita-Lu et lui semblaient être sortis indemnes de la bataille que j'avais entendue sans la voir. Ils devaient cependant avoir eu très peur. Les rescapés du groupe sud ne se quittaient plus à présent, ils ne s'éloignaient jamais beaucoup seuls. Ils se montraient notablement plus vigilants et plus nerveux lors de leur quête de nourriture. Ils observaient les endroits possibles plus d'une heure avant de s'avancer pour manger et ne s'y attardaient pas très longtemps. Et maintenant, même au repos, Clovis allongé sur le dos, Conrad ôtant ses puces à Rita-Lu, Lester gambadant autour d'une Rita-Mae agacée, Conrad s'arrêtait de temps à autre un moment pour inspecter les environs du regard et prêter l'oreille au moindre bruit inhabituel.

J'entendis un léger craquement de statique sur mon walkie-talkie. J'avais mis le son au plus bas de façon à ne pas alarmer les chimpanzés. Je reculai, hors de leur portée. C'était Alda.

« Ils arrivent, maâm.

— Combien sont-ils ?

— Huit. Neuf.

— OK. Va chercher João. Venez ici le plus vite possible. »

Je sentis une brûlure, comme celle d'une indigestion, dans

mon œsophage, et une fièvre froide s'empara de moi. Je reconnus les symptômes : ceux que j'éprouvais devant John à ses pires moments. Le corollaire physique d'une indécision critique, une croissante peur panique de l'inertie face à plusieurs options exigeantes. Que devais-je faire ici ? Devais-je effrayer mes chimpanzés, me précipiter sur eux en agitant les bras... ? Mais alors tous ces mois d'accoutumance — de confiance — seraient perdus sur-le-champ, d'un seul coup, et je ne pourrais plus jamais m'approcher d'eux. Une part de moi prêchait pour cette méthode, mais je savais qu'elle ne ferait que retarder les événements, voire même les aggraver. Au moins, ici, les quatre adultes regroupés offriraient une résistance plus solide aux nordistes. Ignorants du danger imminent, les chimpanzés se vautraient à l'ombre de trois poivriers — de petits arbres aux branches pendantes qui les protégeaient bien du soleil. Anxieuse, j'attendais : peut-être, cette fois, ne seraient-ils pas repérés.

J'attendis quarante minutes. Puis Conrad entendit quelque chose. Il se dressa sur ses pattes de derrière et étendit les bras, le poil hérissé. Les autres chimpanzés se préparèrent immédiatement à partir derrière Clovis, mais celui-ci paraissait incertain, ahuri, et poussait de petits gémissements haletants, tandis que ses compagnons tournaient en rond.

C'est alors que Darius débcula des buissons au-dessus d'eux, debout, dents découvertes et bras en moulinet. Il sauta à pieds joints dans le groupe, écarta violemment Conrad qui tomba. Les autres nordistes arrivèrent sur ses talons, avec des hurlements aigus. Je reconnus Pulul, Gaspar, Americo et Sébastien.

Les deux groupes se firent face, à grands renforts de gesticula- tions, de rugissements et de grimaces. Darius se jeta sur Clovis, suivi par Sébastien et Pulul. Il en résulta une mêlée confuse de bras et de jambes dans un nuage de poussière. Puis les nordistes réussirent à clouer Clovis au sol. Pulul lui mordit la jambe et lui arracha un long ruban de peau sur la cuisse.

Entre-temps, menés par Americo, les autres avançaient. Americo attrapa Rita-Mae et la jeta à terre envoyant valser Lester qui se trouvait sur le dos de sa mère. Il lui piétina rageusement la tête. Au même instant, Rita-Lu, tremblante, s'accroupit pour offrir sa croupe gonflée et rose aux autres mâles. Brusquement, l'attaque perdit de sa force et de sa conviction. Clovis, par un effort gigantesque, réussit à se libérer de Darius et de Sébastien et sauta dans un arbre. Il cassa une branche dont, le poil hérissé, il menaça les mâles nordistes, en poussant des cris perçants.

Toute bagarre cessa et un calme soudain s'établit. Lester se précipita vers Rita-Mae, Conrad se glissa sous le poivrier. Seule Rita-Lu demeura cernée. Les mâles se rassemblèrent autour d'elle, inspectant sa croupe du doigt et du nez. Puis, d'un même mouvement, tous les nordistes, accompagnés de Rita-Lu, filèrent en courant, escaladèrent un petit goulet et disparurent dans les arbres. J'entendis leurs hurlements de joie et l'écho creux des troncs qu'ils tambourinaient au passage.

Deux jours plus tard, Joâo vit Rita-Lu revenir dans le groupe sud. Elle était intacte et fut accueillie avec enthousiasme. Joâo me conduisit à l'endroit où il les avait laissés en train de se nourrir. La même vigilance prévalait mais autrement rien ne semblait avoir changé. Seul Clovis souffrait visiblement un peu : le lambeau de peau que Pulul lui avait arraché de la cuisse gauche pendait comme une jarretière à son genou. La chair rose exposée paraissait à vif et cuisante. Clovis interrompait constamment son repas pour tamponner sa blessure avec des poignées de feuilles et d'herbes.

Puis je vis quelque chose d'autre qui m'inquiéta encore davantage : Rita-Mae semblait développer un gonflement sexuel. La peau de sa croupe était nettement plus rose, plus tendue et brillante. En théorie, elle était encore indisponible, en pleine montée de lait. Lester était né depuis trop peu de temps pour qu'elle ait déjà pu recommencer à ovuler. Mais il n'était pas extraordinaire pour des femelles nourrissant encore leurs bébés de présenter des enflements sexuels stériles pendant quelques années avant que leur cycle recommence normalement. Stérile ou pas, cela ne faisait aucune différence pour un chimpanzé mâle. J'eus soudain terriblement pitié de mes pauvres sudistes.

Maintenant, ils auraient deux femelles en chaleur. Je regardai Clovis, Conrad et Lester et me demandai combien de temps il restait à vivre à ces mâles, adultes ou non. Tout autant que j'en détestais l'idée, je pensai qu'il me fallait retourner voir Mallabar.

Depuis la mort du léopard, Mallabar s'était montré d'une exceptionnelle cordialité à mon égard, avec le soulagement d'un homme qui a douté un instant, mais a vu sa foi fermement restaurée. En revanche, mes autres collègues me témoignaient comparativement plus de réserve. Ils n'étaient pas très sûrs de ce qui s'était passé, mais il leur apparaissait clairement que j'avais rué dans les brancards et provoqué dans l'ensemble pas mal de grabuge. Il convenait de me surveiller de plus près.

Je repris donc le chemin du bungalow de Mallabar, ce soir-là, après le dîner. Roberta partait comme j'arrivais. Je remarquai qu'elle avait fardé de bleu ses paupières et qu'il émanait d'elle une odeur douceâtre de talc parfumé.

« Ah, Hope », fit-elle un peu bêtement comme si j'étais exactement la personne qu'elle s'attendît à rencontrer sur le seuil de Mallabar. Je lui souris en retour et prononçai son nom, Roberta, au ralenti. Elle me tint la porte ouverte. J'entrai.

Ginga se trouvait là aussi. Elle partit dans la cuisine me faire une tasse de café. D'un grand geste, Mallabar me pria de m'asseoir.

« Je voudrais que vous me rendiez un service, dis-je sans perdre de temps.

— Mais bien entendu.

— Venez passer les jours prochains avec moi dans la zone sud.

— Hope, fit-il avec un peu de lassitude. Franchement, je croyais que nous...

— Non. Il y a des choses qu'il faut que vous voyez vous-même. » Je me sentais étonnamment tendue. Je me tenais, raide, au bord de ma chaise.

« Parfait, parfait. » Il s'exprimait calmement tout en me regardant avec une certaine curiosité. « Ça me fera du bien de retourner sur le terrain. »

Ginga réapparut avec le café et s'arrêta dans l'encadrement de la porte :

231

« Tout va bien ? s'enquit-elle. Hope ?

— Hope m'a demandé de passer quelques jours avec elle dans le Sud », dit Mallabar, en parlant de moi comme si j'étais un peu simple d'esprit.

Ginga approuva d'un hochement de tête :

« Bien. Excellent. Ça fait un moment que tu n'as pas été en brousse. Ça te fera du bien. »

Je passai les trois jours suivants avec Mallabar à observer les cinq survivants du groupe sud vaquer à leurs affaires quotidiennes. Il me demanda ce que Clovis avait fait à sa jambe. Je répondis que je n'en avais pas la moindre idée. Nous observâmes, nous suivîmes, nous enregistrâmes les informations sur nos feuilles de rapport et dans nos carnets de notes. Mallabar évoqua les débuts de Grosso Arvore. Il me raconta les efforts déployés par Ginga et lui pour accoutumer les chimpanzés à leur présence. Il leur avait fallu dix mois pour pouvoir s'approcher d'un chimp sans le voir s'enfuir. Il me raconta comment ils avaient passé les trois premières années de leur mariage sous une tente provenant des surplus de l'armée, et vécu des mois sans rencontrer âme qui vive. Tout d'abord je me demandai si ces réminiscences, que je n'avais pas provoquées, ne représentaient pas une série de rebuffades indirectes, s'il n'était pas en train de me rappeler gentiment qu'il avait passé la moitié de sa vie à Grosso Arvore, dans ces montagnes et ces forêts et que mes allégations mettaient en péril tout ce qu'il s'était donné pour but d'accomplir. Mais, au bout d'un moment, je me rendis compte qu'il s'agissait d'une véritable crise de nostalgie. Mallabar était d'ailleurs un compagnon fort agréable, et observer les chimpanzés avec lui me parut à la fois fascinant et instructif. Il avait une profonde intelligence de ces singes et il était rempli d'amour — il n'y avait pas d'autre mot — pour eux.

Il se souvenait de Clovis bébé. Il connaissait ses frères et savait comment sa mère était morte. Il avait vu Rita-Lu le jour de sa naissance. Il avait photographié les sclérotiques blanches de Conrad un jour où celui-ci passait la tête à travers un écran d'herbes, produisant ainsi une des plus obsédantes couvertures du *National Geographic*. Et, pour la première fois aussi, je sentis à quel point il était déconcerté et personnellement peiné par le schisme survenu dans une communauté qu'il étudiait depuis si longtemps. Pour des raisons inconnues, certains de ces chimpanzés qui s'étaient joyeusement attroupés autour de sa machine à distribuer les bananes avaient subitement perdu tout intérêt à son égard avant d'émigrer dans le Sud. Il n'avait pas revu Rita-Mae — ou SF2 comme il l'appelait — depuis plus de deux ans. Bébé Lester, il l'avouait, il ne le connaissait que par des photos. Il ressemblait au chef bienveillant d'une tribu devenue trop grande et trop compliquée à comprendre pour lui. Une tribu dont les motivations, les factions, les querelles, les allégeances et les haines étaient trop difficiles à mesurer, à sonder. Il me le confessa un après-midi.

« Tout ceci a été si surprenant, ajouta-t-il, terriblement bouleversant, à vrai dire. » Il rit : « Je n'ai tout bonnement pas réussi à saisir pourquoi ils me faisaient ça à moi. Et se retrouver confronté à son ignorance quand on croyait tout savoir — enfin, presque tout, ça vous secoue, je peux vous le garantir.

— Le roi Lear », commentai-je.

Il leva la tête vers moi :

« Seigneur Dieu ! J'espère bien que non. Quelle comparaison !

— Non, c'est simplement... ce même sentiment de surprise. Se tromper à ce point sur quelque chose. Je vois très bien ce que vous voulez dire.

— Vraiment ? » Il sourit, il pensait, lui, à autre chose. « C'est réconfortant. »

Au cours de la seconde matinée, João nous conduisit vers un ensemble de litières très au sud du Danube. Les nordistes avaient passé la nuit ici, affirma-t-il. Je compris que la colonisation entrait dans une nouvelle phase ; désormais les intrus ne prenaient même plus la peine de regagner leur territoire, le soir tombé.

« Rien de surprenant, dit Mallabar. Ils savent qu'il y a trop peu de chimps pour utiliser cette zone complètement. Ça s'est passé ainsi au moment de l'épidémie de polio. Le cœur de la zone a rétréci, les chimps sont descendus du Nord en plus grand nombre. »

Nous traversions la forêt en direction du figuier éclaté. J'espérais trouver quelques nordistes par-là. L'endroit était trop proche du Danube, désormais, pour mes sudistes. La brise qui soufflait parfois apportait avec elle l'odeur de terre mouillée annonciatrice des pluies.

Mallabar inhala longuement :

« Il pleuvra ce soir. J'adore cette odeur. » Il me jeta un coup d'œil et sourit. « Je suis ravi que vous m'ayez demandé de vous accompagner, Hope. Je referai ça tous les deux mois — passer quelque jours sur le terrain — je perds le contact. » Il continua, presque volubile, à se morigéner pour la quantité de paperasserie et de corvées administratives auxquelles il se laissait condamner. Un directeur, voilà ce qu'il lui fallait pour lui permettre de passer plus de temps dans la brousse avec les chimpanzés.

Le figuier éclaté était vide, mais les singes l'avaient quitté récemment comme en témoignait le sol couvert de fruits à moitié dévorés. Je me promenais nerveusement de long en large. Des nordistes se nourrissant sur cet arbre que j'associais si intimement à mes sudistes... Cela équivalait pratiquement à voir sa maison cambriolée. C'était là mon territoire, le mien et celui de mes sudistes ; maintenant qu'il devenait aussi celui d'étrangers, il ne me paraissait plus le même.

Le troisième jour, les nordistes attaquèrent de nouveau. Il avait plu dans la nuit, selon les prédictions de Mallabar, la forêt mouillée fumait visiblement sous le soleil, les sentiers se faisaient bourbeux sous nos pas. Nous portions des cirés légers et des bottes de caoutchouc. On entendait parfois l'écho lointain du tonnerre, mais Mallabar n'était pas encore certain, disait-il, que ce fût là le vrai début de la saison des pluies.

João avait repéré nos sudistes dans un fourré de lupus. La pluie avait fait s'ouvrir dans la nuit les fleurs pâles et poisseuses, que tous les chimpanzés broutaient, installés dans les arbres. Rita-Mae s'était étendue sur une basse branche, une jambe pendante, Lester accroupi sur son ventre. Elle semblait avoir mangé tout son saoul : de temps en temps, elle tendait le bras, cueillait une fleur et la donnait à déguster à Lester.

La forêt pleurait encore de la saucée qu'elle avait reçue. Partout on entendait, accompagnant chaque mouvement des chimpanzés, le son de l'eau s'égouttant sur les feuillages. Et, en bruit de fond, les constants grondements du tonnerre faisant cortège aux nuages nocturnes qui se déplaçaient au sud vers la côte, comme de gros meubles lourds qu'on déménage à l'étage au-dessus. Nous observions les singes dans la chaleur étouffante et moite. L'atmosphère était soporifique. Mallabar bâillait et rebâillait. C'était contagieux. Nous bâillâmes en chœur.

Mallabar se tourna en souriant vers moi et s'apprêtait à me dire quelque chose quand il fut interrompu par un vacarme dans les arbres. Pulul ou Americo — ce fut trop rapide pour que je puisse les identifier — débarqua des buissons voisins, bondit et attrapa la jambe de Rita-Mae. Dans un hurlement, elle tomba avec Lester par terre à trois mètres en dessous. Sur un autre arbre, à gauche, Sébastien et Darius pourchassaient Conrad qui s'élança témérairement d'un bras sur un arbre voisin, rata sa prise et mi-glissa mi-culbuta à travers les branches jusqu'au sol.

Entre-temps, Gaspar s'emparait de Lester par une jambe pour s'en servir comme d'un tourniquet, ce que voyant, Darius bondit pour faucher le bébé à Gaspar qui le céda sans difficulté.

Tenant Lester par les deux pieds, Darius le cogna violemment contre une souche noueuse. Je vis le crâne du nourrisson exploser littéralement sous le choc et des bouts de cervelle et d'os s'éparpiller largement. Darius fouetta ensuite deux ou trois fois le corps inerte sur un tronc avant de le lancer négligemment au loin.

Conrad et Clovis s'enfuirent en hurlant. Rita-Lu s'accroupit à moitié pour se mettre en position d'offrande tout en regardant Pulul et Americo bourrer de coups et piétiner le corps de Rita-Mae, allongée sur le ventre et méchamment assommée par sa chute, au début de l'attaque. Puis, comme à un signal invisible, les nordistes s'arrêtèrent et se rassemblèrent autour de Rita-Lu.

Darius tambourina sur un arbre et ils repartirent, de même que la fois précédente, à toute allure et en faisant un foin de tous les diables, accompagnés par Rita-Lu.

Rita-Mae n'était pas morte. Après leur départ, elle se leva, tremblante et retomba aussitôt. Elle poussa un faible ululement comme pour appeler Lester. Elle roula sur elle-même, réussit à se remettre debout une fois encore, jeta un rapide coup d'œil alentour, toujours à la recherche de Lester, puis s'enfuit clopin-clopant dans le sous-bois, derrière Clovis et Conrad.

La bataille n'avait duré que quelques minutes. Je sortis de ma paralysie et me tournai vers Mallabar. Il avait le visage livide, exsangue ; sa barbe paraissait soudain noire et rugueuse. Il mordait sa lèvre inférieure et regardait droit devant lui comme sous le coup d'un choc terrible. Je lui touchai l'épaule ; je la sentis trembler sous mes doigts.

« Merde ! jura-t-il. Bon dieu de merde ! » continua-t-il à répéter.

Je crus préférable de le laisser seul une minute ou deux et partis à la recherche du corps de Lester. Je le trouvais pendu à un buisson d'épineux. La tête n'était plus qu'un sac mou d'os et de chair en pulpe, les petits membres bizarrement déformés et brisés en de nombreux endroits. Je le décrochai et l'étendis avec soin sur le sol. Je me retournai, Mallabar s'approchait de moi.

Visiblement horrifié, il fixait des yeux le cadavre de Lester.

« Vous avez vu, dit-il d'une petite voix, ce mâle alpha, ce qu'il a fait ? Vous avez vu ? »

Je me sentis infiniment désolée pour cet homme.

« Je sais, répondis-je. C'est très choquant. Rien ne peut préparer quiconque à cette violence. Même moi.

— Que voulez-vous dire ?

— Ceci est la troisième bataille à laquelle j'assiste.

— Troisième ?

— Oui. » J'ouvris les mains en un geste d'excuse. « Eugène, voilà ce que j'essayai de vous raconter. Voilà ce qui s'est déjà passé ici.

— Déjà passé ? » répéta-t-il distraitement, comme perdu dans d'autres pensées.

« J'ai voulu vous prévenir. Mais vous... »

Il leva son poing à hauteur d'épaule, le bras replié, et s'avança d'un pas vers moi.

« Qu'avez-vous fait ici ? dit-il d'une voix fiévreuse. Que leur avez-vous fait ?

— De quoi parlez-vous ?

— C'est vous. C'est quelque chose que vous leur avez fait.

— Allons donc, Eugène, ne soyez pas stupide ! »

Il laissa retomber son bras et baissa la tête un instant.

« Je m'en veux », dit-il. Il leva les yeux. « J'aurais dû vous faire superviser. » Puis il se mit à hurler, comme un fou : « QU'AVEZ-VOUS FAIT ? QU'AVEZ-VOUS FAIT ? »

Je reculai d'un pas. J'avais senti sa bave sur mon visage.

« Je n'ai rien fait du tout, espèce d'idiot, foutu abruti ! lui criai-je, furieuse à mon tour. Je n'ai fait que les observer. » Je désignai le corps broyé de Lester : « C'est ce qu'ils font eux. Ils se tuent les uns les autres ! »

Les yeux écarquillés, Mallabar brandissait de nouveau le poing.

« Ferme ta foutue gueule ! hurla-t-il. Ferme ta foutue gueule !

— Non ! Les singes nordistes sont en train de liquider les miens. Un par un. Maintenant vous l'avez vu de vos yeux, espèce de foutu crétin, et vous... »

Il essaya de me tuer. Il me lança un coup de poing à toute volée en pleine figure. S'il m'avait touchée, il m'aurait cassé le nez. Écrasé net. Os et dents en morceaux. Mais, Dieu sait comment, je réussis à détourner brusquement la tête tout en la baissant, et son poing s'enfonça dans mon épaule. J'entendis clairement ses phalanges craquer et se briser tandis que, sous le coup, je pivotais sur moi-même et perdais l'équilibre. Je tombai lourdement par terre. Mon épaule me brûlait, cuisante de douleur. Je sentis qu'elle s'était démise. Les dents serrées, gémissante, à moitié évanouie, je regardai autour de moi, m'attendant à une autre attaque.

Un peu plus loin, Mallabar, à quatre pattes, cherchait quelque chose dans le sous-bois. Il agitait curieusement sa main droite, les doigts écartés, comme s'ils étaient mouillés et qu'il essayât de les égoutter. Il se releva, tenant un bâton dans la main gauche. Il se précipita vers moi.

« Eugène ! hurlai-je. Stop ! Pour l'amour de Dieu ! »

Je me baissai. Il me frappa en plein dans le dos. Le bâton se brisa sous le coup, mais, manié de la main gauche, il n'eut pas l'impact qu'il aurait pu avoir. Mallabar se jeta sur moi et je le repoussai violemment en le griffant au visage. En même temps, je réussis à saisir deux des doigts brisés de sa main droite et les tordis avec autant de sauvagerie que je pus en rassembler.

Il beugla de douleur et me lâcha. Je m'enfuis en courant.

Je descendis à toute vitesse le sentier menant au camp à travers la forêt ruisselante. Je crus d'abord entendre Mallabar se ruer derrière moi, mais je ne me retournai pas. Je courus pendant un quart d'heure avant de m'arrêter, pliée en deux, mon corps vaincu par l'effort. Je m'effondrai sur mes talons, ma main appuyée sur un tronc d'arbre. J'essayai de me calmer. Je sentis un cuisant battement de tambour dans mon épaule droite. Je fis glisser ma veste et déboutonnai ma chemise. La chair était rouge et déjà légèrement enflée. Un alignement de quatre ronds plus foncés gardait l'empreinte des jointures de Mallabar. Tout doucement, je fis jouer mon articulation. Très douloureuse, mais mobile.

Je me rhabillai et repartis. Je traversai le Danube et pénétrai dans le camp par la zone nourricière. J'entendis le bruit des chimpanzés à l'intérieur. Je tournai à gauche pour aller droit sur la case du recensement, passant devant le bungalow de Mallabar, les garages et les ateliers. J'aperçus une Land Rover garée là, son capot ouvert et Ian Vail, penché dessus, tripotant le moteur. Il se redressa, essuya ses mains sur un chiffon et referma le capot avec un claquement vengeur, mais satisfait. Je me souvins : c'était au tour de Ian, cette semaine, d'assurer le ravitaillement. Selon toutes prévisions, il aurait dû être parti depuis des heures.

« Salut, dit-il en me voyant approcher. Saloperie de pompe d'alimentation.

— Quand pars-tu ? demandai-je.

— Ça va, Hope ? Tu m'as l'air...

— Quand pars-tu ? » Ma voix tremblait.

« A l'instant.

— Dix minutes. Cinq minutes. Je viens avec toi. »

Je retournai à la case du recensement, jetai quelques objets de première nécessité — passeport, portefeuille, cigarettes, lunettes de soleil — dans un sac de toile. Je n'avais nullement réfléchi à ce que j'allais faire mais, en voyant Vail sur le point de partir, je compris brusquement que je voulais retrouver Usman pour parler un peu maisons de plage et avions-mouches. Je laisserais passer quelques jours avant soit de retourner affronter Mallabar, soit d'envoyer chercher mes affaires et de démissionner.

Je grimpai dans la Land Rover à côté de Ian. Les deux boys étaient déjà à l'arrière. Ian semblait surpris et soucieux.

« Écoute, Hope, es-tu sûre...

— Je te raconterai tout. Donne-moi un petit moment. »

Il mit le moteur en marche et nous démarrâmes.

« Stop ! » dis-je. Je réfléchis : « Cinq minutes encore ! »

Je sautai à terre et courus vers le bungalow des Mallabar. J'entrai et appelai Ginga. Pas de réponse. Je m'assis au bureau et griffonnai un mot :

> Eugène,
> Il faut que vous sachiez que j'ai écrit un article sur les cas d'infanticide, de cannibalisme et de massacre délibéré dont j'ai été le témoin à Grosso Arvore. Je l'ai envoyé à une revue pour publication. Je vais en ville avec Ian Vail. Je reprendrai contact d'ici quelques jours.
>
> Hope

Je le mis dans une enveloppe marquée « Confidentiel » que je posai bien en vue sur le bureau et je rejoignis Ian dans la Land Rover.

« Nom de Dieu ! s'exclama Ian avec une nuance d'effroi scandalisé dans la voix. Bon Dieu de bon Dieu ! »

Il paraissait sonné, assommé. Je venais de lui raconter tout ce qui s'était passé. Nous roulions depuis plus de deux heures. J'avais gardé le silence pendant une heure et demie, m'efforçant de me remettre.

Ian laissa échapper un grand soupir.

« Ooh ! Nom de Dieu, dit-il avec inquiétude. Ooooh nom de Dieu ! »

239

Il commençait à m'agacer. Un bon signe, pensai-je.

« Suffit, Ian, je ne l'ai pas tué. Examine un peu les choses sous leur vrai jour.

« Non, mais c'est tout trop... C'est trop à digérer d'un seul coup. Je n'arrête pas de penser au reste. Jésus ! Je veux dire, à part Eugène te tapant dessus comme ça. » Il me jeta un coup d'œil : « Les chimps. Sacrément bouleversant.

— Tu n'es pas en train de l'excuser.

— Non, non. Il est manifestement devenu fou ou je ne sais quoi. Tu as tout à fait raison de vouloir t'éloigner quelque temps. Il faut qu'il se reprenne. Tout de même. » Il secoua la tête. « Ce que ces chimpanzés ont fait...

— Écoute, personne n'a plus été surprise que moi.

— Darius, Pulul, Americo, les autres ? »

J'avais oublié que Ian pensait à eux comme à ses chimpanzés à lui.

« Oui, dis-je. Tous.

— Bordel de merde ! Tu sais ce que ça veut dire ?

— Oui.

— Le foutoir total. Il n'y a pas à tortiller. »

Je contemplai la route et sentis la fatigue me parcourir de la tête aux pieds, m'écraser, m'endormir. Mon épaule continuait à m'élancer douloureusement et une zébrure cuisante traversait mon dos à l'endroit du coup de bâton de Mallabar. Je me pliai en deux pour me masser l'épaule.

La route, légèrement ondulante, coupait droit à travers un paysage de savane broussailleuse avec l'acacia de service ici et là. Le soleil martelait le macadam, faisant disparaître le chemin devant nous dans un horizon liquide et tremblotant. A l'est, à quelques kilomètres de là, une longue mince colonne de fumée montait à l'oblique — un feu de brousse peut-être. Je scrutai la route. Au-dessus de l'horizon miroitant surgirent des taches noires déliquescentes — quatre. Comme deux fois deux points côte à côte. Qui frissonnèrent, se fondirent souplement pour former un onze, puis, à mesure que nous approchions, devinrent deux soldats debout près d'un baril de pétrole sur lequel s'appuyait une planche inclinée en travers de la route. Notre premier barrage.

Je le désignai du doigt à Ian qui, de toute évidence, continuait à songer à ses chimpanzés. Il ralentit.

Nous étions à cent mètres lorsque je vis un des hommes nous faire signe de nous arrêter. Ian changea bruyamment de vitesse pour ralentir davantage. D'autres silhouettes se pressaient sur le bord de la route.

« Ian, dis-je. Arrête-toi et fais demi-tour.

— Hope, ne sois pas stupide.

— Non, tu as le temps, arrête... Très bien, accélère... Fonce à travers.

— Tu es folle ? C'est juste un barrage à la con. »

Ian freina jusqu'à faire du surplace et stoppa à quelques mètres du baril et de la planche. Deux très jeunes et très grands soldats armés de Kalachnikov s'avancèrent vers nous. Je me sentis drainée de mon sang, comme si mes chevilles l'aspiraient. Un des soldats — guère plus que des adolescents en réalité — portait un short et de grosses bottes qui faisaient paraître ses jambes ridiculement maigres ; l'autre, le pantalon d'une tenue de camouflage. Tous deux arboraient les mêmes blousons de survêtement sportif, le capuchon rejeté dans le dos.

« Bonjour, dit Ian, le sourire détendu.

— S'il vous plaît, vous sortir. »

Je descendis lentement. Après le ronronnement du moteur, l'atmosphère paraissait maintenant étrangement calme. J'entendais les soubresauts du métal en train de refroidir et les murmures alarmés de Billy et Fernando, les deux marmitons qui voyageaient à l'arrière. Je leur jetai un coup d'œil : ils serraient leurs affaires sur leur cœur, conscients que quelque chose clochait. Mais Ian, très à l'aise, continuait à sourire. Je regardai de l'autre côté de la route. Sous un gros datura se trouvait un appentis : quatre piquets avec un toit en branches de palmier. Les autres hommes étaient là, examinant quelque chose à terre.

Un de nos gamins-soldats se retourna et fit signe au groupe sous l'arbre. Sur le dos de son blouson, je lus, imprimés en lettres rouges, les mots « Atomique Boum ». Je m'écartai de quelques pas pour avoir vue sur le dos de son compagnon. Il portait le même message.

Le reste de la bande s'approcha de nous pour nous inspecter.

241

Tous jeunes, des adolescents, accoutrés d'un étrange mélange de vêtements militaires et civils. Et tous, sauf un, inhabituellement grands, au-dessus d'un mètre quatre-vingts. Ils étaient dirigés par le petit homme dont je découvris, à mesure qu'ils avançaient, qu'il était aussi plus vieux. Sauf lui, tous arboraient le même blouson.

Le petit homme portait des jeans bleu pâle avec les revers retournés et un gilet de camouflage trop grand pour lui. Il avait une barbe, un collier mal taillé, et de vieilles lunettes très rafistolées, le genre monture foncée en haut et transparente autour de la partie inférieure. Une des branches était proprement rattachée à la charnière de la monture par du plomb de fusible. L'autre semblait de fabrication maison, taillée dans du bois.

Il fit le tour de la Land Rover pour l'inspecter et s'arrêta devant moi. Je mesurais cinq bons centimètres de plus que lui. Il avait un visage agréable, rendu plus sérieux par les lunettes, un large nez et des lèvres pleines et bien dessinées. Sa peau noire, très noire avec, semblait-il, une pointe de violet sous la surface, présentait une tache piquée de rose et de brun sur son cou et sa joue, juste sous l'oreille gauche. Une cicatrice peut-être, ou bien une brûlure.

Il me prit par le coude et me guida gentiment de l'autre côté de la Land Rover pour rejoindre Ian. Ian continuait à sourire, mais je sentais un certain malaise monter en lui. Ceci n'était pas un barrage ordinaire, il s'en rendait compte. Cette *politesse*, ces vérifications minutieuses... ces grands garçons silencieux avec leur moitié de survêtement.

« Un instant, s'il vous plaît », dit le barbu en s'approchant de Billy et Fernando. Ceux-ci s'inclinèrent vivement et touchèrent le sol d'une main. Suivit une brève conversation que je ne pus entendre, mais je vis le barbu frapper dans ses mains et faire un geste signifiant « ouste ». Il recommença et Billy et Fernando reculèrent lentement, leurs visages exprimant tour à tour l'appréhension et un soulagement incrédule. Puis ils tournèrent les talons et prirent leurs jambes à leur cou. J'entendis un moment leurs pieds nus frapper le tarmac brûlant. Nous les regardâmes s'enfuir sur la route menant à Grosso Arvore.

Le petit homme se retourna vers nous et tendit sa main que nous serrâmes dûment, d'abord Ian, puis moi. Elle était sèche et très calleuse, aussi dure qu'un vieux citron.

« Je m'appelle docteur Amilcar, dit-il. Où allez-vous ? »

Je le lui expliquai.

« Je suis vraiment désolé, dit-il, s'adressant à nous deux, mais je suis obligé de réquisitionner votre véhicule. » Son anglais était bon, son accent cultivé.

« Vous ne pouvez pas nous laisser ici, protesta Ian avec une stupide impudence.

— Non, non, bien sûr que non. Vous viendrez avec moi.

— Qui êtes-vous ? » lançai-je tout de go.

Docteur Amilcar ôta ses lunettes et se frotta les yeux comme hésitant sur le bien-fondé d'une réponse.

« Nous sommes... » Il marqua un temps. « Nous sommes UNAMO. »

MORT D'UN PROPHÈTE

Un ami d'Usman — un des autres pilotes (Hope a oublié son nom) — lui a raconté une histoire sur la guerre civile au Nigeria, la guerre du Biafra, en 1967-1970.

En 1970, le conflit avait atteint un état quasiment stationnaire, celui d'une simple guerre d'usure. Le territoire rebelle avait été réduit, mais tout progrès supplémentaire devenait atrocement lent. La guerre s'était transformée en un siège. Une impasse. Puis, soudain — racontait cet homme — ce fut terminé en quelques jours, à une vitesse que personne n'aurait pu prévoir.

Après la guerre, on donna l'explication de cet effondrement des forces rebelles. L'armée biafraise, surpassée en effectifs et en armement, s'était battue avec la ténacité du désespoir, en sachant sa cause perdue. Ce zèle et ces efforts résultaient de la superstition. La majorité des officiers se trouvaient sous l'influence de prêtres spiritualistes. Ces prêtres, ou « prophètes » s'intégraient si bien dans la structure de l'armée que nombre d'entre eux étaient officiellement attachés à des unités. En 1970, ils jouissaient d'une telle influence que les officiers refusaient de donner l'ordre d'attaquer ou de mener leurs hommes au combat à moins que les prophètes ne le jugent opportun. Des commandants abandonnaient régulièrement leurs unités sur la ligne de front pour assister à l'arrière à des réunions de prières organisées par les plus célèbres prophètes.

Le général Ojukwu, chef du régime biafrais, comprit qu'il était sur le point de perdre totalement le contrôle de son armée et tenta de réduire l'influence des spiritualistes. Sa première mesure fut d'arrêter un des prophètes les plus populaires et charismatiques, un Mr. Ezenweta, et de l'accuser de « meurtre par procuration ». Un tribunal militaire déclara coupable l'homme, qui fut promptement exécuté.

Le moral de l'armée biafraise s'effondra totalement et sur-le-champ. Les soldats refusèrent carrément de se battre et choisirent soit de s'enfuir, soit de s'écarter sur le chemin de l'armée nigériane stupéfaite qui avançait sans rencontrer d'opposition et occupait ville après ville sans tirer un coup de feu, fusil à l'épaule, chantant à tue-tête de soulagement. C'est l'exécution d'un prêtre fétichiste pour meurtre par procuration qui fit perdre la guerre aux Biafrais. La mort de Mr. Ezenwata annonça celle de son pays.

En mécanique, les systèmes qui perdent de l'énergie à la friction sont appelés dissipatifs. Dans la plupart des systèmes, cette perte est graduelle, mesurable et prévisible. Mais il existe d'autres systèmes dissipatifs, irréguliers et désordonnés. Si vous considérez la vie comme un système dissipatif, vous comprendrez ce que cela veut dire. Le système le plus dissipatif qu'on rencontrera jamais est la guerre. Elle est violemment inégale et complètement imprévisible.

Le matin après le coup de téléphone de Bogdan Lewkovitch, Hope reçut une lettre de John. Elle s'aperçut immédiatement que son écriture était différente, penchée en avant à l'excès, difficile à lire.

Hope chérie,
Pardonne ce déluge de lettres, mais ça aide, ça aide vraiment de mettre les choses noir sur blanc. Plutôt que de continuer à

embrouiller sans fin des pensées confuses dans des mots à demi réfléchis. Ça aide vraiment.

Je suis bien ici, et pour la première fois les toubibs font quelque chose pour moi. Ce n'est pas très marrant, mais ça marche et c'est certainement là le principal. Aller mieux après une maladie n'est pas censé être « marrant ». Le marrant viendra quand on sera mieux, pas pendant qu'on s'y applique. Et on s'est bien marrés, n'est-ce pas, petite chérie? Tu te rappelles l'Écosse? Tu te rappelles ce drôle de petit gars qui nous bombardait de cailloux au moment où nous passions à bicyclette et à qui tu as crié que s'il recommençait tu lui couperais les couilles? Ça lui en a bouché un coin.

Mais, en fin de compte, « se marrer » n'est pas suffisant. Il y a la rigolade et il y a le travail. Et je comprends maintenant — ou du moins les toubibs m'aident à comprendre — que mon problème depuis quelques mois, c'est que j'ai été masqué de mon travail. Par une sorte d'écran, comme un rideau de gaze, entre moi et ce que j'essaie d'accomplir dans mon domaine. Et qui m'empêchait d'y voir clairement. Je suis désolée de dire, ma chérie, que tu étais cet écran. Tu étais l'ombre entre la lumière et moi. C'est pour ça que j'ai couché avec Jenny L., tu comprends, je ne le savais pas, mais j'essayais de t'écarter du chemin. De déchirer l'écran. J'ignorais qu'il fût là, à l'époque, bien entendu. Les toubibs m'aident à comprendre ces choses maintenant. A comprendre pourquoi j'ai agi comme je l'ai fait.

En tout cas, c'est la raison pour laquelle nous devions nous séparer, de façon à ce que mon horizon ne soit plus obscurci. Je voyais où j'étais censé aller, mais pas clairement et c'était cela qui était frustrant et me rendait malade. La clarté de vue est essentielle dans mon champ d'études. On ne peut pas faire de mathématiques dans la brume. (Dans quel genre de paysage suis-je avec mes champs de brume? Tu vois ce que je veux dire!)

Ce que j'espère ici, c'est le retour de la clarté — et elle revient. Je recommence à faire du bon travail. Quand elle sera complètement revenue, les toubibs disent que ce sera différent et que tu ne cacheras ni n'obscurciras plus ma route. Alors nous pourrons revivre ensemble. Et, après ce traitement, les toubibs disent qu'il y aura ce médicament épatant qui garderont mes yeux vifs et en face des trous.

Viens me voir. Je vais bien. Je vais mieux. Je suis à l'hôpital neuropsychiatrique de Halmiton Clare, à Wimbledon. Appelle mon toubib, Doc Phene, et il te dira quand venir.

Con amore
John.

245

Le portail de Hamilton Clare rappela tout d'abord à Hope l'entrée d'un crématorium. Mais au-delà des murs bas couleur crème, et leurs bordures bien soignées de géraniums, de vastes pelouses et des bouquets de peupliers donnaient davantage l'impression du campus d'un Institut de pédagogie ou d'une école secondaire modèle.

Les bâtiments de l'hôpital, édifiés dans les années cinquante en brique gris pâle, étaient d'une laideur résolument uniforme, chaque fenêtre de la même taille. Ils auraient pu aussi bien abriter une caserne ou des bureaux administratifs. Vus de plus près, ils faisaient déjà piètre figure, avec leurs murs tachés par l'humidité de sombres guirlandes et zébrures, pareilles au camouflage d'un cuirassé.

A l'intérieur, des couleurs plus vives et des gravures représentant des vues de Londres égayaient les murs, mais les omniprésents angles droits et les plafonds bas maintenaient à l'atmosphère des lieux leur raideur institutionnelle. Le moral de Hope, déjà plutôt bas, sombra un peu plus sous l'effet de Hamilton Clare. Assise sur une chaise dure devant le bureau du Dr Phene, attendant d'être reçue, elle commença à regretter, égoïstement, d'être venue.

Au bout du fil, Bogdan Lewkovitch lui avait raconté que John ne s'était pas montré au collège depuis trois jours. Il ne répondait pas au téléphone et, un membre de la faculté étant allé frapper à la porte de son appartement, John lui avait crié des obscénités.

On appela un médecin et on enfonça la porte. On trouva John très « agité », déshydraté et mourant de faim. Bourré d'amphétamines, il n'avait ni mangé ni fermé l'œil depuis plus de soixante-douze heures. L'appartement était dans un état de grand désordre pour ne pas dire de saleté, ajouta Bogdan, diplomate. Transporté au Charing Cross Hospital, John, mis sous perfusion de sérum physiologique, dormit vingt-quatre heures.

Il s'était rétabli très vite et paraissait complètement normal. Après s'être excusé profusément auprès de ses collègues pour l'embarras qu'il leur avait causé, il informa tout un chacun qu'il prenait deux semaines de congé de maladie, puis confia en secret à Bogdan qu'il entrait volontairement en clinique psychiatrique pour s'y faire soigner.

Richard Phene était plus jeune que Hope ne s'y attendait. Elle avait imaginé des cheveux gris un peu trop longs, un visage étroit, un nœud papillon et un costume bleu marine à raies trop larges. Comment cette vision du médecin de John s'était installée dans son esprit, elle n'aurait su le dire.

Les cheveux de Phene grisonnaient, mais ils étaient courts et séparés par une raie bien nette. Hope lui donna la quarantaine, mais il avait le teint frais d'un adolescent et une peau à peine ridée. Il parlait d'une voix incroyablement basse et guindée, presque sans bouger les lèvres, ce qui contraignait Hope à se pencher en avant sur sa chaise afin de pouvoir entendre ses mots, retenant sa respiration pour que le léger bruit ne les étouffe pas.

« Votre époux, chuchota-t-il, est manifestement maniaco-dépressif. Mais le grand avantage, de notre point de vue, est qu'il le reconnaisse. C'est la moitié de la bataille. Il a demandé au Dr Fitzpatrick...

— Qui est le Dr Fitzpatrick ?

— Son psychiatre. » Dr Phene contempla le visage ahuri de Hope : « Vous ne saviez pas ? » Il enregistra cette ignorance avec une petite toux et un bref examen de son buvard immaculé. Il reprit :

« John est un patient du Dr Fitzpatrick depuis plusieurs semaines. Il — John — a demandé au Dr Fitzpatrick de le faire admettre ici pour un traitement. John a décidé lui-même de ce traitement — ce qui est immensément encourageant. Immensément.

— Et de quel traitement s'agit-il ?

— Une série d'électrochocs.

— Vous plaisantez.

— Je vous demande pardon ? » Phene était offensé. Il ne plaisantait pas, Hope le comprit.

Elle entendit un bruit de course précipitée dans sa tête,

comme un train. Elle reprit : « Je pensais...Je pensais que ça ne se faisait plus de nos jours. »

Phene se renfonça sur son siège et considéra avec sérieux cette observation, comme s'il dirigeait un débat sur la psychothérapie moderne. « Cela est moins commun, il est vrai. Mais cela a ses partisans. Je dois convenir que même s'il ne figure pas au répertoire de la pratique clinique contemporaine », il produisit un petit sourire pincé, « dans certaines circonstances spéciales, nous sentons que ce traitement peut être salutaire. Surtout si le patient le réclame.

— Même si le patient est un maniaque dépressif ? »

Dr Phene sourit d'un air chagrin.

« Mrs. Clearwater, " maniaque dépressif ", je le sais, sonne grave. Mais la folie prend plusieurs formes, douces et violentes. Certains, parmi les gens les plus lucides et les plus charmants que j'ai connus étaient des maniaques dépressifs... » Il pouffa au souvenir d'une personne lucide et charmante.

« Et si je m'oppose au traitement ?

— Sans vouloir vous offenser, je ne crois vraiment pas que vous le puissiez. Si j'ose dire. »

Dr Phene s'arrêta un instant devant la porte de la chambre de John.

« Je dois vous informer, commença-t-il d'une voix encore plus douce, que John, euh, a subi un traitement ce matin. Il pourra vous paraître un peu désorienté, vague... » Il mima une séparation du bout de ses doigts serrés. « Un peu de perte de mémoire ? Mais cela s'atténue, en temps voulu.

— Comme c'est rassurant. »

Elle le vit décidé à tolérer son ironie. Il lui montra la porte d'une paume plate et propre. « Entrez, pas besoin de frapper. Si... » Il marqua une pause. « Si vous désirez parler ensuite, venez me voir. »

Il la quitta.

Hope contempla fixement la porte durant quelques secondes puis elle frappa et entendit le « Entrez » surpris de John. Elle ferma les yeux, les rouvrit, se força à sourire et tourna la poignée.

Il était assis à un bureau dans une chambre de style et décor catégorie motel de luxe. Des murs de jute gris pâle, des rideaux orange à motifs « modernes », des meubles de pin poli. Il se leva d'un bond en la voyant et, à son grand soulagement, Hope le trouva inchangé. Il lui posa un baiser sur la joue, la serra dans ses bras, puis il lui offrit une chaise. Ils bavardèrent un moment, en tournant un peu en rond, des progrès qu'il faisait, et de la sagesse — ils en étaient tous les deux convaincus — de la décision de John d'entrer à Hamilton Clare. Absolument.

Tout en parlant, Hope l'examinait de plus près. Elle remarqua qu'il paraissait plus pâle, et qu'il avait aux tempes un petit reflet graisseux. Il semblait cligner des yeux à un rythme plus rapide que la normale.

« Comment est-ce ? dit-elle, l'interrompant brusquement. Ça fait mal ? »

John sourit.

« Non, non. Pas du tout. » Soudain, il semblait plus détendu. « Aucune odeur de chair brûlée, non plus... Ça ressemble... Tu as un bruit dans la tête, une sorte de vagissement perçant et tu as l'impression qu'on te secoue violemment. Une vibration majeure, tu vois. J'ai juste une paire d'électrodes ici. » Il toucha ses tempes. « On te passe une pommade au graphite. On peut te les mettre n'importe où, je crois, si on veut. Mais je ne les ai que sur les tempes.

— Johnny, j'ai simplement le sentiment que...

— Non vraiment. Ça aide. Je sais que ça a un côté inquisition. Torture, martyre, et le reste. Mais ça fait seulement tout... » Il écopa l'air de ses mains. « Pétiller. Je me sens tellement mieux qu'avant. » Il bâilla. « Mais ça me rend un peu pompette, pour une heure ou deux.

— En tout cas, tu as bonne mine, dit-elle, se forçant à l'enjouement. Tu t'es fait couper les cheveux ? Tu parais plus mince. »

Ils continuèrent à deviser. Après les électrochocs, expliqua John, on voulait le mettre au lithium, pour le stabiliser. Il lui

249

tardait d'être au lithium, c'étaient ses changements d'humeur qui le flanquaient par terre. Hope se rendit compte qu'il ne voulait parler que de lui, de sa maladie, de ses pronostics.

« J'ai pensé que je descendrai peut-être à Knap pour quelque temps, dit-il. Me remettre sur pied. »

Non, pensa-t-elle. Non, tu ne viendras pas. Je ne te veux pas là-bas. Puis elle eut honte.

« Bien sûr, il faut », répliqua-t-elle, prise d'une faiblesse. Elle pensait : je croyais que nous étions censés être séparés. Je ne veux pas...

« Les toubibs croient que ça pourrait être utile.

— S'il te plaît, ne les appelle pas les " toubibs ", Johnny.

— Oh ! OK. » Il parut peiné. « Désolé. Dr Phene pense que j'aurais besoin d'un peu de paix et de tranquillité.

— Bien sûr. » Elle fit un effort. « Parfait. Il y a de la paix et de la tranquillité à revendre à Knap. Ça ne manque pas. Les balades le long du lac et le reste.

— Du lac ?

— Le lac devant le vieux manoir... là où tu as creusé tes tranchées. »

Il tira sur les commissures de ses lèvres tout en réfléchissant.

« Un lac ? dit-il. Tu es sûre ? Je ne me souviens pas d'un lac. »

ÉLECTROCHOC

J'aime aussi la plage par mauvais temps. Les vagues s'abattent sur le sable en le martelant, les pins et les palmiers oscillent et fouettent. Les noix de coco frappent le sol avec le bruit d'un maillet de bois sur un pavé. Doux et dur, à la fois. Je fais mes plus longues promenades dans un vent et une pluie pareils, à cinq kilomètres d'ici, jusqu'à l'endroit où commence la crique aux palétuviers, là où le limon du Cabule donne à l'eau verte une curieuse teinte mauve. Puis je repars vers la maison. Au large, d'énormes orages statiques clignotent et palpitent, trop loin pour que j'entende le tonnerre.

La théorie à l'origine du traitement par électrochocs, c'est que le comportement psychopathique est causé par des circuits aberrants dans le cerveau. En soumettant celui-ci à des chocs électriques de 70 à 150 volts, on provoque des contractions musculaires dans le cortex qui dérangent les circuits psychopathiques et permettent à des circuits plus sains de prendre le dessus. Au cours du traitement, le patient peut uriner, déféquer ou même éjaculer spontanément. Les effets secondaires éventuels incluent panique, peur, perte de mémoire, changement de personnalité et mauvaise concentration.

Il n'existe pas d'explication satisfaisante sur la manière dont la théraphie par électrochoc fonctionne. En termes médicaux, le traitement demeure « empirique ».

Ian et moi nous assîmes à l'arrière de la Land Rover en compagnie de sept des soldats-enfants. Nous nous faisions face, coincés contre la paroi de la cabine, à l'opposé du hayon ouvert sur un carré ocre et cahotant du paysage en fuite. Par la vitre de la cabine, j'apercevais Amilcar au volant. J'étais à l'étroit, inconfortable, et j'avais très chaud. Nous roulions sur une piste de terre battue et nous rebondissions dans les ornières et autres nids de poule. J'ignorais totalement où nous allions : nous avions remonté sur quelques kilomètres la route de Grosso Arvore, avant de prendre cette piste qui paraissait nous mener en gros vers le nord-est. Amilcar avait une carte dépliée sur ses genoux, mais je ne pouvais distinguer aucun détail à travers le carreau sale.

Nos jeunes compagnons ne se parlaient pas beaucoup entre eux. Ils arboraient des mines graves et solennelles et ne s'adressaient que des remarques brèves et précises. Ils n'étaient pas tous armés : ils ne possédaient que cinq Kalachnikov pour neuf. L'un d'eux avait un bras bandé et ils paraissaient tous fatigués. Ils me rappelaient une photo que j'avais vue, un jour, d'un groupe de passagers sauvés d'un navire en perdition ou d'un hydravion, en botte, trempés, pelotonnés sous des couvertures, épuisés, visages immobiles et yeux baissés, sans aucune trace de joie délirante, tous abattus par l'épreuve qu'ils venaient de subir dans l'eau. Ces garçons donnaient l'impression d'avoir connu pareille expérience. Peut-être était-ce la raison pour laquelle ils se conduisaient envers nous avec une telle correction. Je n'arrivais pas à croire que nous fussions des otages : nous étions plutôt traités en invités.

Je jetai un coup d'œil à Ian en face de moi. Il semblait contrarié, préoccupé et se mordillait nerveusement les lèvres. Des particules blanches de salive sèche ornaient le coin de sa bouche. Je croisai son regard et lui fis un petit sourire. Il hocha brièvement la tête, puis détourna les yeux.

Je changeai de position et me cognai contre le garçon sur ma droite, celui en short et grosses bottes qui nous avait fait signe d'arrêter. Sa maigre cuisse brune se pressait contre la mienne. Ses longs doigts délicats se refermaient sur le vert-de-gris écaillé et rayé du canon de sa Kalachnikov. Il me fit un petit sourire d'excuse et intima à son voisin de se pousser. Le rang se déplaça et se recomposa. Je gagnai trois ou quatre centimètres d'espace.

Je m'examinai, analysai ce que je ressentais. Mon épaule me faisait encore mal, mais je n'avais pas peur. J'étais tendue, certainement pas à l'aise, pourtant ces garçons dégingandés, leurs armes rationnées et le minuscule Dr Amilcar ne m'effrayaient aucunement.

Je regardai de nouveau Ian. Penché en avant, les coudes sur les genoux, tête baissée, il offrait l'image même d'un homme très atteint. Dr Amilcar n'avait pas mentionné une seule fois les mots « otage », « prisonnier » ou « enlèvement ». En un sens ce refus de nous classer diminuait mon inquiétude. J'avais l'étrange certitude que nous demeurerions sains et saufs. Je songeai à Mallabar, brièvement. Aux événements dans la forêt ; à ce qu'il avait tenté de me faire. D'une certaine manière, il était responsable de mes ennuis actuels. Si je ne m'étais pas enfuie du camp... Si la Land Rover de Ian n'avait pas été retardée au départ... Les « si » remontaient le long de ma vie jusqu'au jour de ma naissance, traçant ma route personnelle à travers les bifurcations du hasard et du caprice, mes sélections, voulues ou non, sur l'éventail des alternatives et des choix infinis qu'offraient le monde et son temps. Je ne pouvais que difficilement blâmer Mallabar.

Nous continuâmes à rouler encore deux heures sur une succession de petits chemins de brousse. La terre était sèche et décolorée, la surface des pistes friable et poudreuse. Souvent, la vue à l'arrière n'était rien qu'un écran opaque de poussière kaki. J'estimai que, du ciel, nous devions être visibles sur des kilomètres, traînant ce panache — cette trace nébuleuse — derrière nous. Je pensai soudain à Usman, Usman à bord de son Mig dans les hauteurs bleu pâle du firmament, abaissant les yeux sur ce coin d'Afrique pour apercevoir notre sillon de poussière rouge grignotant peu à peu le paysage...

Je souriais en mon for intérieur tandis que nous progressions dans les secousses et les cahots — Amilcar conduisait aussi vite qu'il le pouvait — et que la sueur ruisselait le long de mes côtes sous ma chemise. Je me cognai tantôt à l'épaule tiède et souple du garçon sur ma droite, tantôt à la dure paroi de la cabine sur ma gauche tandis que nous roulions et tanguions à l'unisson. Ian Vail leva la tête et croisa mon regard. Il avait les traits tirés d'un homme qui n'a pas dormi et ses lèvres, très sèches, commençaient à se fendiller.

« Ça va Ian ? » m'enquis-je.

Il me fit un signe de tête affirmatif. Je voyais sa langue remuer derrière ses joues, essayant d'extraire de ses glandes taries un peu de salive lubrifiante.

« On s'en sortira, dis-je. J'en suis sûre. »

Ian refit signe que oui et baissa la tête.

A notre arrivée, nous avions roulé plus de quatre heures. Les garçons s'extirpèrent tout raides de la cabine et se rassemblèrent pour une consultation avec Amilcar. Nous reçûmes la permission de descendre à notre tour. Je frottai mes fesses meurtries, m'étirai et tapai des pieds. Je me sentais curieusement sereine, distanciée de ce qui m'arrivait, comme si je profitais de chaque minute, chaque seconde pour observer les événements sans passion et en tirer toute information utile.

Ian, je le voyais bien, occupait, dans cette affaire, un pôle contraire. Pour lui, chaque minuscule division du temps qui passait l'accablait d'un poids supplémentaire, un rappel encombrant de son épreuve, un fardeau croissant de danger et de souffrance en puissance. Il semblait voûté, privé de parole, soudain plus petit, plus frêle, consacrant tous ses efforts à maintenir le fonctionnement des composants clés de son corps — cœur, poumons, circulation du sang, musculature. Tout ce qui lui importait à présent, c'était de ne pas s'effondrer.

Amilcar nous conduisit à l'ombre d'un petit manguier et nous invita à nous asseoir, avec courtoisie et fermeté. Nous nous installâmes par terre en lotus, avec deux garçons pour nous garder et nous le regardâmes grimper à bord de la Land Rover et repartir en compagnie des autres.

Quelques mouches bourdonnaient autour de nous. Je levai la tête vers le cœur de l'arbre au-dessus de ma tête, mais m'aperçus qu'il ne portait pas le moindre fruit. J'aurais bien aimé manger une mangue, mordre à pleines dents la chair jaune juteuse. Ce n'était pas, hélas, encore la saison. Après les pluies, sans doute, à supposer qu'elles viennent jamais. Mon estomac gronda et je sentis ma faim rôder en moi comme un animal.

J'examinai la campagne, histoire de détourner mon attention de mon appétit. Nous avions quitté la savane et nous trouvions à présent sur un terrain plat couvert de buissons et de forêt clairsemée. La piste que nous avions empruntée était ancienne et en partie envahie par la végétation. Je ne voyais pas de montagnes à l'horizon, seulement une brume laiteuse. Les pentes vertes de l'escarpement de Grosso Arvore étaient très loin. Ici, il faisait plus chaud et plus humide aussi. Si nous continuions vers le nord ou le nord-est, raisonnai-je, essayant de me rappeler la géographie du pays, nous atteindrions bientôt les myriades de cours d'eau, affluents du Musave sur la rive gauche duquel se trouvait la frontière. On trouvait tout autour des forêts denses et des hectares de marais et de mangroves. Une carte de détail que j'avais vue un jour montrait une masse tourmentée de criques envasées et de lagons en impasse, de bras morts et de bancs de boue...

J'essayai de me remémorer d'autres informations. Il y avait eu un début d'exploration pétrolière dans le delta, je crois, avant la guerre civile. Et une politique de reconversion des pêcheurs locaux en producteurs de riz ; on avait à cet effet asséché des marais, détournés des rivières, installé des systèmes d'irrigation. De toute façon, ce qui avait été accompli avait dû être détruit par la guerre. Je crus me rappeler aussi qu'en amont du Musave une compagnie belge exploitait une immense mine de cuivre.

Les territoires du Musave constituaient la source principale des forces UNAMO et les jungles épaisses et les voies fluviales encombrées de palétuviers du fleuve formaient le cœur de la zone rebelle. J'examinai nos deux gardes. Ils avaient la peau foncée, de longs cous et de petites têtes rondes. Les gens de la région du fleuve étaient d'une origine ethnique différente du reste du pays, et de religion chrétienne aussi, si j'avais bonne mémoire.

Je me sentais frustrée, fâchée avec moi-même. UNAMO... Qui étaient-ils ? Quels étaient leurs objectifs ? Alda ne racontait-il pas qu'ils avaient été vaincus par une alliance de l'armée fédérale et de FIDE ? Il y avait eu une grande bataille, disait Alda — voici des années, semblait-il. Qui donc était Dr Amilcar et où nous emmenait-il ? S'agissait-il ici d'un reste de forces UNAMO en déroute ou bien d'une sorte de colonne mobile, une unité dissidente ?

Ian me tapota le bras :

« J'ai besoin de pisser, annonça-t-il.

— Eh bien... » Un ondulement d'irritation me traversa. Que voulait-il que *moi* j'y fasse ? « Pourquoi ne demandes-tu pas aux garçons ? »

Il me regarda comme si j'étais devenue folle.

« Les *garçons* ? Merde... » Il se leva et leur indiqua son problème. Ils ne le laissèrent s'éloigner que de quelques pas. Ian tourna vers moi sa figure angoissée.

« Vas-y ! dis-je, l'encourageant. Pour l'amour du ciel, Ian ! »

Il urina, tête baissée, sa pisse crépitant sur le tapis craquant des feuilles de manguier sèches. Il frissonna et boutonna sa braguette. Il revint s'asseoir en silence, le visage déformé par l'embarras.

« Il va falloir qu'on s'habitue, dis-je pour le consoler. Il faut que nous soyons plus... détendus l'un avec l'autre.

— Je sais. » Il tendit sa main pour presser la mienne. « Merci, Hope. Je suis désolé. Cette... Ça m'a plutôt coupé bras et jambes. Je suis si... » Il s'interrompit. « Je vais me ressaisir.

— Je ne crois vraiment pas qu'ils veuillent nous faire du mal, le rassurai-je. Ce ne sont que des mômes.

— Ce sont les mômes qui sont les pires, répliqua-t-il avec violence. Ils s'en fichent. Ils se foutent complètement de ce qu'ils font. » Il tremblait, sa voix réduite à un chuchotement rauque.

« Sûrement pas cette bande-là.

— Regarde ce qu'ils ont d'écrit sur leurs putains de blousons ! *Atomique Boum*. Qu'est-ce que ça signifie, nom de Dieu ? Une sorte de commando ? Un escadron de la mort ? » Il commençait à paniquer.

« Écoute, je t'en prie ! » Je me levai. Les deux garçons se reposaient à la frange de l'ombre du manguier. Leurs armes par terre, nous tournant à moitié le dos, ils bavardaient paisiblement entre eux. Je m'approchai.

« Où est-il parti, Dr Amilcar ? » demandai-je. Ils se parlèrent brièvement dans une langue que je ne reconnus pas. Je soupçonnais qu'un seul savait l'anglais. Sous chaque œil de celui qui m'avait compris, je remarquai trois petites entailles verticales — des marques tribales.

« Pour gasoline, dit-il. S'il vous plaît, vous vous asseoir. »

Je pointai mon index sur le blouson de gym de son compagnon.

« Qu'est-ce que ça veut dire ? *Atomique Boum*.

— Volley. » Il sourit.

« Pardon ?

— C'est notre jeu. On joue au volley-ball. Nous sommes l'équipe des Atomique Boum.

— Ah ! »

Je sentis un drôle d'effondrement dans mes entrailles, un creux qui me donna envie de rire et de pleurer en même temps.

« C'est un bon jeu », dis-je. Perdus en Afrique, prisonniers d'une équipe de volley-ball en armes.

« Très bon », renchérit-il.

Puis l'autre prononça quelques mots sur un ton sévère. Le garçon aux yeux marqués sourit avec l'air de s'excuser et me fit

256

signe de retourner à ma place. Je rejoignis Ian. Ian l'angoissé. « Relaxe, lui dis-je. Nous avons été capturés par une équipe de volley-ball. »

Dr Amilcar revint au bout d'une heure et demie. Nous regrimpâmes tous à l'arrière de la Land Rover pour découvrir que nous devions partager la place avec cinq jerricans d'essence. Nous étions beaucoup plus à l'étroit. On redémarra une fois de plus, toujours en direction du nord.

Nous fîmes halte avant le coucher du soleil pour dresser notre camp. Les garçons allumèrent un petit feu et préparèrent une sorte de porridge granuleux, gris jaunâtre, d'un goût fadasse, farineux. Je liquidai le mien avec un certain enthousiasme. Ian commença, mais fut contraint d'aller déféquer derrière la Land Rover. Les intestins bloqués, je souffrais d'une constipation rassurante. Mais j'allais uriner, simplement pour montrer à Ian que je partageais son inconfort. Je m'éloignai un peu dans la brousse, accompagnée par un des garçons qui demeura discrètement à quelques mètres en arrière dans la nuit tombante tandis que je baissais mon pantalon puis ma culotte et m'accroupissais derrière un buisson, sentant les tiges d'herbe sèche me gratter les fesses. A mon retour, Ian me demanda bêtement avec beaucoup de sollicitude si j'allais bien.

Tout au long de la journée, Amilcar s'était ostensiblement tenu à l'écart, ne nous adressant que rarement la parole. Après notre repas, il vint vers nous avec, sous le bras, deux couvertures qu'il nous donna. Puis il ôta ses lunettes et les essuya avec un bout de peau de chamois. Il avait de petits yeux, aux paupières un peu tombantes et, sans ses besicles, il paraissait plus innocent, son collier de barbe devenant soudain plus une affectation qu'un autre symbole de son intellect.

Il s'assit par terre, les jambes croisées, en face de nous.

« J'ai un problème ce soir, annonça-t-il d'un ton raisonnable. Mes jeunes ont besoin de dormir — ils sont épuisés. Je ne peux donc pas vous faire garder. Mais », il marqua un temps d'arrêt, « je ne tiens pas particulièrement à vous ligoter.

— Je vous promets que nous ne chercherons pas à nous évader, répondis-je aussitôt. Vous n'avez pas besoin de vous inquiéter.

— Hope ! me réprimanda Ian, la voix aiguë d'indignation.

— Allons, Ian ! » m'écriai-je, exaspérée par son attitude. Je désignai la brousse d'un geste. Noire comme un mur, grouillante de bruits d'insectes. « Tu vas t'enfuir là-dedans ? »

Amilcar nous regardait nous chamailler.

« Vous pourriez fuir, intervint-il. Je ne me lancerais pas à votre recherche. Je pense que vous mourriez.

— Nous ne fuirons pas, dis-je.

— Pourquoi nous avez-vous kidnappés ? demanda sèchement Ian. Nous n'avons rien à faire avec quiconque. Le gouvernement, UNAMO, personne. »

Je sentis qu'il était temps de montrer ma solidarité avec Ian et j'ajoutai donc, glaciale :

« Oui. Exactement. »

Amilcar avança ses grosses lèvres, tout en réfléchissant.

« En fait, dit-il lentement, je ne sais pas. Peut-être aurais-je dû vous laisser sur la route. » Il caressa sa barbe. « Peut-être ai-je pensé que si nous rencontrions des troupes fédérales, vous me seriez utiles... » Il haussa les épaules. « Quand nous arriverons au front, je vous laisserai probablement partir. »

Je regardai Ian comme pour lui dire : tu vois ?

Amilcar resta à bavarder avec nous. Il était d'humeur loquace et nous parla très franchement des événements et de ses plans.

Après les durs combats de Luso, il avait été coupé du gros des forces d'UNAMO dans le Sud. Plutôt une succession d'escarmouches qu'une bataille, précisa-t-il. Personne ne pouvait prétendre à une victoire. Les Atomique Boum et lui avaient employé les dernières semaines à regagner laborieusement leur base. Nous nous dirigions sur les territoires du Musave, bien plus vite maintenant grâce à la Land Rover. C'était encore un trajet difficile. L'enclave UNAMO dans les territoires du Musave était en ce moment attaquée par deux colonnes de troupes : l'armée fédérale et des unités de FIDE.

« Et EMLA ?

— Ils sont dans le Sud, loin au sud. FIDE pensent que s'ils

258

nous liquident dans le Nord, ils pourront ensuite retourner au sud avec les fédéraux et liquider EMLA.

— Et c'est vrai ?

— Non. Mais peut-être attaqueront-ils EMLA plus tard dans l'année. Ça m'est égal. Je ne me soucie que d'UNAMO. Les autres ne valent pas un clou. Tout le monde les paye — l'Amérique, la Russie, l'Afrique du Sud. Seul UNAMO est indépendant. Sincèrement.

— Mais après Luso ?

— Là, ils nous ont un peu surpris. Par conséquent, nous nous replions pour aller nous réarmer et nous rééquiper. » Il nous fit un large sourire qui découvrit ses dents : « *Reculer pour mieux sauter.* Vous comprenez ? »

Je le complimentai sur son français. Il m'adressa alors plusieurs phrases dans cette langue et je me rendis compte qu'il la parlait couramment. Je m'avouai vaincue et me sentis idiote. Amilcar nous raconta qu'il avait suivi trois ans les cours de la faculté de médecine de Montpellier avant d'aller terminer ses études à Lisbonne sur la bourse d'État qu'il avait gagnée.

« Mais je suis revenu ici dès le début de la guerre, poursuivit-il. Sans pouvoir finir mon internat. » La déception se lut un instant sur son visage. Il avait organisé des hôpitaux de campagne pour UNAMO durant deux ans avant que des pertes constantes aient nécessité sa propre incorporation dans l'armée de guérilla.

« Je suis resté six mois à Musumberi, dit-il. Vu le nombre de réfugiés, nous avions une école. Quand je ne travaillais pas à l'hôpital, je servais d'entraîneur à ces garçons. » Il désigna d'un geste les jeunes à présent tous enroulés dans des couvertures autour des cendres chaudes du feu. « Mon équipe de volley-ball. Ce sont de bons joueurs. » Il se tut, puis reprit : « Mais maintenant ils sont fatigués. Et déprimés. Deux de leurs camarades ont été tués il y a trois jours. Nous avons été surpris dans un village et, pendant que nous nous enfuyions... » Il n'acheva pas sa phrase. « C'est une équipe, vous comprenez ? Et ces garçons sont les premiers que nous ayons perdus. »

Il se tut, pensif, tout en émettant des petits claquements de langue. Il leva la tête et nous regarda.

« C'est une erreur. De vous avoir emmenés. Je suis désolé. Mais maintenant il faut que vous restiez, juste quelques jours.

— Eh bien... » Je m'apprêtais à formuler une phrase de consolation, mais je jetai d'abord un coup d'œil à Ian. Son visage crispé respirait la colère et la frustration.

« Vous travaillez tous deux à Grosso Arvore ? s'enquit Amilcar. Avec les singes ?

— Les chimpanzés. Oui, répondis-je.

— Avec Eugène Mallabar ?

— Oui.

— Un grand homme. Il a été un grand homme pour ce pays. » Amilcar agita son petit doigt vers nous : « Alors vous êtes tous deux docteurs ?

— Oui.

— Ès sciences, dit Ian, avec un pédantisme cassant.

— Nous sommes donc trois docteurs », pouffa Amilcar. Manifestement, il trouvait la situation très amusante. « Ici, dans ce bout de forêt, nous voici trois docteurs. » Il se leva. « Je ne vous ligoterai pas. Si vous voulez partir, vous partez. »

LA MINONETTE

En 1895, dans le Massachusetts, un homme appelé William G. Morgan inventa un jeu du nom de Minonette. Le seul équipement requis était une corde tendue en travers d'un gymnase, d'une cabane ou d'une grange et la vessie gonflée d'un ballon de basket. Deux équipes, de part et d'autre, se renvoyaient le ballon. On marquait ou perdait des points chaque fois que la vessie touchait le sol. Il était interdit d'attraper, de lancer ou de cogner la balle. N'importe qui — jeune ou vieux, en forme ou pas — pouvait jouer à la Minonette pratiquement n'importe où. Aucun matériel, dextérité ou talent particulier n'étaient nécessaires. Un jeu très peu onéreux.

La Minonette me semble être, vraisemblablement, le jeu le plus démocratique jamais inventé. Et, preuve supplémentaire, elle possède une des règles les plus généreusement motivées de tous les sports.

Je l'ai appris de la manière suivante. Durant un match, un ballon fut lancé par-dessus le filet. Du fond du court, un membre de l'équipe adverse hurla « A moi! » et se précipita en avant pour l'intercepter. Soudain, un de ses coéquipiers se jeta sur lui et le cloua au sol. Entre-temps, un autre coéquipier, mieux placé, intercepta le ballon lui-même, le renvoya d'un saut par-dessus le filet dans le court ennemi où il tomba tout bonnement par terre, l'équipe adverse ayant été complètement distraite par la bagarre de l'autre côté du court.

Un point fut dûment attribué et une vive discussion s'ensuivit. Amilcar consulta le règlement dans son manuel d'entraîneur tout déchiré. La question fut promptement résolue. A la Minonette, aucun penalty n'est marqué si un joueur retient ou empêche délibérément un coéquipier de commettre une faute telle que se jeter dans le filet ou empiéter sur le terrain adverse. Ce qui serait précisément arrivé, avança-t-on, si la course folle, idiote, du premier joueur sur le ballon n'avait pas été arrêtée. Continuez à jouer, dit Amilcar.

En 1896, un an après l'invention du jeu, le nom « minonette » fut abandonné en faveur du plus prosaïque « volley-ball ». Mais la règle courtoise et salutaire est toujours en vigueur.

« Non. Voici ce que je fis. Vous savez qu'au volley-ball vous devez opérer une rotation des joueurs de façon à ce que, dans un match, chaque joueur occupe tour à tour toutes les positions ?

— Oui, dis-je.

— Donc, normalement, dans une équipe, vous avez un mélange de tailles : des petits joueurs agiles pour les retours de fond de court et des grands pour les block-out et les smash. Mais pour mon équipe je n'ai pris que de très grands garçons.

— Et ça a fait une différence ?

— Nous avons tout gagné. Atomique Boum était imbattable. Voyez-vous, quand vous êtes adolescent, peu importe que vous soyez grand ou petit. OK, si vous êtes un homme, ça compte. Un petit homme peut rattraper un ballon bas plus facilement qu'un grand type. Mais, avec les jeunes, ce n'est pas là que se fait la

261

différence. » Il s'enthousiasmait. « Même si je trouvais un très bon joueur de petite taille, je ne le prenais pas dans l'équipe. Avec les Atomique Boum, quel que fût le moment de la partie, l'équipe adverse ne pouvait pas changer de tactique. Après chaque point, nous faisions permuter les joueurs et, chaque fois, les attaquants étaient grands. Chaque fois, le mur d'obstruction était là. Chaque fois, il se trouvait un grand type pour contrer. Et, ajouta-t-il, histoire d'illustrer son propos : Chack-chack-chack. Atomique Boum ! »

Le soleil s'était levé depuis une heure. Nous voyagions depuis trois jours maintenant et une sorte de routine s'était établie. On nous réveillait avant l'aube, on allumait un feu et on préparait un petit déjeuner — invariablement un porridge de texture, ingrédients et fumet divers. Dès les premières lueurs du jour, nous étions en route et nous roulions sans nous arrêter durant trois ou quatre heures. Puis, au plus chaud de la journée, nous faisions halte, la Land Rover garée sous un arbre touffu ou bien camouflée avec des feuillages et du bois mort. Au cours de ces périodes de repos, les garçons partaient à la recherche de nourriture. Amilcar semblait parfaitement satisfait de les laisser visiter les villages voisins. « Tout le monde aime UNAMO, ici », disait-il. C'est ainsi que notre régime s'enrichissait parfois d'une poule ou d'une chèvre, de patates douces ou de plantain. Nous ne mangions que deux fois par jour, à l'aube et au crépuscule, et les portions demeuraient plutôt congrues.

Durant nos haltes prolongées de midi, le temps passait très lentement. Plus nous avancions vers le nord et le delta du grand fleuve, plus l'humidité augmentait. Nous restions allongés ou assis à l'ombre pendant des heures, mal à l'aise et ruisselants de sueur, agitant vainement nos mains pour chasser les mouches qui pullulaient autour de nos corps salés, nous remuant de temps à autre pour aller boire un peu d'eau ou nous soulager. Au-delà du cercle ombragé où nous reposions, le soleil écrasait la terre recuite, et dans le ciel de grandes montagnes bouillonnantes de cumulus se massaient inexorablement pour ne se dissiper — comme un miracle — qu'en fin de l'après-midi.

Dans les heures qui précédaient et suivaient midi, un grand nombre d'avions sillonnaient le ciel, des avions de chasse et de transport. C'était eux qui nous obligeaient à nous cacher dans la journée. Nous étions trop éloignés de la base, affirmait Amilcar, et les pilotes refusaient de voler la nuit : ils concentraient donc leurs activités autour du milieu de la journée. Je lui répliquai que les pilotes étaient expérimentés. Certes, dit Amilcar, mais ils ne peuvent pas faire confiance à leurs instruments. S'ils ne peuvent pas voir, ils refusent de voler. C'est pourquoi nous roulions au début et en fin de journée.

Désormais, Amilcar laissait Ian et moi nous asseoir devant. La plupart du temps, il conduisait lui-même, coinçant à l'occasion un quatrième passager sur la banquette avant, quand l'un des garçons connaissait les lieux traversés. Le paysage était invariablement broussailleux, avec des bouquets d'arbres et parfois une petite colline rocheuse, entre lesquels se faufilaient les vagues pistes poussiéreuses et les petites routes remplies d'ornières que nous empruntions. Il n'y avait pas de poteaux indicateurs sur ces chemins de fortune et, en trois jours de trajet, nous n'avions pas vu ni entendu le moindre véhicule. Parfois, nous arrivions à une bifurcation ou un croisement, et Amilcar s'arrêtait, descendait, parlait aux garçons, faisait un choix et reprenait la route. A ce stade du voyage, il n'utilisait ni carte ni boussole. Je lui demandai comment il s'y retrouvait et il répliqua simplement que nous traversions le pays UNAMO, comme si l'explication était suffisante.

Au cours du voyage, l'humeur de Ian ne s'était pas améliorée. Il demeurait taciturne, abattu, souvent au bord des larmes. Je tentai au début de lui remonter le moral, mais lui parler du camp, de ce que les autres faisaient, de secours officiels et ainsi de suite, ne semblait que le déprimer davantage. De plus, il maigrissait rapidement. Nous tous aussi d'ailleurs, mais Ian semblait incapable de garder la moindre nourriture dans son estomac pour plus d'une heure ou deux. Je le soupçonnais de continuer à souffrir d'une sorte de choc à retardement; j'espérais qu'il en émergerait en temps voulu et avant que sa santé ne l'abandonne complètement.

Une chose dont il pouvait être sûr, c'est que, pour nous, ni Almicar ni les Atomique Boum ne représentaient un danger. Amilcar se montrait volubile et charmant, les garçons gentils et lugubres. En privé, Amilcar m'expliqua qu'ils ne se remettaient toujours pas de la mort de leurs camarades.

Ma propre humeur était plus bizarre et compliquée. Parfois, je me sentais alerte et pleine d'entrain, presque privilégiée de prendre part à cette extraordinaire aventure, surtout maintenant que je savais l'intention d'Amilcar de nous relâcher. A d'autres moments, une lassitude résignée, stoïque, m'envahissait. J'avais alors l'impression que cet interminable voyage à travers ce paysage de broussailles arides était une sorte de songe curieux, une rêverie enivrante de capture, un kidnapping de fantaisie, sans gravité, dont je me sentais en partie victime et en partie complice.

Le troisième soir, Amilcar s'arrêta un peu plus tôt que d'habitude. La Land Rover fut garée sous un mince acacia et couverte de branchages. On alluma un petit feu et une marmite de bouillie de maïs assaisonnée de quelques têtes de poissons fut mise à mijoter.

Puis les garçons enfoncèrent deux piquets dans le sol et les relièrent par une corde. Les limites du terrain furent tracées à la pointe d'une machette. Les jeunes se divisèrent en deux équipes de quatre. Avant d'aller occuper leur carré respectif et de commencer à jouer, ils s'alignèrent en rang d'oignons. Amilcar entonna leur chant :

« *Atomique* ?

— BOUM ! fusa le répons.

— Atomique ?

— BOUM !

— Atomique ?

— BOUM ! BOUM ! BOUM ! »

Après quoi, quelqu'un sortit de son paquetage un ballon et les garçons jouèrent tant qu'il y eut assez de lumière. Je les regardai plonger et s'arrêter, smasher et bêcher, je vis défiler leur répertoire de services liftés et flottants, de passes en flèche, de carottes, de feintes et d'amorties. Pour la première fois, je les entendis, abandonnant leur réserve, crier et supplier, argumenter et exulter dans la lumière tendre du crépuscule, leurs longs corps minces efflanqués projetant des ombres encore plus minces et longues.

A un moment donné, Amilcar s'y mit à son tour et se jeta à l'étourdie, se précipitant sur des ballons impossibles à attraper, bondissant aussi haut qu'il le pouvait pour contrer une passe, ne cessant de hurler conseils et critiques, démontrant aux joueurs les défauts de leurs tactiques.

Ian et moi, assis par terre, nous les observâmes, stupéfaits d'abord, mais finalement prenant part aussi, applaudissant bruyamment chaque fois qu'un trait d'agilité particulier ou d'audace élégante le méritait. Ce ne fut que plus tard, quand il fit trop nuit pour y voir vraiment et que le match s'arrêta, que je me rendis compte que nous étions installés à deux mètres du petit tas des Kalachnikov. Les garçons se rassemblèrent pour quitter le terrain, hilares et essoufflés, le visage luisant de sueur, et ramassèrent leurs mitraillettes comme des serviettes ou des sacs de voyage.

« Je suis content qu'on ait joué, dit Amilcar. Demain va être difficile. »

De l'endroit où nous avions parqué la Land Rover, juste à côté de la piste, je pouvais distinguer — à travers un écran d'arbres et de buissons — le trait gris pâle d'une route goudron-née. J'étais assise avec Ian sur la banquette avant. Dehors, les garçons, nerveux et méfiants, tenaient leurs mitraillettes en position. Amilcar s'était avancé à pied à soixante mètres dans la brousse en direction de la route. Nous attendions qu'il revienne. Nous patientâmes une heure, et un peu plus. Finalement il réapparut, traversant d'un pas vif le sous-bois.

« Ils arrivent », dit-il.

Il ordonna à tout le monde de remonter dans la Land Rover et nous recommençâmes à attendre. Bientôt nous parvint l'écho des moteurs et le ferraillement de véhicules à chenilles. Entre les arbres, un half-track apparut, avançant très lentement. Il précédait un convoi d'une douzaine de camions dont les quatre premiers, non bâchés, étaient remplis de soldats. Suivaient deux camions civils et j'entendis distinctement, d'où j'étais, le clique-tis frémissant de milliers de bouteilles.

« Qu'est-ce que c'est ? demandai-je, déconcertée.

— De la bière », répliqua Amilcar sur le mode lugubre. Il semblait subitement déprimé. « Il y aura bientôt une offensive. »

Le convoi passa et le bruit s'évanouit aussi. Nous patientâmes encore un moment, puis Amilcar expédia un garçon sur la route pour vérifier qu'elle était libre. Je demandai à Amilcar de m'expliquer le lien entre la bière et une nouvelle offensive.

L'armée fédérale, dit-il, était une armée de conscrits, composée de jeunes gens réticents dépourvus du moindre désir de se battre et gouvernés par un sens aigu de leur sécurité.

« Personne ne veut risquer d'être blessé ou tué, ajouta-t-il. Ce qui est normal. » Ces garçons ne restaient dans l'armée que pour gagner un peu d'argent et manger à leur faim. Dans les zones de combat, il existait un autre stimulant : bière et cigarettes gratis. L'armée fédérale refusait d'avancer d'un pas sans de copieuses provisions de bière. Les tintements cristallins à bord de ce convoi ne signifiaient qu'une seule chose : la préparation d'une offensive contre UNAMO.

Amilcar saisit le volant à deux mains : « Ils vont attaquer », dit-il sombrement. Son humeur avait changé. « Dans deux ou peut-être trois jours. » Il mit le moteur en marche.

« Mais alors, et FIDE ? » lançai-je à tout hasard, comme quelqu'un essayant de ranimer la conversation dans un cocktail.

« Oh, FIDE... FIDE n'est pas ici, répliqua Amilcar. Ils ont simplement arrêté de combattre les fédéraux de façon à pouvoir renforcer leurs effectifs sur les territoires du fleuve. »

Quelle curieuse guerre, me dis-je, que celle où deux camions de bière représentaient une menace plus grande que n'importe quel nombre d'hommes armés jusqu'aux dents.

Un des garçons, debout au milieu de la route, nous fit signe d'avancer. Nous quittâmes la piste, dans les cahots et une embardée, pour prendre la route goudronnée. Je retrouvai une vieille sensation : celle de l'instant où l'on quittait Sangui pour attaquer l'autoroute du Sud.

Nous roulions dans la même direction que le convoi. La route était bonne, avec de larges bas-côtés tondus et de profonds fossés de drainage. Elle filait droit à travers une forêt toujours plus dense. Nous marchions vite et, à un moment je crus que nous allions rattraper les camions de bière.

« Attention ! dis-je à Amilcar. A moins que vous n'ayez soif.

— Vous rendez-vous compte, répliqua-t-il d'un ton calme, que si je pouvais liquider cette bière, UNAMO aurait la paix pendant des semaines ? »

Ce qui ne l'empêcha pas de ralentir.

Au bout de deux minutes, il freina brusquement. Devant nous, à quatre cents mètres environ, un véhicule gisait, apparemment renversé dans le fossé. De plus près, nous vîmes qu'il s'agissait d'un camion, en partie incendié, avec les restes des marchandises qu'il transportait répandus sur le bas-côté : sacs d'arachides, paniers, bouilloires, poêles et casseroles.

Nous nous arrêtâmes à hauteur de l'épave. De mon siège, j'aperçus un corps à la place du chauffeur. J'entrevis des dents, rangées du haut et du bas, des trous à la place des yeux et une peau curieusement froissée comme du papier aluminium. Je baissai la tête immédiatement et découvris l'autre corps, par terre, boursouflé, incroyablement tendu et quelque peu incomplet.

Je pinçai mes lèvres avec mes doigts.

Le visage d'Amilcar exprimait sa rage :

« C'est dégoûtant, dit-il doucement avec emphase. C'est dégoûtant leur manière de procéder. »

Il descendit de la Land Rover, fit le tour pour aller à l'arrière où on lui passa un bidon d'essence. Il respira un bon coup, comme un homme qui s'apprête à plonger puis, détournant le visage, il aspergea généreusement d'essence le cadavre dans la cabine du camion et celui étendu au bord de la route.

Il recula de quelques pas, se retourna et laissa échapper un sifflement d'air. Puis il se précipita en avant et mit le feu aux deux corps.

Ils s'embrasèrent immédiatement, avec de longues flammes pâles et presque transparentes dans la lumière du soleil.

Amilcar remonta dans la Land Rover.

« Rien ne justifie ça, dit-il, le visage à nouveau paisible. Personne ne devrait être laissé ainsi. Personne. »

Nous quittâmes bientôt la route pour une autre piste et

continuâmes à nous brinquebaler en direction du nord. Autour de nous, la terre était plus verte, plus humide. Nous étions à présent dans une forêt assez dense et nous traversions à sec ou à gué de nombreuses petites rivières, réduites à des filets en cette saison. Au moment des pluies, je savais que ces pistes deviendraient impassables.

Au milieu de l'après-midi, nous atteignîmes notre destination. La piste s'ouvrit sur une grande clairière et un bâtiment en rez-de-chaussée avec un toit d'asbeste ondulée. Il était construit en pisé, mais les murs avaient été badigeonnés de blanc. A l'entrée principale se dressait un portique grossier surmonté d'une croix, et sur l'entablure on lisait : S. JUDE.

Derrière le bâtiment se trouvait un petit enclos plus ou moins ceint de nattes et quelques remises, ou chambres de domestiques, en pisé. Il y avait aussi les restes d'un potager important désormais envahi par les mauvaises herbes, excepté un petit nombre de jeunes papayers et quelques maigres lopins de maïs et de manioc.

Ian montra du doigt le nom sur le portique.

« Le saint patron de...

— Des causes perdues, je sais, coupai-je. Inutile d'insister.

— C'était une école de missionnaires, dit Amilcar se méprenant sur notre échange. Nous pouvons rester ici, nous serons en sécurité. »

Leur premier geste fut de mettre la Land Rover à l'abri des regards. Ils démolirent le pignon d'une case en torchis et la voiture fut soigneusement garée en marche arrière dans la coquille ainsi aménagée. On nous conduisit, Ian et moi, à l'école pour nous montrer notre chambre.

La pièce sentait le moisi et l'abandon, avec, au fond, un tableau noir et des placards encastrés, veinés de petits tunnels en relief creusés par les termites. Le bois était sec et pourri Les portes s'effritaient comme du pain grillé.

Maintenant que, nos voyages terminés, nous étions finalement logés, l'humeur de Ian parut s'améliorer instantanément. Il procéda à une inspection active — et futile, à mon sens — des placards, à la recherche « de tout ce qui pourrait servir ». Deux jours plus tôt, il avait été méchamment piqué sous l'œil par une bestiole et il s'était gratté au point de se faire saigner. Sa barbe avait poussé aussi, un duvet doré sur ses mâchoires et ses joues. Son écorchure, sa pilosité et sa considérable perte de poids lui donnaient une allure très différente, un air moins doux et gentil. Je voyais émerger un autre Ian, plus costaud et plus musclé, plus dur et plus capable, pas entièrement digne de confiance.

A l'inverse, ma propre insouciance des derniers jours commença, en revanche, à s'évaporer pour être remplacée par une morne et indécrottable déprime. Pour moi, parce que nous n'étions plus en route et que nous vivions dans un bâtiment, le fait brutal de notre enlèvement me frappa avec insistance. Notre curieux voyage, les parties de volley-ball, nos compagnons polis et tolérants étaient désormais derrière nous. Nous étions à présent détenus dans une maison au milieu d'une enclave rebelle cernée — j'imaginais — par une armée offensive carburant à la bière. L'interruption de notre randonnée m'avait fait reprendre mes esprits : impossible d'échafauder des songes autour de nos conditions présentes.

Je ne redoutais toujours pas Amilcar ni ses Atomique Boum, mais, pour la première fois depuis de notre capture, je pris profondément conscience de mon degré de saleté. Dormir à la belle étoile, manger une abominable nourriture cuisinée sur des feux de camp, me déplacer sans cesse, m'avaient distraite. Un peu de crasse n'était pas rédhibitoire. Mais maintenant, dans cette école abandonnée, je me donnais l'impression de puer. Une couche de poussière recouvrait ma peau. Mes vêtements souillés sentaient la sueur. Mes cheveux pendaient en gros tortillons graisseux. Je sentais mes dents entartrées et mes gencives empâtées comme si du lichen me poussait dans la bouche. J'allai trouver directement Amilcar et réclamai de quoi me laver.

Il existait un puits derrière l'école dans l'enceinte de la mission et j'eus droit à deux seaux d'eau plus un morceau de savon rose. Je rinçai mes cheveux et me sentis immédiatement mieux. Un des garçons me donna un chewing-gum et je me nettoyai les dents avec. Ian se mit en caleçon et tenta de se laver de pied en cap. Maintenant que j'étais marginalement plus propre, je trouvais mes vêtements insupportablement sales. Je portais une chemise kaki, des jeans et des bottines de daim lacées. Je ne possédais rien d'autre à part le fourre-tout que j'avais pris le jour de notre départ de Grosso Arvore. Ian était encore plus mal loti. Quand Amilcar avait ordonné aux deux marmitons de descendre de la Land Rover, Billy avait, sans réfléchir, ramassé le sac de voyage de Ian rangé à l'arrière. Il le tenait toujours à la main, nous nous en souvînmes après coup, lorsqu'il s'était enfui en courant sur la route.

Nos seaux furent de nouveau remplis et je lavai ma chemise et mes jeans. Ian les emporta pour les étendre au soleil, et j'en profitai pour faire une rapide lessive de ma culotte et de mon soutien-gorge. Je les essorai du mieux que je pus et les remis juste avant son retour.

Nous attendîmes dans notre pièce que nos vêtements sèchent. Gênée de me retrouver en petite tenue, je m'assis toute raide le long du mur, jambes pliées et relevées. Le bleu laissé par le coup de poing de Mallabar faisait comme un tatouage sur mon épaule, une fleur gris plomb et marron boueux avec quatre points pourpres, très tendre au toucher.

J'étais affreusement consciente du regard papillotant de Ian, de l'autre côté de la pièce. Ses yeux ne cessaient de se poser sur moi, me mettant encore plus mal à l'aise. Je lui en voulais de ce léger susurrement de lubricité. Il se portait bien : son caleçon bleu pâle était aussi peu ou tout autant révélateur qu'une tenue de bain. Irritée par ma propre pudeur, je me levai d'un air décidé et m'approchai de la fenêtre pour contempler le bout de terrain, dépourvu de toute verdure et recuit par le soleil, devant l'école.

« Ça devrait être bientôt sec, dis-je nonchalamment.

— Donne-leur encore une demi-heure. »

Mais, alors que j'étais plantée là, je me surpris à me demander si l'humidité de ma culotte la faisait coller davantage à mes fesses et, au cas où je me retournerais, si l'épais triangle de mes poils pubiques transparaîtrait, bleuâtre, à travers le gousset mouillé…

Je fis demi-tour pour regagner rapidement ma couverture sur laquelle je me réinstallai, les jambes croisées, mes doigts entrelacés posés modestement sur mes genoux.

Ni l'un ni l'autre ne sachions quoi dire. Il faisait chaud dans la chambre. Notre embarras mutuel semblait faire monter la température. La sueur me suintait des pores. Mes cheveux commençaient à coller à mes épaules.

Ian se leva pour essayer de trouver de quoi s'occuper. Il repartit fouiller sans nécessité dans les placards. Il y découvrit la moitié d'un double décimètre.

« Pas très utile, dit-il en le brandissant.

— Non, à moins que tu ne veuilles mesurer quelque chose de court », répliquai-je sans réfléchir.

Une seconde ou deux, nous essayâmes d'ignorer la possible allusion.

« Eh bien, nous ne nous y aventurerons pas », dit Ian avant d'éclater de rire. Ce que je fis aussi, enfin d'une certaine manière. Ceci eut au moins le mérite de détendre l'atmosphère. Nous recommençâmes à parler : de notre situation, des options dont nous disposions, de la sagesse de tenter une évasion. Dehors, nos vêtements séchèrent rapidement.

Ce soir-là, on nous donna à manger un ragoût de viande et un gros tas d'un pudding pâteux. Je demandai ce qu'était la viande et on me répondit qu'il s'agissait d'un « cochon de brousse ». C'était filandreux et maigre avec un goût fortement faisandé. En tout cas, cela eut un effet puissamment purgatif sur mes entrailles bourrées jusqu'à la paralysie. Je sortis pour aller me soulager copieusement derrière une des resserres.

Je me sentis purgée et chancelante ; je demeurai un petit moment au calme dans le crépuscule, respirant l'air rempli de la fumée du feu de bois sur lequel avait été préparé notre repas. Quelque chose dans la lumière, l'odeur et mon instant de faiblesse me remirent fortement en mémoire des souvenirs de Knap et de John Clearwater et, pour la première fois depuis notre capture, je sentis l'émotion me submerger et le sel des larmes me piquer le coin des yeux.

A mon retour, je trouvai Amilcar dans notre chambre, bavardant avec Ian.

« Il faut que je parte ce soir, annonça-t-il. Au quartier général.

— Et nous ? dit Ian. Quand allez-vous nous relâcher ?

— Je dois parler de vous au général Delgado. De ce que nous devons faire. De ce qui est le plus sûr. » Il haussa les épaules.

271

« Peut-être pourrions-nous vous emmener en avion au Kinshasa ou au Togo. Ça dépend.

— En avion ? m'étonnai-je.

— Nous avons une piste, au-delà des marais. Les avions atterrissent la nuit.

— Mais je croyais... »

Amilcar interrompit Ian poliment :

« Je serai de retour dans deux jours. Tout sera arrangé alors et vous pourrez rentrer chez vous. » Il nous serra la main cérémonieusement. « Je laisse six membres de l'équipe ici. Je vous en prie, ne vous inquiétez pas. Vous êtes en parfaite sécurité. »

Je dormis mal cette nuit-là. J'avais terminé mes cigarettes depuis plusieurs jours et, de temps à autre, une envie folle de tabac s'emparait de moi. Allongée, enroulée dans ma couverture, ma tête sur mon sac, je rêvais d'un paquet de Tusker. J'entendais les moustiques gémir, les lézards et les rats détaler dans les coins, et aussi la houle profonde et régulière de la respiration de Ian. Comme une marée, pensai-je, comme le bruit des vaguelettes sur une plage de galets...

Je rejetai ma couverture et quittai doucement la chambre. Je sortis sur la véranda qui donnait, à l'arrière, sur l'enclos et le jardin potager. Une lanterne pendait à une poutre et trois des garcons dormaient dessous. Un quatrième était adossé contre un pilier, sa mitraillette pendue à l'épaule.

« 'soir, maâm, dit-il.

— Ce n'est pas dangereux, cette lumière ?

— Il n'y a pas d'avion ce soir. »

Je m'aperçus que je parlais au gamin avec des cicatrices sous les yeux. Il s'était baptisé lui-même camarade Cinq-Octobre, m'avait-il expliqué, en l'honneur du jour de 1963 où le général Aniceto Delgado, se séparant unilatéralement de la République, avait déclaré l'indépendance des territoires riverains du Musave.

« Quel est ton vrai nom, Cinq-Octobre ?

— C'est mon nom.

— Comment t'appelais-tu avant ? »

Il réfléchit :

« Jeremeo.

— Tu as une cigarette ?

— Nous ne fumons pas. Sauf Ilideo.

— Où est-il ?

— Je vais le chercher. »

Cinq-Octobre revint avec une moitié de cigarette. Il me trouva aussi une allumette. J'avalai avidement la fumée forte, acide, sentis la tête me tourner et exhalai. Quelle que fût leur marque, ces cigarettes faisaient la nique aux Tusker.

La nuit était tiède. Je m'assis sur les marches et scrutai l'obscurité. Quelque part dans la mission, un coq poussa un cocorico inattendu.

« Quelle heure est-il ? dis-je.

— Trois heures, je crois. »

En dépit de la nicotine, je commençai à me sentir fatiguée. Quelques minutes de plus et je m'endormirai. Je demandai à Cinq-Octobre le programme du lendemain. Il répondit qu'ils attendaient les ordres du Dr Amilcar. Le seul événement sur l'agenda était un meeting avec les camarades des comités de villages voisins. Nous parlâmes vaguement d'UNAMO et du général Delgado. Cinq-Octobre avait pris part aux combats de Luso.

« Nous aurions gagné », dit-il , plein d'assurance, puis il ajouta, après réflexion : « Je crois. Sans les avions et les bombes à essence. Nous leur tirons dessus, mais nous n'avons pas de... » Il cherchait le mot.

« Missiles ?

— Oui. Mais le général Delgado nous achète des bons missiles.

— Atomique Boum ! » dis-je. Il sourit.

Je retournai dans notre chambre. Ian continuait à dormir paisiblement.

Le lendemain matin, nous observâmes de loin la réunion des camarades des comités de villages. Ilideo présidait. C'était un

273

garçon râblé, clair de peau, qui essayait de se laisser pousser une petite moustache sans beaucoup de succès. Ils discutèrent un moment, la Land Rover fut inspectée et puis on nous exhiba. Les camarades des comités de villages étaient des hommes et des femmes, tous d'âge moyen, remarquai-je, et tous maigres et vêtus de loques. Ils nous regardèrent avec une curiosité pleine de ressentiment. Un certain nombre de questions furent posées à Ilideo.

« Ils veulent savoir si vous êtes cubains, sud-africains ou tugas, dit Ilideo.

— Nous sommes anglais, répliqua Ian fièrement.

— Dis-leur que nous sommes des docteurs », ajoutai-je.

La nouvelle provoqua des sourires et quelques souhaits de bienvenue. Puis Ilideo déclara la réunion close et les camarades des comités de villages s'égaillèrent sur les divers sentiers forestiers qui partaient de la clairière de l'école des missionaires.

Les Mig surgirent dans l'après-midi. C'était une journée chaude, immobile, et nous étions assis sur la véranda à l'arrière de l'école, attendant que le soleil se couche et les brises nocturnes se lèvent. Nous ne les entendîmes pas venir, ils parurent arriver en même temps que leur son. Ils débouchèrent à basse altitude, trois d'entre eux, à cent mètres, l'abominable rugissement de leurs réacteurs écrasant, palpable. Nous les aperçûmes un quart de seconde, puis ils disparurent quelque part au-dessus de la forêt, hors de vue, et l'écho de leurs grondements se dispersa tout autour de nous. Ilideo nous ordonna de rentrer.

Les avions revinrent de nouveau, plus haut et plus lentement. Je les vis clairement, cette fois, des Mig argentés avec des nacelles en forme de larmes sous les ailes. Ils virèrent, tournèrent au-dessus de nous et puis filèrent.

Ilideo déclara qu'ils faisaient exprès de voler aussi bas. Instinctivement, les gens — les enfants surtout — se précipitaient dehors. Il y avait tant de villages désertés dans la région, dit-il, et les avions ne voulaient pas gaspiller leurs bombes ni leurs canons sur des maisons vides.

Nous ne nous aventurâmes pas à l'extérieur pour le restant de la journée. Si les avions étaient venus de la direction opposée, ils nous auraient vus alignés sur la véranda, attendant le coucher du soleil.

Je songeai à Usman et me demandai s'il avait volé. Et si je m'étais ruée dehors en agitant les bras ? Je me sentis glacée et malheureuse : pour la première fois, la triste réalité du « boulot » d'Usman me devenait apparente.

Ian entra dans la pièce. Il se faisait chaque jour plus vif et allègre. Il me raconta qu'il avait discuté avec Ilideo et les autres et que, à son avis, il était manifeste que ces garçons menaient une guerre de fantaisie. Ils parlaient comme si le territoire UNAMO était imprenable, à l'abri de toute invasion.

« Ils n'ont aucune idée de ce qui se passe, dit-il sur un ton quasiment outragé. Ils parlent du " front ", mais il n'y a pas de front. Il y a plusieurs centaines d'hommes avançant sur une route vers une ville en se demandant si quiconque essaiera de les arrêter. Tragique ! »

Il baissa la voix : « Je crois qu'il faut que nous nous tirions d'ici nous-mêmes, Hope.

— Non, je ne le pense pas.

— Écoute, tout ce que nous a raconté Amilcar — tu sais, nous relâcher quand nous aurons franchi le front, nous mettre sur un avion pour le Togo —, c'est du roman. Nous pourrions simplement nous en aller ce soir. Les fédéraux sont là, à nos portes... Il nous suffit de descendre cette route, vers le sud. On les trouvera forcément.

— Je refuse de descendre la moindre route.

— Que va-t-il se passer alors, nom d'un chien ?

— Nous attendrons qu'Amilcar revienne. »

Mains sur les hanches, un sourire exaspéré aux lèvres, Ian fit du regard le tour de la chambre.

« Tu ne penses tout de même pas franchement, sérieusement, qu'il va revenir, si ? » Il levait la tête vers moi, mimant l'incrédulité, le sourcil haussé, la bouche ouverte. Son bobo avait perdu sa croûte et sa barbe pâle sa rugosité.

« Bien sûr qu'il reviendra. C'est son équipe.

— Tu es aussi nulle qu'eux. Bon Dieu de bon Dieu ! » Il

secoua la tête, pouffa de rire, puis me contempla fixement : « Incorrigible Hope. J'avais oublié qui tu étais. »

Je me radossai au mur, fermai les yeux et m'éventai avec le couvercle d'une boîte en carton.

Il faisait très chaud ce jour-là dans la mission, le soleil semblait presser fort sur le toit d'asbeste, faisant mijoter l'air à l'intérieur. Je pensai à couper mes jeans à la hauteur des cuisses pour en faire un genre de short, mais je savais que je le regretterais : leur protection valait mieux qu'une heure ou deux de confort.

J'arpentais lentement les pièces à l'odeur de moisi, attendant la nuit. J'essayais de trouver une allure qui exigeât un minimum d'effort, mais pût en même temps générer une impression de brise, grâce à mon propre mouvement. L'air semblait se figer autour de moi, se solidifier à moitié, me donnant le sentiment de nager dans une citerne remplie d'une gelée transparente qui cédait facilement, mais demeurait constamment en contact gluant avec ma peau.

Les garçons m'observaient tandis que je circulais de long en large dans les pièces vides. Allongés à l'angle des murs et du sol, inertes, le dos rond, les genoux pliés, leurs visages noirs laqués de sueur, ils ne bougeaient que leurs yeux pour me suivre du regard.

La fraîcheur qui vint avec la nuit fut un exquis soulagement. Puis une bonne brise se leva au sud. Debout au milieu de la clairière, je la sentis tirer mes vêtements et soulever mes cheveux. Peut-être allait-il pleuvoir. La pluie, en Afrique, est toujours précédée d'un coup de vent. Mais, ce soir, je ne sentais pas l'odeur ferreuse d'une tempête imminente et, au-dessus de ma tête, les étoiles brillaient avec assurance, sans le moindre nuage pour les obscurcir.

Je revins vers l'école et soutirai à Ilideo quelques bouffées de sa cigarette. Tout en fumant, je lui demandai innocemment quand Amilcar serait de retour. Le lendemain, dit-il, définitivement. Il était temps de repartir, de se replier au cœur du pays.

Il me donna le mégot à finir et je regagnai notre chambre. Une bougie l'éclairait. Ian était là, allongé sur sa couverture, les paumes calées derrière sa tête, les jambes croisées. Je crus remarquer qu'il me regardait d'un œil un rien bizarre lorsque j'entrai. Je lui fis part de la totale confiance qu'avait Ilideo dans le retour d'Amilcar le lendemain.

« Pas l'ombre d'un doute », dis-je.

Ian se tourna sur un coude.

« OK. Mais si — si — il ne revient pas, il faut que nous partions. Nous ne pouvons pas continuer à glander avec ces garçons.

— Bon, filons, soupirai-je. Ils ne viendront pas nous chercher. Nous pourrons errer pendant des semaines. Tu sais où aller ?

— Mais l'armée fédérale...

— Où est-elle ? Tu ignores où nous sommes. Sortons de cette clairière et on est perdus. »

Ceci parut le démonter un peu. Il se rallongea, le sourcil froncé. J'écrasai le mégot avec soin : il restait juste de quoi tirer une bouffée ou deux plus tard, en cas de besoin. Je déroulai ma couverture. J'avais bourré mon sac en toile avec de l'herbe pour en faire un oreiller. Ce qui m'aidait à dormir un peu mieux, mais, ce soir, je ne me sentais pas lasse du tout. Je m'allongeai par ennui et obligation et non par fatigue. Mes cheveux recommençaient à me picoter à la racine : j'aurais dû les laver aujourd'hui — si Amilcar revenait demain et que nous reprenions la route, Dieu seul savait quand j'en aurais de nouveau l'occasion. Je me rassis et me grattai la tête à deux mains. Ian me regarda.

« Je te trouve très remonté contre eux, dis-je. Pourquoi ne pas attendre ? Amilcar finira par nous relâcher. »

Ce fut comme si je lui avais donné un signal. Il se leva d'un bond, arpenta la pièce. Il passa les mains dans ses cheveux, se tira le lobe d'une oreille, remonta plusieurs fois son pantalon.

« Écoute, Hope, dit-il d'un ton grave, il faut que je te parle de quelque chose. » Il agita les mains. « Ça me tracasse depuis un bout de temps.

— Vas-y, déballe, répliquai-je, sans avoir pourtant aucune envie de bavarder.

277

— Quand nous avons été capturés... Mon, mon comportement ces premiers jours. Ça m'embête beaucoup. J'ai été nul.

— Laisse tomber. Ça n'a pas d'importance. »

Mais il se refusa à abandonner le sujet. Il tenait à en discuter.
Il voulait s'expliquer et s'excuser. Il ne savait pas ce qui lui était
arrivé. Un effondrement total de son moral, dit-il, quelque chose
qu'il n'avait jamais encore connu. Durant ces premiers jours, il
s'était senti tour à tour complètement abruti ou terrifié. Quand
son cerveau fonctionnait, il ne réussissait à penser qu'à la mort.
A se voir tué ou bien mourant à petit feu. Il était convaincu que
nous serions tous les deux fusillés. Il n'arrêtait pas d'imaginer à
quoi ça ressemblerait, cette sensation d'une balle pénétrant dans
son corps...

Il vint s'asseoir à côté de moi, s'adossa au mur, le visage levé
vers le plafond. Il commença alors à me complimenter, à louer
mon calme et ma maîtrise. Je l'interrompis pour lui dire que je
m'étais sentie tout aussi étrange : comme si j'avais participé à
une sorte de rêve bizarre. Grâce à quoi, je n'avais jamais
vraiment fait face à la réalité.

« Je fantasmais, l'assurai-je, histoire de le réconforter. Toi, au
moins, tu étais conscient des risques. Moi, j'avais l'impression de
m'offrir un voyage-surprise magique. »

Mais non, il refusait d'accepter cela. Sans moi, sans mon
exemple, sans ma force, Dieu sait ce qu'il serait advenu de lui. Il
continua à parler, à analyser les différents stades de son déclin et
à tenter de situer le moment exact où il avait entamé sa
remontée.

Je compris qu'il n'était nullement intéressé par un dialogue, et
ma concentration se relâcha. Il fallait le laisser vider son sac tout
seul. Je commençai à m'assoupir, mon cerveau n'enregistrant
plus qu'un mot par-ci, par-là dans sa litanie d'excuses —
« désespéré »... « impensable »... « dette »... « bouleversement
affectif »... « émoi sentimental »... Je bougeai légèrement la
tête et entendis les herbes sèches entassées dans mon sac en toile
craquer et remuer. Je laissai ma main droite glisser de ma
poitrine sur la couverture et, distraitement, de la gauche, je
soulevai le plastron de ma chemise de quelques centimètres pour
souffler dans l'intérieur chaud et profiter un instant de la

fraîcheur éphémère de ma respiration sur mes seins et mon ventre moites.

C'est alors que la main de Ian se posa sur ma joue et mon cou, et je sentis sur mon front le piquant de sa barbe et les gerçures de ses lèvres sèches tandis qu'il se mettait à me bécoter le visage.

« Hope, dit-il doucement, mon Dieu, Hope... »

Et il s'allongea sur moi, se tortilla et gémit, sa bouche humide mâchouillant ma gorge, tout en continuant à murmurer ses stupides mots tendres : « Hope, je t'aime... Tu m'as sauvé... Je ne m'en serais pas sorti sans toi... »

J'étais comme droguée, sans réaction, les deux bras plaqués au sol par son poids. Ses lèvres et sa langue balayèrent ma joue pour aller s'écraser sur ma bouche fermement close. Je me soulevai, me cabrai et me tordis violemment le torse pour libérer une de mes mains que je lui lançai sauvagement en pleine figure.

Je réussis à le repousser et il roula sur lui-même. Il s'assit lentement sur ses talons avec l'air de beaucoup souffrir.

« Ne pleure pas, dit-il d'un ton pressant. Je t'en prie, ne pleure pas.

— T'inquiète pas », répliquai-je sèchement, reprenant mon sang-froid. Quelque chose dans mon expression devait m'avoir fait paraître sur le point d'éclater en sanglots. « Quelle connerie ! Espèce d'abruti ! »

J'eus la claire et déprimante vision de nous deux sur la couverture, lui entre mes jambes écartées, suant et crasseux sur la laine gris sale, les garçons écoutant, dans la pièce voisine, nos murmures et nos gémissements.

« Excuse-moi, dit-il.

— Pauvre connard ! »

Il rampa silencieusement jusqu'à sa couverture et s'allongea. Je le vis allonger la main pour moucher la flamme de la bougie. Je demeurai étendue dans le noir, raide de colère, jurant contre l'incorrigible vanité de cet homme, sa lamentable ignorance. Que devais-je donc faire pour qu'il comprenne ?

Je rêvais qu'on frappait à la porte, des coups secs et insistants, et m'éveillai dès que mon inconscient reconnut ce dont il s'agissait en réalité.

Ian se précipitait déjà à la fenêtre de l'autre côté de la pièce. J'entendis les balles pleuvoir sur le toit d'asbeste dans un fracas assourdissant. J'enfilai mes chaussures et traversai la chambre à quatre pattes.

A la fenêtre, avec Ian, je ne vis rien, que la clairière, le cercle de terrain nu, calme, vide, gris tendre sous les étoiles, entouré de la forêt noire et opaque. Mais mes oreilles retentissaient du tac-tac-tac de la fusillade et le bruit de porcelaine de l'asbeste volant en éclats, comme si quelqu'un lançait des carreaux de salle de bains sur un sol en béton. Ils tirent trop haut, pensai-je machinalement. Une phrase d'Amilcar me revint à l'esprit : tous les Africains visent trop haut.

« Nom de Dieu ! Bon Dieu ! entendis-je Ian crier. Ils sont ici ! » Il attrapa ma main : « Partons ! »

Nous nous jetâmes sur la porte. Un autre bruit éclata. Les garçons tiraient à leur tour. Dans la pièce principale, deux jeunes — je ne pus les identifier dans l'obscurité — tiraient à l'aveuglette, par la fenêtre, le corps rejeté en arrière, la tête tournée, les Kalachnikov appuyées sur le rebord, vidant leurs chargeurs à la va-comme-je-te-pousse dans la nuit. Par les fenêtres je vis pour la première fois les percées jaunes des balles traçantes, des lances lumineuses projetées dans tous les sens.

Le dos courbé, nous sortîmes en courant par la porte de service. Cinq-Octobre était là, aplati contre un mur. A droite, dans la direction de son regard, je vis la case en torchis qui abritait la Land Rover se désintégrer en nuages de poussière bondissants et j'entendis le chuintement et le crépitement des balles qui s'enfonçaient dans les parois de tôle du véhicule.

Cinq-Octobre nous fit signe de filer sur la gauche. Il écarquillait grands les yeux. Il cria quelque chose, mais je ne compris pas ce qu'il disait. Nous parcourûmes à quatre pattes la véranda et nous laissâmes glisser au bout dans un fouillis de buissons qui marquait la limite de l'ancien potager. Comme il est naturel, je me mis instantanément à penser à des dangers mineurs tels que serpents et scorpions.

Puis la fusillade s'interrompit une seconde ou deux et, sur tout le pourtour de la clairière, me sembla-t-il, s'élevèrent des cris rauques et querelleurs. Un des garçons tira alors depuis l'école et le canardage reprit. Des éclats d'asbeste nous tombèrent dessus.

Devant nous, on apercevait un tiers vide de la clairière. Le chemin d'arrivée se trouvait à l'autre bout formant un angle aigu avec celui du départ. Les deux routes ressemblaient à un bras plié, la clairière, l'école et ses annexes dessinant une sorte de gros renflement au coude. Un grand nombre de sentiers s'ouvraient sur la forêt. Il s'en présentait un, large et bien marqué, à moins dc vingt mètres de nous. Je le voyais parfaitement, maintenant que je gisais à bout de nerfs et le cœur battant dans mon tas de broussailles, son entrée dessinant une tâche plus sombre sur le gris noir neutre des arbres.

« Là-bas », montrai-je du doigt à Ian.

Un bruit derrière moi me fit me retourner. Je vis trois des garçons débouler de la maison et détaler à travers les plants de maïs et de manioc du potager, puis disparaître au-delà dans la brousse obscure.

« De ce côté ?

— Non, dit Ian. Viens. »

Nous nous relevâmes et, pliés en deux, courûmes vers l'entrée du sentier. Je n'eus pas l'impression qu'on nous tirait dessus. Toute la fusillade semblait se concentrer sur la mission. Nous filâmes dans le sous-bois, moi en tête, puis sur le sentier, un ruban pâle qui serpentait devant moi. Je continuai à courir à toute allure. Je courus aussi longtemps que possible — deux minutes ? Dix ? — avant qu'un affreux point de côté ne me contraigne à m'arrêter. Je me pliais, tordue de douleur. Il me semblait que quelque chose tentait de m'écarter les côtes. Je tombai à genoux. On tirait toujours du côté de la mission.

« Allons, pressons ! » me jeta Ian en passant devant moi pour reprendre sa course.

Je le suivis, courbée, boitant, penchée de côté pour soulager ma douleur. Entre mon regard brouillé et la pénombre de la forêt, je perdais souvent Ian de vue et je m'affolais. Puis je revoyais ses jambes se déplacer sur le fond plus clair du sentier et je m'obligeais de nouveau à forcer l'allure.

Parfois, la forêt s'éclaircissait, nous révélant un ciel et un horizon. Parfois, nous courions entre des bosquets de grands arbres aux troncs pareils à de longues colonnes argentées. Le sentier devenait large et dégagé. Nous atteindrions bientôt un village, j'en étais sûre.

Puis je me cognai en plein dans Ian, planté au milieu du chemin, son coude me rentra dans le sein gauche, une douleur cuisante.

« Tais-toi ! dit-il alors que je suffoquais. Écoute ! »

Je n'entendais que mes propres sons. La succion de mes poumons, le vrombissement dans ma tête et le flux et le reflux de mon sang. J'essayai de cesser de respirer, de respirer lentement, superficiellement pour distinguer et identifier les autres bruits de la nuit.

Des voix.

Des voix d'hommes discutant, pas fort mais sur le ton d'une sérieuse et pressante dispute.

« Amilcar ? dis-je stupidement. Qui est-ce ?

— Recule, ordonna Ian. Recule ! »

Devant nous, à un tournant du sentier, j'aperçus le rayon d'une torche électrique à travers les buissons. J'entendis une multitude de pieds, le cliquètement et le frottement des armes contre les harnachements.

Nous fîmes demi-tour et reprîmes notre course. Nous n'avions pas fait dix pas qu'un cri s'éleva et le rayon de la torche vint brusquement illuminer nos dos en fuite et nos talons en plein vol. Suivirent des beuglements de surprise et des hurlements d'ordres. Le sentier bifurqua. Les tirs commencèrent. Nous étions de nouveau dans le noir. Quelque part à notre gauche, branches et feuillages se déchiquetaient, s'arrachaient.

« *Plus vite* ! » cria Ian, dans mon dos.

A ma droite, se dressaient des arbres. Des troncs, minces, droits, régulièrement espacés. Plantés. Je plongeai parmi eux, instinctivement, Ian à ma suite. J'eus l'impression de vivre une explosion. Nos pieds foulaient une couche épaisse de feuilles, d'une sécheresse de parchemin, grosses comme des assiettes, friables comme de la galette. Je crus entendre Ian pousser un sanglot exaspéré, mais je continuai à descendre en courant la longue allée de troncs d'arbres. Je vis le rayon de la lampe électrique jouer sur ma gauche, puis se fixer sur moi.

Ian s'était esquivé une allée plus loin et se détachait de plus en plus. Je crus distinguer un bruit de tir au-dessus de l'écho prolongé des craquements fracassants de nos pas. Puis j'entendis vraiment les cris et les hourras de mes poursuivants tandis que je fuyais ventre à terre, mon ombre folle se profilant sur les feuilles friables devant moi.

Je jetai un coup d'œil à Ian, le vis attraper un tronc d'arbre et effectuer une conversion en diagonale. Je l'imitai en pensant comme c'est malin. Les tirs étaient clairs ct forts à présent et les balles fouettaient sauvagement les troncs.

Notre changement de direction avait fait perdre notre trace à la torche électrique. Je voyais son faisceau se déplacer à l'aventure. Trop d'arbres s'interposaient maintenant. Je m'arrêtai une seconde, en m'accrochant à un tronc. Des pas pesants, craquants, derrière moi, des cris fous, des tirs fous. Je recommençai à courir. Je distinguais à peine Ian qui avançait un peu péniblement, à dix mètres devant moi. Mon point de côté avait fini par disparaître et je semblais posséder plus de force. Je commençai à le rattraper.

C'est alors que je me tordis la cheville et tombai. Tout en m'étalant, je hurlai son nom. IAN, STOP ! Je levai la tête pour le chercher des yeux. Ma cheville me donnait l'impression d'être flageolante et molle, comme si l'articulation avait disparu, remplacée par de l'eau. IAN, AU SECOURS ! Je crois qu'il s'arrêta. Je crois qu'il revint vers moi. Puis le faisceau de la lampe l'accrocha et j'aperçus seulement, l'espace d'une seconde, son regard aveuglé, ébloui. Je criai et les fusils se mirent à tirer. Je vis voler des morceaux de troncs d'arbre gros comme des moitiés de briques, puis Ian plongea et disparut du faisceau de lumière. J'entendis le craquement de ses pas se fondre dans le crescendo des bruits de bottes de nos poursuivants.

Je m'enfonçai dans le sous-bois, me faufilant sous les couches de feuilles mortes, pareilles à d'énormes pommes chips, tâtant le sol frais au fond. Si je ne bougeais plus, ils ne me trouveraient pas, je le savais. Il leur faudrait me marcher dessus pour me découvrir.

Mon nez toucha la terre, mes narines se remplirent de son odeur de renfermé et de moisi. J'y plongeai mes doigts comme si je m'agrippai à la surface d'une falaise. Je gardai la tête baissée et demeurai absolument immobile.

En quelques secondes, je les entendis tous arriver sur moi, courir, taper des pieds et s'appeler les uns les autres tout en poursuivant Ian. Je les entendis tirer des coups de feu et crier, puis le bruit s'évanouit graduellement. Le silence retomba et bientôt mes oreilles se remplirent du son des feuilles elles-mêmes, de leurs infimes bruissements et crépitements. Je sentis des fourmis et des larves sur ma figure et une petite chose à quatre pattes détala près de moi. Je commençai à compter et atteignis deux mille avant de les entendre revenir. Mais ils étaient assez loin et ne s'approchèrent pas vraiment. Ils continuaient à crier et à s'interpeller avec colère. Cela signifiait-il qu'ils avaient attrapé Ian ou bien qu'ils l'avaient laissé filer ? Et s'ils l'avaient attrapé, qu'allaient-ils lui faire...

De longues minutes après leur départ, quand le vacarme se fut complètement dissipé, je m'assis. Ce n'est qu'à cet instant que je pris conscience des élancements douloureux de ma cheville. Toujours assise, je me poussais sur les fesses à reculons jusqu'à ce que je heurte un tronc d'arbre. Je m'y adossai et frottai le haut de ma tête contre l'écorce rêche. Je m'installai dans la forêt et l'obscurité pour y attendre l'aube.

L'HORLOGE NEURALE

Couchée seule dans le noir, dans sa maison sur la plage, Hope se rappelle souvent cette nuit-là. Quand les souvenirs deviennent trop vifs, elle abandonne son lit et va se verser un verre dans sa minuscule cuisine. Elle allume toutes les lumières et branche sa radio sur le programme international de la BBC ou sur quelque station locale de musique « batwque ».

Cette nuit-là, dans la futaie, parut à son sens subjectif du temps — son temps privé — passer avec une intolérable lenteur. Le refus de la terre de tourner plus vite, de ramener le jour dans ce coin d'Afrique, de recommencer une fois de plus le temps civil, lui sembla presque une insulte personnelle.

Et dans la noirceur dense de cette nuit interminable, elle prit fortement conscience des mécanismes horlogers de son propre corps. Les battements de son cœur, les mouvements de ses poumons. Mais elle sait maintenant que notre sens intime du temps n'est pas formé par le cœur qui bat ou les poumons qui respirent, mais par les impulsions neurales de notre cerveau.

Un neurone transmet une pulsation cinquante fois par seconde et la pulsation voyage le long de l'arbre du système nerveux à la vitesse approximative de cinquante mètres/seconde. Ce chronométreur neural ne se repose jamais un seul instant : durant notre vie entière, la course neurale ne s'accélère ni ne se ralentit jamais. Sa régularité et sa constance remplissent toutes les exigences de définition d'une horloge.

Si c'est vraiment ainsi que naît notre sens du temps personnel – par le tic-tac de l'horloge neurale cinquante fois par seconde –, alors une conséquence fort curieuse de la théorie est que d'autres primates – dont les impulsions neurales fonctionnent identiquement aux nôtres – devraient éprouver aussi cette même sensation de temps personnel.

De sa maison illuminée et bruyante, Hope scrute la nuit en direction du bruit des vagues. Il semble étrange, mais pas inconcevable que Clovis ait pu avoir un sens du passage du temps – une séquence limitée de moments présents – juste comme elle.

Tandis que la nuit noire blanchissait lentement, je m'aperçus que nous avions fui à travers une vaste plantation de tecks. Ils faisaient dix mètres de haut et leurs grandes feuilles plates ridées, de la taille de raquettes de tennis, pendaient immobiles dans l'air calme et frais du petit matin. Il n'y avait pas de végétation sous les arbres. Le tapis de feuilles mortes faisait quinze centimètres d'épaisseur — rien ne poussait là. Je me relevai et m'appuyai contre le tronc, en faisant crépiter le sol. Je faisais face à l'endroit d'où je venais. Tout autour de moi, je pouvais voir les dégâts provoqués dans le tapis de feuilles par les bottes des soldats. Aucune ne s'était avancée très près.

Je testai ma cheville avec précaution. Elle était un peu enflée, mais pouvait tout juste supporter mon poids. Une foulure donc. Je m'époussetai, secouai mes cheveux et mes vêtements pour les débarrasser de leurs brindilles, herbes et diverses créatures et partis clopin-clopant voir ce qui se trouvait au-delà de la plantation de tecks.

Il me fallut cinq minutes pour atteindre la lisière. Tout au long du chemin, je suivis les traces laissées par les soldats sur les feuilles mortes. Au-delà de la plantation s'étendait une brousse dense. Ian s'était-il échappé ou bien l'avait-on rattrapé à la frontière ? S'il avait réussi à atteindre la brousse, personne ne l'aurait jamais trouvé.

Le soleil se levait sur ma droite. Je me tournai pour lui faire face et longeai la lisière de la plantation. Au bout de trois ou quatre cents mètres, j'arrivai à un coupe-feu. De là, une piste envahie d'herbes menait vers la brousse. Je la pris, notant que rien n'était passé dessus depuis les pluies de l'année dernière. Des plantes rampantes avaient envahi les sillons jumeaux tracés par les roues et la bande centrale de terre était couverte de mauvaises herbes jusqu'à la hauteur du genou. De temps en temps je m'arrêtai pour tendre l'oreille, mais je n'entendis rien, sauf les appels, bruyants et frais, des oiseaux — orioles, calaos, colombes.

Un sentier forestier coupait la piste, bien marqué et poussiéreux, comme celui sur lequel nous avions couru la veille. Je décidai de le suivre, continuant à me diriger vers l'est au soleil levant.

Le rideau d'arbres commença à diminuer après un kilomètre environ. Je passais devant une ou deux mares saumâtres bourrées de roseaux. J'avais soif à présent, mais je n'allais pas me risquer à boire l'eau de ces marais frangés de vase. Je continuai à progresser en boitant, tout en grattant mes piqûres d'insectes, et j'essayais d'ignorer les questions qui me martelaient le crâne, de ne pas me rappeler ma dernière vision de Ian ni l'expression de son visage juste avant qu'il ne se sauve et m'abandonne.

Le paysage changeait autour de moi. Il devenait notablement

plus vert et luxuriant, avec des étendues de prairies. On avait l'impression de sources d'eau à quelques centimètres de la surface. De chaque côté du sentier, se dressaient des bouquets de palmiers et de palmettas, et de curieux arbres avec des troncs d'écorce pâle torturée et des feuilles dures bleu-vert qu'on aurait cru découpées dans du linoléum verni. Nous étions dans les territoires riverains du Musave.

Vers midi, très fatiguée, ma gorge craquelée et en feu, j'entendis un ricanement curieux dans le sous-bois. Je m'accroupis et soulevai un rideau de branches. C'était une poule déplumée et surprise avec trois poussins. Une poule. Je laissai retomber la branche. Il devait y avoir un village pas loin. Je continuai le long du sentier.

J'aperçus, à quelques deux cents mètres, les toits de chaume effondrés, mais le village paraissait bizarrement silencieux bien que quelques tortillons de fumée s'élevâssent des braseros. Je m'avançai prudemment. Le sentier se confondait avec la terre battue du compound. L'endroit méritait à peine l'appellation de village : ce n'était guère qu'une grappe de huttes autour d'un vieil arbre ombreux. Pas un animal en vue et j'en conclus que les lieux avaient été désertés ; pourtant des senteurs de feu de bois flottaient encore avec, sous-jacente, une aigre odeur de noix qui ne m'était pas familière.

Je passai devant la première case et jetai un coup d'œil sur l'espace découvert autour de l'arbre.

Trois cadavres brûlaient, cernés de grandes flammes jaunes vacillantes. Les corps gonflés étaient déjà suffisamment carbonisés pour qu'il fût impossible d'en identifier le sexe, l'âge ou la cause de la mort. L'odeur qui s'en dégageait semblait se déverser dans ma gorge — une odeur de porc, de noix, d'aigre et de minéral tout à la fois — comme une infecte potion. Saisie d'un spasme involontaire, j'eus trois ou quatre haut-le-cœur à sec. Je crachai copieusement. Quelque part, dans mon corps déshydraté, demeurait manifestement encore un peu de fluide. Ma gorge fissurée s'assouplit, ma langue redevint lisse et humide.

« Amilcar ! hurlai-je. C'est moi, Hope ! »

Un homme sortit de la hutte. Tout d'abord je ne le reconnus pas et je me sentis sursauter de peur. Mais trois membres des

Atomique Boum surgirent derrière lui et je laissai échapper un petit cri de soulagement. Je m'avançai à cloche-pied vers eux. J'avais envie de pleurer : je sentais que j'aurais dû pleurer, dans un sens, mais j'étais trop fatiguée.

« Hope… ? » dit Amilcar. Il était complètement sidéré de me voir. Il sourit, bougea la tête et le soleil se refléta sur la monture argent de ses lunettes neuves. Tout ce qu'il portait était neuf. Il paraissait incroyablement chic dans un uniforme de camouflage, tout en losanges verts, gris et marron, raide d'amidon. Il arborait un drôle de petit chapeau, genre képi avec un pan de protection contre le soleil sur la nuque, également en tissu de camouflage assorti à sa veste et son pantalon.

« Ciel, dis-je. Quelle tenue ! Je n'en reviens pas !

— J'ai été promu, répliqua-t-il montrant les galons sur ses épaulettes. Je suis un colonel maintenant. Et voilà — pointant un doigt sur les trois garçons — mes bataillons ! »

Nous éclatâmes de rire.

Nous quittâmes le village et ses cadavres encore fumants vers la fin de l'après-midi. Nous avions attrapé et rôti la poule famélique et l'avions mangée garnie d'un igname récalcitrant et de plantain pas mûr. Les trois garçons étaient Cinq-Octobre, Bengue et Simon. Ils demeuraient silencieux, sans entrain, le visage grave et attentif. C'étaient eux que nous avions vus s'enfuir par le potager. Personne ne savait ce qui était arrivé à Ilideo et aux autres. « Je suis sûr qu'ils ont pu se sauver, affirma Amilcar avec entrain. Ils se replieront comme nous. Nous nous retrouverons, ne vous inquiétez pas. »

Je lui racontai mes propres aventures, l'attaque et puis la fuite. Amilcar utilisa mon histoire pour remonter le moral des garçons. Regardez, leur dit-il, vingt hommes, vingt hommes armés, ont pris Hope en chasse et elle leur a échappé. L'implication étant que si j'avais pu le faire, n'importe qui le pouvait. Les garçons ne répondirent pas : ils fixaient d'un regard pénétrant Amilcar pendant qu'il parlait, comme s'ils cherchaient à le piéger à la moindre équivoque, mais sa sincérité et sa confiance étaient manifestes. Plus tard, je surpris les garçons me surveillant du coin de l'œil comme si ma présence garantissait la sécurité du reste de l'équipe.

Je marchai aux côtés d'Amilcar en quittant le village. Les garçons nous suivaient un peu plus loin, sans armes, les mains dans les poches, parlant parfois entre eux à voix basse.

« Comment sont morts ces gens dans le village ? » lui demandai-je.

Il répondit qu'il l'ignorait. Peut-être une patrouille. Pour autant qu'il le sache — pour autant que les services de renseignements du général Delgado le savaient —, des unités de l'armée fédérale se massaient sur les deux routes menant sur le territoire UNAMO, mais elles se trouvaient encore à des kilomètres.

« Ce devait donc être une patrouille, admit-il avec une grimace. Mais je ne comprends toujours pas comment ils ont attaqué l'école. Et en pleine nuit. Ça ne leur ressemble pas. Avez-vous vu des Blancs parmi les soldats ? »

Je répondis que non.

« Il y a beaucoup plus de mercenaires maintenant dans l'armée. Peut-être étaient-ce eux. Ex-Rhodésie et Congo. »

Il poursuivit ses conjectures. Une fois les forces repliées derrière les vastes marécages qui bordaient les territoires du fleuve, le conflit tomberait dans une impasse. Les fédéraux mis dans l'incapacité d'avancer, UNAMO pourrait se regrouper et se reconstituer. De toute manière, dit-il en regardant le ciel, les combats cesseraient obligatoirement dès la venue des pluies. Et alors, dans le Sud, EMLA lancerait son offensive : dans le Sud, on pouvait se battre durant la saison des pluies. Les fédéraux seraient donc forcés de se retirer et les colonnes d'UNAMO pourraient reprendre le terrain.

Je le regardais, élégant dans son nouvel uniforme, parler avec une tranquille assurance de cette chaîne d'événements comme s'ils étaient inévitables et réglés d'avance. Je jetai un coup d'œil derrière à ses « troupes », sa colonne UNAMO personnelle, trois jeunes joueurs de volley-ball inquiets, et me demandai si tous les zélotes voyaient le monde avec cette simplicité, sans le moindre rapport avec le témoignage des faits. Ou peut-être était-il devenu fou.

Avant le coucher du soleil, nous atteignîmes un autre village abandonné, mais sans cadavres à brûler. Nous fouillâmes les cases à la recherche de nourriture, sans succès.

Juste au-dessus du village se trouvait une route goudronnée, en mauvais état. Nous y montâmes pour l'examiner. Elle était déserte sur toute sa longueur. La lumière était douce et poudreuse, les premières chauves-souris plongeaient et s'esquivaient autour de nous. Amilcar m'expliqua la configuration du terrain.

Tourner à gauche, au nord, nous amènerait sur la digue qui traversait le grand marécage. Là, nous rejoindrions les forces d'UNAMO en voie de regroupement. Tourner à droite, au sud, nous conduirait vers l'une des deux unités des forces fédérales qui se préparaient à avancer sur cette route d'ici deux ou trois jours.

« Et je suppose que cette dernière information est pour ma gouverne », dis-je.

Amilcar haussa les épaules et tourna les talons.

« Si vous voulez partir, vous partez, répliqua-t-il brusquement hargneux. Je m'en fiche. »

Les mains sur les hanches, j'étudiai le paysage. Nous aurions pu être n'importe où en Afrique. La scène était à la fois typique et banale. Une route défoncée courant droit à travers une forêt basse et broussailleuse, un éparpillement de cases décrépites, une odeur étrange et sèche de poussière et de végétation, un gros soleil rouge prêt à plonger sous la cime des arbres, le chant plaintif des grillons.

« Je vais rester encore un peu avec vous », dis-je, peu soucieuse de descendre seule cette route à la rencontre de l'armée fédérale. Je lançai en l'air un poing las : « *Atomique Boum !* »

Les garçons sourirent.

Nous parvînmes à la digue, quinze cents mètres plus loin sur la route, avec les dernières traînées du jour. Elle courait sur un kilomètre en coupant droit à travers un vaste espace marécageux. Elle paraissait solide et bien construite, sa surface goudronnée intacte, la pente des talus bien entretenue sur toute sa longueur. Ici et là, au-dessous, de gros canaux de drainage en béton assuraient l'évacuation des eaux en période d'inondation. Nous la parcourûmes à vive allure. Un gros héron blanc s'envola et se haussa sans effort dans le crépuscule. Se retrouver en terrain dégagé, avec un vaste ciel et un horizon toujours plus lointain, donnait un sentiment de libération. Je commençais aussi à comprendre pourquoi Amilcar se montrait si confiant. Cette route ne serait pas difficile à défendre.

Amilcar semblait préoccupé. « Ces garçons, me dit-il discrètement, d'un ton déçu, ce ne sont pas de vrais soldats. »

A mesure que nous approchions du bout de la digue, notre allure ralentissait. Il faisait presque nuit à présent. Amilcar nous ordonna d'attendre et s'avança dans l'obscurité. Puis nous l'entendîmes crier — un mot de passe, je suppose. Cinq minutes après, il revint, mystifié. Il n'y avait personne, dit-il.

Nous poursuivîmes notre route.

Au bout de la digue se trouvait un petit village — l'habituelle grappe de cases en torchis de chaque côté de la route. Une hutte avait été démolie et son toit de chaume apparemment brûlé en partie. Aucune évidence d'autres dégâts.

De part et d'autre de la route, il y avait des tranchées abandonnées et, sur un emplacement protégé par des sacs de sable, un canon antichar. Avec un tube long et mince qui sentait le métal fraîchement tourné et les pneus neufs. Sa culasse luisait de graisse. Par terre, à côté, un tas bien net de caisses plates. En explorant, nous découvrîmes encore des boîtes et des caisses de munitions. Et dans une case, cent Kalachnikov liées en paquets de dix comme de disgracieux fagots de bois.

« Où est tout le monde ? se demanda Amilcar à voix haute. Que s'est-il passé ici ? » Il paraissait stupéfait et vexé, comme si ce village abandonné et son prodigieux gaspillage d'armement constituaient des insultes personnelles à son égard.

Nous fouillâmes encore et tombâmes sur des sacs de riz et des boîtes de maquereaux marinés polonais. Les garçons cuisinèrent un ragoût huileux de poisson, de riz, de manioc et de feuilles dont Amilcar dépouilla un arbuste.

Puis Amilcar réarma les Atomique Boum. Il leur donna à chacun une kalachnikov neuve et leur drapa autour du cou d'étincelants colliers de cartouches inutiles. « Ça fait joli, dit-il. Ça les aide à se sentir forts. » Il expédia Cinq-Octobre derrière le canon pour surveiller la digue et les deux autres jeunes offrirent spontanément à l'accompagner. Ce qui fit plaisir à Amilcar.

« Vous voyez, me dit-il après leur départ, maintenant que nous sommes chez nous, ils vont se battre. »

Nous étions dans une case, une lanterne allumée au centre du sol, assis sur des piles de ponchos caoutchoutés, vert olive, que nous avions trouvés. Amilcar, d'humeur bavarde, évoqua ses ambitions passées. Il n'aurait jamais exercé dans la capitale, affirma-t-il, comme ces autres médecins avec leurs cliniques privées et leur Mercedes Benz, qui tous intriguaient pour obtenir des postes à l'Organisation mondiale de la santé de façon à pouvoir vivre à Genève. Il serait resté dans sa province pour aider ses compatriotes.

« Dieu me rendra à eux, dit-il simplement. Quand la guerre sera finie.

— Dieu ? m'étonnais-je. Ne me dites pas que vous croyez en Dieu ?

— Mais naturellement. » Ma stupéfaction le fit rire. « Je suis un catholique. » Il fouilla sous sa veste et sortit un crucifix au bout d'un chapelet. « Il est mon guide et mon protecteur. Il est mon appui et mon réconfort.

— Je n'y aurais jamais pensé.

— Êtes-vous chrétienne ?

— Bien sûr que non.

— Ah, Hope ! » Il secoua la tête tristement. Il paraissait sincèrement déçu par moi. « C'est parce que vous êtes une scientifique. »

Nous commençâmes à parler de ma vie, ce que je faisais, ce que j'avais fait avant. Je lui racontais mon doctorat, mon travail à Knap, Mallabar et le projet de Grosso Arvore. Je bavardais avec animation, m'exprimant d'une manière succincte et définitive. J'avais l'impression d'évoquer un monde disparu, de résumer un projet de recherche historique que j'aurais terminé depuis des années. Professeur Hobbes, le collège, le domaine de Knap, Grosso Arvore et les chimpanzés semblaient n'avoir absolument pas le moindre rapport avec moi.

De temps à autre, Amilcar m'interrompait pour donner son opinion.

« Mais Hope, dit-il à un moment donné, laissez-moi vous poser une question. D'accord, vous en savez un bout. Vous savez beaucoup de choses obscures.

— Oui, je suppose.

— Alors laissez-moi vous demander ceci : plus vous en savez, plus vous apprenez — cela vous fait-il vous sentir mieux ?

— Je ne comprends pas.

— Toutes ces choses que vous savez — vous rendent-elles heureuse ? Font-elles de vous une personne meilleure ?

— Ça n'a rien à voir avec le bonheur. »

Il secoua de nouveau la tête avec tristesse.

« La poursuite du savoir est la route de l'enfer. »

Je lui ris au nez : « Mon Dieu ! Comment pouvez-vous dire ça ? Vous êtes médecin, nom d'un chien. Quelle foutaise ! »

Nous continuâmes à nous chamailler gentiment. Je sentis qu'il prenait des positions pour faire des effets de manche, pour prolonger le débat et je m'y prêtai. Parfois, cependant, il disait quelque chose qui me faisait réfléchir. A un moment, il me posa beaucoup de questions sur les chimpanzés, et la raison pour laquelle nous les étudions avec autant de soin. Il parut sincèrement étonné — et cette fois je ne crois pas qu'il jouait la comédie — que j'aie passé mois après mois dans la brousse à observer des chimpanzés et à enregistrer chacun de leurs mouvements et de leurs actes.

« Mais pourquoi ? dit-il. A quoi ça sert ? »

J'essayai de le lui expliquer, mais il ne sembla pas convaincu.

« Le problème avec vous, les Occidentaux, c'est que... » Il réfléchit. « Vous n'accordez pas vraiment de valeur à la vie humaine, aux êtres humains.

— Ce n'est pas vrai.

— Vous accordez plus de valeur à un singe qu'à un être

293

humain. Et regardez-vous : je vous entends parler d'arbre, de je ne sais quelle haie. » Il pointa son doigt sur moi. « Vous accordez plus de valeur à un arbre qu'à un être humain.

— C'est ridicule. Je...

— Non, Hope, il faut que vous appreniez », il continuait à brandir son doigt, « il faut que vous appreniez qu'une vie humaine, n'importe laquelle vaut plus qu'une voiture, une plante, un arbre... ou un singe. »

LE POIDS DE L'UNIVERS DES SENS

Je suis sortie sur la plage aujourd'hui. Il faisait frais, la brise soufflait et mes cheveux n'arrêtaient pas de me retomber de manière assommante sur la figure. Pour une raison ou une autre, mes pensées étaient pleines d'Amilcar et de ses folles certitudes morales. J'en fus distraite, plutôt rudement, quand je mis le pied sur un gros morceau de cambouis de la taille d'une prune qui s'écrasa entre les trois orteils de mon pied gauche, collant et visqueux comme de la mélasse.

L'heure suivante s'écoula en une recherche frustrante d'un peu de pétrole ou d'alcool pour le nettoyer. Il n'y en avait pas dans la maison et je fus donc obligée de traverser clopin-clopant la palmeraie pour aller au village. J'achetai une bouteille de bière remplie de kérosène rose à une des vieilles marchandes et, finalement, avec pas mal d'efforts et suffisamment de coton pour bourrer un coussin, je réussis à effacer toute trace de goudron sur mon pied.

A présent, installée sur ma terrasse, je me sens stupide, anéantie, et je regarde bêtement l'océan, une forte odeur de pétrole émanant de mon pied gauche, mes orteils mis à vif par ce liquide irritant.

Le poids de l'univers des sens m'accable certains jours, dont aujourd'hui, clairement. Je semble incapable d'échapper au côté phénomènes, au côté humain erratique. C'est à des moments pareils que l'appel des mathématiques se fait le plus fortement séduisant. Soudain, je peux comprendre la satisfaction de cette

294

évasion, goûter un peu du plaisir qu'elle donnait à un être tel que John. Le monde, ses irritations et sa pagaille, ses ennuis et son agitation, sa mesquinerie continuelle peuvent vous miner si aisément. Voilà pourquoi j'aime la plage — gros pâtés de cambouis nonobstant. Vivre à l'extrémité d'un continent, face aux deux grands simples espaces de la mer et du ciel, entretient le sentiment d'être moins encombré que ceux qui habitent loin du rivage. On se sent moins abusé par le gaspillage et le gâchis du quotidien. Cinquante mètres séparent l'endroit où je suis assise maintenant de la mousse et de l'écume de la dernière vague. Il n'y a pas, vous imaginez, grand-chose entre ici et là pour me distraire.

Je me rappelle une remarque d'Amilcar le soir où nous bavardions. Je lui demandai ce qui se passerait s'il était vaincu. Il refusa d'admettre que ce fût possible.

« Oui, mais si ? dis-je. Supposons...

— Eh bien... D'abord, je serais mort.

— Avez-vous peur ? »

Il fit la moue tout en réfléchissant :

« Non.

— Pourquoi pas ?

— Parce que ce qui ne peut pas être évité doit être bien accueilli. »

Je ne fus jamais convaincue, ce soir-là, au cours de notre discussion, qu'il n'essayait pas simplement de me provoquer. Nous continuâmes à bavarder en abordant d'autres sujets. Il me parla d'une fille, une jeune Française, rencontrée à Montpellier et qu'il avait demandée en mariage. Elle avait dit oui et puis, trois semaines plus tard, avait dit non. Il ne l'avait jamais revue. Il me demanda si j'étais mariée. Je lui répondis que non. Il sourit et plissa les yeux.

« Bon. Et Ian, alors ?

— Eh bien quoi, Ian ?

— Je pense qu'il aimerait vous épouser. Pourquoi ne l'épousez-vous pas ?

— Non, mais vous voulez plaisanter ! »

Il trouva cela très amusant. Tout en continuant à rire, il sortit pour aller voir les garçons dans leur fosse à canon. Seule dans la case, je repensai aux propos d'Amilcar et m'aperçus qu'il présumait Ian encore vivant. S'il l'était, je doutais que son mariage avec moi fût au premier rang de ses pensées.

Amilcar revint et je vis que son humeur avait de nouveau changé. Il était déprimé.

« Ces gamins, dit-il, suçant l'air entre ses dents pour exprimer son exaspération, ils ont trop peur. Je leur ai dit qu'il n'y avait aucun danger. Ils entendraient les fédéraux à trois kilomètres s'ils approchaient. Et dans ce cas, il leur suffirait de m'appeler. Un coup de feu, un seul coup de feu, et les autres battraient en retraite. » Il continua à se plaindre du manque de courage des garçons.

« Peut-être devrions nous nous replier légèrement, suggérai-je. Les troupes d'UNAMO sont peut-être un peu plus loin sur la route ?

— Non. Nous résisterons ici. »

Il ne voulait plus parler, je le sentis. Il ramassa la lanterne et partit vérifier *le matériel* abandonné. Je tirai quelques ponchos sur moi et me préparai à dormir.

Je me réveillai très tôt. Dehors la lumière était faible, d'un gris pâle brumeux. Amilcar avait disparu. Je me redressai, raide et endolorie. J'avais été méchamment piquée dans la nuit sur le cou et l'avant-bras.

Dehors tout était très calme. Pour la première fois, je voyais le village dans toute l'étendue de sa débâcle : partout s'empilaient des cartons et des caisses d'emballage à vau-l'eau. Je me demandai où pouvait bien se trouver Amilcar. Je partis à sa recherche en direction de la digue. Lentement, autour de moi, l'éclairage monochrome s'infusait de citron pâle : les nuages étaient bas et il faisait frais.

En approchant de la tranchée-abri, je m'aperçus immédiatement qu'elle était vide. Les garçons avaient filé, laissant leurs fusils neufs contre le rempart de sacs de sable, leurs colliers de munitions roulés en tas à côté. Fait encore plus éloquent, trois blousons de jogging pendaient au tube du canon antichar. L'équipe des Atomique Boum s'était finalement dispersée.

Je pliai les blousons et les posai sur les sacs de sable. Je m'assis sur l'un des pneus du canon et m'interrogeai sur ce que je devais faire. Le canon, pensai-je, l'esprit à la dérive, était plutôt un bel objet. Le long tube fuselé constellé de bulles de rosée paraissait disproportionné, trop long pour la culasse compacte et l'affût bien dessiné. Un opuscule ensaché dans du plastique pendait à l'une des poignées de l'appareil de pointage. Je l'ouvris. C'était le mode d'emploi du canon — rédigé en français.

Je reportai mon regard sur la longue perspective de la digue. Des bancs de brume recouvraient le marais. Tout était très serein, étrangement beau. Quelques oiseaux commençaient à chanter. J'entendis le pupulement plaintif d'une huppe.

« Ils sont partis », dit Amilcar.

Je me retournai. Il était là, debout, effondré, mais pourtant tendu, les muscles de sa mâchoire en mouvement.

« Regardez. » Il me montra du doigt les fusils bien rangés. Je crois que c'est seulement à ce moment-là que l'impossibilité de sa situation — son irréalité burlesque — le frappa. Il mit les mains sur les hanches et leva une mine désespérée vers le ciel.

« Ces garçons! dit-il, en essayant de rire. Un grand joueur de volley-ball fait un mauvais soldat. Maintenant je le sais. » Il se retourna pour contempler le gâchis dans le village : « Regardez-moi ça. Terrible. »

J'eus froid et je frissonnai. Je m'emparai d'un des blousons : « Je peux prendre ?

— Prenez ce que vous voudrez. Servez-vous. Prenez donc un canon antichar. »

J'enfilai le survêtement. Amilcar regardait avec incrédulité le livret d'instructions du canon.

« En français... non, mais vous y croyez ? Comment pensez-vous qu'on savait que le seul homme qui resterait pour s'en servir aurait fréquenté l'université de Montpellier ? » Il jeta le livret. « Combien coûte un canon tel que celui-ci ?

— Comment voulez-vous que je le sache ? »

297

— Deux cent mille dollars ? Un demi-million ?

— Que vous dire ? Il est tout neuf. Qui sait combien coûte ces choses ?

— Un type d'UNAMO a acheté ça pour nous en Europe. Je me demande à combien s'est montée sa commission. »

Il souleva le couvercle d'une des caisses plates. A l'intérieur, couchés comme des bouteilles de vin sur un support de polystyrène, reposaient trois minces obus coiffés d'une sorte d'oignon couleur lilas, pareils aux dômes d'une église russe. Amilcar en sortit un et le tendit à bout de bras : un bel objet, aussi bien dessiné que le canon. Le lilas prenait des reflets lumineux sous la lumière jaunâtre. Amilcar ouvrit la culasse du canon et offrit le nez en forme d'oignon à l'ouverture. L'obus glissa aisément. Il était beaucoup trop petit. Amilcar le retira.

« Combien coûte l'un de ceux-ci ? Cinq mille dollars ? Dix ? »

Cette fois, je ne répondis pas. Je remontai la fermeture Éclair de mon blouson Atomique Boum. Amilcar s'assit sur le rempart de sacs de sable. Je me sentais si désolée pour lui, dans son uniforme tout neuf — bien que déjà un peu froissé il gardait son air pimpant —, avec cette masse inutile d'armes sophistiquées. Il regardait par terre sans rien dire.

Les piqûres de mon cou me démangeaient. Je m'aperçus en les grattant qu'elles se trouvaient exactement à la même place que la curieuse cicatrice d'Amilcar. Si nous en avions le temps, et que l'occasion se présente, je lui parlerais de la tache de vin étalée sur mon crâne.

« Hope, dit-il soudain, voulez-vous me donner un coup de main ? J'ai besoin de votre aide. Ça gagnerait du temps. Et puis nous retournerons vers notre terrain d'aviation vous mettre sur un vol ce soir. Mais il me reste juste encore une chose à faire et si vous m'aidez, ça nous fera gagner du temps.

— Bien sûr, répondis-je instantanément. Avec joie. »

Je ne pus transporter que deux mines, et encore au prix d'un gros effort. Elles étaient lourdes, peintes en noir, de la taille de grandes assiettes et épaisses de cinq centimètres. Amilcar en

portait quatre avec, en supplément, une kalachnikov en bandou-
lière.

Nous avancions lentement sur la digue, en nous arrêtant de
temps en temps pour me permettre de souffler. Le soleil se levait
à présent et la brume se dégageait des marais. Des morceaux de
bleu apparaissaient à travers les nuages qui s'effilochaient.

Au bout de quatre cents mètres, nous fîmes halte à hauteur
d'un canal de drainage. Amilcar se laissa glisser sur la paroi du
talus et je lui passai les mines une à une qu'il empila sous la
route, au centre du caniveau.

Sa dernière contribution à la défense de son pays, m'avait-il
expliqué, serait la destruction de la digue. L'équipement avait
été abandonné, les soldats avaient fui, mais s'il réussissait à faire
un gros trou dans la digue, alors il aurait le sentiment que ses
efforts n'avaient pas été vains. Son plan était simple : il ferait
sauter une des mines grâce à un petit dispositif de son invention.
Un support — un bâton de cinquante centimètres — maintien-
drait en équilibre la crosse de la Kalachnikov au-dessus de
l'enveloppe métallique d'une mine activée. A ce bâton serait
rattaché un long bout de ficelle. Une fois suffisamment éloigné,
Amilcar tirerait simplement sur la ficelle pour ôter le bâton et la
crosse de la Kalachnikov tomberait en plein sur l'enveloppe
métallique. La mine exploserait, m'assura-t-il, démolissant une
considérable section de la digue. Ça paraissait un bon plan, une
jolie petite improvisation.

Je lui passai donc la dernière mine et regrimpai le talus. Je
m'assis sur le bas-côté de la route et attendis Amilcar, en
regardant le paysage. La matinée était belle et claire. Sur la rive
opposée du marais, des palmiers se réfléchissaient à la perfection
sur une nappe d'eau libre de roseaux. Quel extraordinairement
bel arbre qu'un palmier ! pensai-je. Et comme son ubiquité sous
les tropiques nous empêche souvent d'apprécier sa beauté et sa
grâce singulières : son tronc gris mince courbé, le délicat
évasement de ses palmes, le fait que, quel que soit son âge ou
son état, l'essentiel de son élégance demeure...

Mon estomac grognait et une terrible envie de fumer s'empara
soudain de moi. J'entendais, venant du caniveau, le bruit amplifié du métal contre le béton tandis qu'Amilcar entassait ses mines.

J'allai jusqu'au bord du talus et vis Amilcar émerger, le dos rond, du canal de drainage. Tout en déroulant sa pelote de ficelle, il remonta à reculons avec précaution jusqu'à la route, puis, très délicatement, tira sur la boucle lâche que formait la ficelle, étendit celle-ci par terre et posa une pierre dessus. Il ôta ses lunettes et, du revers de sa manche, essuya son front en sueur.

« Espérons que le bâton ne tombera pas trop vite », dit-il avec un sourire nerveux.

Il redescendit le talus pour ôter un brin d'herbe qui taquinait le fil détonateur. J'inspectai la route de la digue. Porté par l'air calme du matin arrivait un vague bruit de moteur. Je prêtai l'oreille. C'était bien un moteur. Le moteur d'un véhicule. J'abritai mes yeux de ma main pour scruter l'horizon. Même à cette heure matinale, une brume de chaleur faisait déjà miroiter la route. Je vis deux taches noires verticales chevaucher le mercure tremblotant du mirage.

« Amilcar ! Un camion arrive ! »

Il remonta en courant le talus.

« Oh, *non !* dit-il, sa voix pleine d'une vive déception. Attendez une seconde !

— Est-ce qu'on ne devrait pas filer ? » suggérai-je, anxieuse. Mais déjà il était à l'entrée du caniveau. Il y pénétra et en ressortit quelques secondes après avec la Kalachnikov.

« Bon Dieu, Amilcar, dis-je, qu'est-ce que vous faites ? Fichons le camp d'ici.

— Non, je vous promets. Juste quelques coups de feu et ils ne reviendront pas avant demain. » Il arma la mitraillette, maladroitement. « Il nous restera plein de temps. »

Il me fit signe de m'écarter et je m'accroupis sur le talus, derrière lui demeuré debout, la mitraillette pointée, attendant que le camion approche.

« Personne ne veut risquer de se faire blesser, dit-il, calant la crosse de sa mitraillette contre son épaule. Vous allez voir. Je vais leur tirer dessus et ils s'enfuiront. Et puis ils feront appel à leurs mercenaires ou à leurs avions pour venir nous bombarder. Mais à ce moment-là, il sera trop tard.

— Ne les laissez pas approcher trop près. »

— Je tiens vraiment à leur flanquer une bonne trouille. »

Je voyais nettement le camion maintenant, à quatre cents mètres environ. Il n'était pas bâché et paraissait rempli d'hommes. Je vis Amilcar viser soigneusement et presser la gachette. Rien ne se produisit. Le cran de sûreté, pensais-je. Bon Dieu ! Amilcar tripota la mitraillette et visa de nouveau.

Il lâcha une longue giclée. Puis une série rapide de petites rafales. Les cartouches de cuivre tintèrent joliment sur le macadam tandis que l'écho des tirs s'égrenait à travers le marais.

Le camion s'arrêta pile. J'entendis des cris confus. Amilcar s'était allongé à côté de moi.

« Regardez bien », dit-il.

Le camion entama rapidement une marche arrière en zigzaguant. Amilcar visa et tira, cette fois en position couchée. J'enfonçai mes doigts dans mes oreilles.

Dans le silence qui suivit, j'entendis le craquement affolé des vitesses tandis que le camion s'y reprenait à trois fois pour tourner. Puis ses occupants se mirent à tirer à leur tour. Au loin sur le marais, un long jet de balles fit bouillonner l'eau. Finalement le camion réussit à négocier son virage et j'entendis le moteur s'emballer sous les coups d'accélérateur. Tandis qu'il battait en retraite, les tirs crépitèrent et explosèrent follement comme de la graisse dans une poêle. Aucun balle ne tomba près de nous.

Amilcar se leva et vida son chargeur dans leur direction. Il laissa choir sa mitraillette avec un rire dégoûté. Le bruit de la fusillade diminua.

« Pourquoi est-ce qu'on n'arrive pas à gagner cette guerre ? dit-il. C'est si facile. »

Je ne vis ni n'entendis rien. Une des douzaines de balles tirées à l'aveuglette trouva sa cible. J'étais en train de me relever et je vis se former la blessure de sortie, un jet de sang soudain en plein milieu de son dos, un bol de phlegme gros comme le poing, une touffe de chair hachée bourgeonnant subitement.

Il tomba sur le flanc, plié en deux et demeura ainsi, un bras battant l'air faiblement comme un bébé qui fait bonjour.

Je me précipitai vers lui. Dans sa chute, il avait à moitié perdu ses lunettes. Ses yeux étaient fermement clos, sa lèvre supérieure

301

coincée entre ses dents. Il émettait d'étranges grognements semblables à ceux d'un dialecte chinois guttural.

Je lui enlevai ses lunettes. Je me sentis complètement, entièrement impuissante.

« Que dois-je faire Amilcar ? dis-je bêtement. Que dois-je faire ? »

Je vis son visage noir perdre son aspect satiné, devenir opaque telle de la peinture qui sèche. Il ouvrit les yeux. Je les vis remuer.

« Ne les laissez pas vous attraper, dit-il dans un immense effort.

— Je ne parle pas de moi, répliquai-je désespérement. Je parle de *vous* ! »

Mais il ne pouvait plus me répondre. Au bout de trois minutes, il mourut.

J'abandonnai là son corps et retournai à grands pas au village. Je me sentais toute étourdie, absurdement en forme, comme poussée par un vent vif. Je me forçai à m'asseoir en arrivant à la tranchée-abri. Je vibrais d'une énorme énergie subitement libérée comme si des réserves secrètes d'adrénaline accumulées dans mon corps m'étaient maintenant léguées pour en faire ce que bon me semblerait. Courir trente kilomètres, démolir le village à mains nues, abattre une forêt d'arbres.

Je demeurai assise sur le mur de sacs de sable, à côté de l'élégant canon, pendant plus d'une heure, à débattre des mesures à prendre. Deux problèmes dominaient mes pensées. Le premier était le corps d'Amilcar : qu'en faire ? Je savais combien il serait malheureux d'être abandonné là-bas au bord de la route à cuire au soleil. Aurais-je la force de lui creuser une tombe, ou bien me contenterais-je de le brûler ? Le second était de décider si j'essaierais de terminer ce qu'il avait commencé. Si je réussissais à faire sauter les mines et à détruire la digue, je savais qu'il en aurait été très heureux.

Je réfléchis longtemps et, à la fin, je ne pus me résoudre ni à l'un ni à l'autre. J'adoptai la solution raisonnable.

Je fouillai de fond en comble les réserves de munitions

abandonnées à la recherche de quelque chose de blanc. Je finis par trouver une caisse vide, le double de la taille d'une classique caisse à thé, tapissée d'un gros calicot grisâtre que j'arrachai pour découvrir du papier aluminium dessous. Je fus incapable de deviner ce que la caisse avait bien pu contenir.

Munie d'une machette, j'allais faire un tour dans la brousse pour y couper deux longs piquets et, avec mes bouts de calicot, je confectionnai deux drapeaux blancs. J'en apportai un à la fosse et le coinçai entre les sacs de sable. Il n'y avait pas de vent et le drapeau pendait, inerte. Mais il ressemblait incontestablement et sans la moindre équivoque à un drapeau d'armistice, décidai-je.

Je jetai un coup d'œil sur la digue et fus contente de constater que la brume de chaleur m'empêchait de voir le corps d'Amilcar sur le bas-côté de la route. Je m'avançais de quelques pas, mais me découvris dans l'impossibilité d'aller plus loin.

Que pouvais-je faire pour lui à présent? Impossible de mettre le feu à son cadavre. Je ne possédais ni pétrole ni essence. Je ne pouvais tout bonnement pas gratter une allumette sur son uniforme neuf et espérer que ça ferait l'affaire. Enterre-le, dit une voix dans ma tête. Étais-je capable de prendre une pelle et de creuser une tombe, de l'y pousser dedans et de le recouvrir de terre? Le jeter dans le marais...? Je fis demi-tour, furieuse de mon impuissance, exaspérée par mon manque d'ingéniosité.

Je pris mon second drapeau et retournai au centre du village. Je traînai deux caisses vides au milieu de la route et dressai mon drapeau dessus. J'installai un poncho pour me faire un peu d'ombre et me faufilai dans une des caisses pour y attendre.

J'attendis toute la journée. Patiemment, en m'efforçant résolument de ne pas trop réfléchir au-delà du moment présent. J'avais une vue parfaitement dégagée de la route jonchée de balles. L'entrée de la digue était cachée par un virage, mais je distinguais fort bien le tube du canon dans la tranchée-abri et la hampe de mon drapeau blanc tout de travers.

Vers le milieu de l'après-midi, j'entendis au loin une brève rafale et puis plus rien. Un vent sec se leva peu à peu qui fit flotter et claquer bravement mon drapeau au-dessus de ma tête. Cela me réconforta. Je pouvais apercevoir le carré de calicot sur l'emplacement du canon se comporter avec autant de vigueur. Sûrement, raisonnai-je, toutes les armées savaient ce que voulait dire un drapeau blanc. J'étais un prisonnier d'UNAMO attendant d'être secouru.

Je les vis arriver au crépuscule, une demi-douzaine de silhouettes qui se glissèrent professionnellement de maison en buisson, de porte en mur d'enclos. Je rampai hors de ma caisse d'emballage surmontée d'un poncho et me mis debout, les deux mains tendues haut au-dessus de ma tête.

« *Au secours ! Au secours ! Je suis une prisonnière !* »

Je vis alors quelqu'un bouger. Et puis quelqu'un d'autre. Un flot tiède de soulagement me parcourut les entrailles quand je compris que je n'avais pas imaginé mes sauveteurs. Tandis qu'ils s'approchaient, tout en se jetant d'abri en abri, je continuai à crier pour les rassurer. « Ce n'est pas une embuscade ! hurlai-je, il n'y a personne d'autre ici. Que moi. Je suis une prisonnière ! »

Ils finirent par émerger de derrière les portes et les murs et s'avancèrent vers moi, fusil à l'horizontale. Ils étaient cinq. La masse de leur paquetage et de leur harnachement les faisaient paraître plus grands. Leurs casques se découpaient noirs et ronds sur la lumière ambrée et poudreuse du soleil couchant. Je tenais mon drapeau si droit au-dessus de ma tête que les muscles de mes épaules en étaient endoloris.

Ils arrivèrent tout près et je scrutai leurs visages — sales, en sueur, pas rasés, mais deux d'entre eux indubitablement blancs.

Ils me contemplèrent, fascinés.

« *T'as raison, coco,* dit l'un avec un fort accent belge. *C'est une gonzesse !* »

TROIS QUESTIONS

J'ai besoin d'une coupe de cheveux... Les chiens sont de retour sur la plage... L'eau se compose de deux gaz... Il faudrait que j'achète un nouveau frigo... Rien dans l'évolutionnisme ne peut expliquer la conscience... Gunther m'a invitée à aller le voir à Munich...

304

Hope a la tête pleine de ce genre d'idées et d'observations fugaces et sans suite, alors qu'assise sur sa terrasse avec une bière fraîche, elle contemple le coucher du soleil.

Elle voit son veilleur de nuit arriver et lui fait un signe de la main. C'est un vieil homme, à la barbe grise, qui garde sa maison, armé d'une lampe électrique, un arc et trois flèches barbelées. Il extirpe son tabouret de dessous la terrasse et s'assoit pour commencer sa veille.

Elle flanque une claque à un moustique plaintif et boit une gorgée de sa bière amère. Un autre sujet s'insinue dans son esprit : « *Il y a seulement trois questions...* » *Qui a dit cela ? Un philosophe... Il y a trois questions, a dit ce philosophe, auxquelles tout être humain, en tout temps, tout lieu, quelles que soient ses croyances ou sa couleur, désire une réponse. (Kant ? Hope le pense... Aristote ? Schopenhauer ?) Quoi qu'il en soit, elle se rappelle les questions maintenant. Les voici :*

Que puis-je savoir ?

Que dois-je faire ?

Que puis-je espérer ?

Tous les cultes, religions, philosophies et idéologies du monde, affirmait ce philosophe, ont tenté de répondre à ces questions.

Quand Hope les lui cita, John éclata de rire. Et répliqua que les réponses étaient faciles : il pouvait, lui, épargner aux philosophes et à la masse souffrante de l'humanité une belle quantité de chagrin. Il écrivit immédiatement les réponses sur un bout de papier.

Son arrogance irrita Hope. Il réagissait comme s'il s'agissait d'un tour de passe-passe connu. Malgré tout, elle garda la feuille sur laquelle il avait griffonné. Elle est froissée et molle à force d'avoir été promenée et manipulée si souvent : elle ressemble davantage à un morceau de tissu fin ou de daim tendre, mais on peut encore déchiffrer la petite écriture hachée de John. Il écrivit :

Que puis-je savoir ? Rien de certain.

Que dois-je faire ? Essayer de ne blesser personne.

Que puis-je espérer ? Le mieux (mais ça ne changera rien).

Voilà, dit-il, voilà une bonne chose de réglée.

Hope Clearwater attendait sur le quai d'Exeter que John descende du train de Londres. Tout d'abord, elle ne réussit pas à le voir dans la foule des passagers, mais finalement elle l'aperçut sortant du wagon de première classe en bout de convoi. Première classe, pensa-t-elle, je ne peux pas le croire. Elle s'avança à sa rencontre. Il portait une lourde valise qui l'obligeait, pour compenser, à pencher son corps entièrement de côté et dont le poids le faisait marcher d'un pas à la fois traînant et rapide que, dans d'autres circonstances, Hope aurait pu trouver amusant. Que diable trimbale-t-il donc là-dedans ? se dit-elle.

« Des livres, annonça-t-il, répondant à sa question muette. Désolé. »

Elle l'embrassa sur la joue.

« Ne sois pas idiot, dit-elle. Tu apportes ce que tu veux. »

Il paraissait pâle et plus maigre. Mais pas trop mal en point, tout bien considéré.

En route pour East Knap, il ne parla pas beaucoup et passa le plus clair du trajet à regarder le paysage. C'était une journée froide et claire : la forte gelée de la nuit précédente collait encore à la terre et aux haies. Il n'y avait pas de vent, et les arbres, ormeaux et hêtres, se dressaient sombres et immobiles.

« Bon Dieu, ce que j'aime l'hiver », dit John, tout à coup.

Hope le regarda :

« Alors comment as-tu fait pour vivre en Californie ?

— Justement, répliqua-t-il avec violence. Exactement. Je regrette d'y être allé. J'ai perdu tant de temps. » Il secoua la tête devant un souvenir. « Si seulement j'étais resté ici, vois-tu... Je n'aurais pas été piégé dans cette connerie de Théorie du jeu.

— Allons, John. Ça n'a pas de sens de repenser aux choses ainsi. Ça nous arrive à tous.

— C'est impossible à oublier, dit-il, sa voix remplie de dégoût pour lui-même. La Théorie du jeu : une occupation très californienne. »

Il semblait n'y avoir aucune réponse à cette véhémence, et Hope continua donc à conduire en silence. Puis, lorsque ce silence devint oppressant, elle entreprit d'énumérer les améliorations qu'elle avait apportées au cottage.

« Peut-on aller voir la mer ? demanda-t-il tout à coup.

— Euh, oui... Maintenant ?

— S'il te plaît. Si ça ne t'ennuie pas. »

Elle vira à droite et prit par les allées creuses jusqu'à ce qu'elle parvienne à la hauteur d'un échalier commode.

Ils passèrent par-dessus et gravirent les collines au milieu des touffes d'ajoncs et de genêts. Le vent soufflait, apportant avec lui le froid de la Manche, et Hope resserra son foulard sur ses oreilles. Ils atteignirent le sommet de l'aimable côte et découvrirent la mer, gris plomb et agitée. Le soleil pâle et bas allongeait les ombres. Il devait leur rester vingt minutes de jour, estima Hope.

« Tu n'as pas froid, Johnny ? »

Il portait un imperméable et pas de cache-nez. Il continua à regarder la mer sans répondre. Hope examina ce visage en lame de couteau, éclairé par les rayons jaunâtres, et dont le vent aigre faisait larmoyer les yeux, les mains bien enfoncées dans les poches.

« Bon Dieu, ça m'a manqué, dit-il. Il faut que je vive près de l'eau. Un fleuve ou la mer. Il le faut.

— Espèce de vieux blagueur ! »

Il se tourna vers elle, sans relever sa taquinerie.

« Non, il le faut, Hope. Ça me calme. C'est une chose que je sens, très profondément.

— Allons, viens, retournons à la voiture. Il fait salement froid.

— Encore une minute ou deux. »

Au bout d'un moment, il dit : « Tu sais, ce lac dont tu m'as parlé ?

— Oui.

— Je ne m'en rappelle toujours pas. Aucun souvenir de lac.

— Il est encore là. Je te le montrerai plus tard.

— C'est drôle, ça. » Il secoua la tête. « Tu es sûre que je le connais ?

— Tu prétendais que c'était ton endroit préféré.

— C'est drôle, ça. »

Hope fit les cent pas en tapant des pieds. Puis elle arrondit son manteau au-dessus de sa tête pour s'en servir de coupe-vent et alluma une cigarette. John demeurait debout immobile, fixant la mer, respirant profondément, et apparemment insensible à la température.

Elle repartit seule vers la voiture et mit le moteur en marche ainsi que le chauffage et la radio. John revint dix minutes après, le froid irradiant de son corps comme une force magnétique. Les traits tirés, il tremblait un peu maintenant et paraissait malade. Hope était trop furieuse pour parler et ils reprirent la route du cottage en silence.

A leur arrivée, elle fit du thé et s'ordonna de se montrer plus raisonnable et compréhensive. Toutes ses bonnes résolutions s'évanouirent quand en sortant de la cuisine elle découvrit John en train de défaire sa valise dans le salon et d'entasser les douzaines de livres qu'il avait apportés au-dessus des siens, surchargeant la petite bibliothèque en chêne achetée, elle s'en souvenait, dans une boutique de West Lulworth. Elle s'en rappela même le nom, allez savoir pourquoi, alors que, debout avec ses chopes fumantes à la main, elle le regardait faire. A l'Antique Bric-à-Brac — c'est cela —, Sam M. Dieudavenir, prop. Un charmant oxymoron.

En se concentrant sur ce genre de détails, elle parvint à se calmer et accepta les compliments de John à propos des aménagements du cottage avec une certaine bonne grâce.

Puis, plus sèchement qu'elle n'en avait eu l'intention, elle demanda :

« Où comptes-tu coucher ? »

Un instant il parut perdu, ne pas comprendre.

« Oh, bon Dieu ! » Il se frotta le front. « J'avais oublié. Je n'avais pas... Je suppose que j'ai simplement pensé que nous...

— Tu peux prendre le lit. Je prendrai le canapé », dit-elle, tout en pensant : pourquoi suis-je aussi odieuse ? sans trouver de réponse.

« Non, non, protesta-t-il. Ce n'est pas juste. Le canapé, c'est pour moi.

— John. Non, je t'en prie. Tu es convalescent. Il faut que je me lève tôt. Ça n'est pas pour très longtemps. »

Une autre ombre traversa le visage de John. Il s'assit dans un fauteuil.

« Combien de temps vas-tu rester ? s'enquit-elle d'une voix

plus douce. Enfin, combien de temps aimerais-tu rester ? corrigea-t-elle.

— Je n'y ai pas pensé.

— John... » Elle se reprit à temps. « Nous sommes censés être séparés. Nous ne sommes plus mariés. Plus vraiment. » Elle se sentit sur le point de pleurer de frustration et de colère. « C'est toi qui as voulu qu'on se sépare, nom d'un chien ! »

Il paraissait désespéré, et se remuait nerveusement sur son siège.

« Mais justement, dit-il. J'ai fait une erreur, une terrible erreur. Je ne veux pas... Je ne veux pas qu'on se sépare, Hope. Jamais. Jamais plus, poursuivit-il avant qu'elle ait pu l'interrompre. Je comprends maintenant, grâce à mon traitement, que c'est toi que je... » Il ne s'y retrouvait plus. Il souligna ses derniers mots avec de grands coups de ses mains à plat. « Je n'aurais jamais dû nous séparer.

— Laissons tomber, dit-elle plus gentiment, faisant un effort. On a tout le temps. Nous en parlerons plus tard. » Elle referma la valise presque vide de John et la prit. « Je vais mettre ça là-haut. Puis nous irons au pub manger un morceau. »

Le pub, L'Agneau et la Bannière, à Chaldon Keynes, fut une erreur, en ce qui concernait Hope, et accentua sa mauvaise humeur. Les odeurs de bière, les conversations stupides, les bruits de fouet et de cascade des machines à sous, elle les trouvait profondément irritants. Elle mangea une demi-pomme de terre farcie de crème de thon et de maïs doux, et but un verre de gros rouge, dont la surface était couverte d'une fine poussière de bouchon, ce qui la fit immédiatement grincer des dents.

John parut réagir plus favorablement à l'endroit et à ses jeunes habitués trop adipeux. Il but trois pintes de bière et mangea une chose baptisée « pâté du Darzet ». Il regarda, tout content, une demi-heure durant, deux hommes jouer au billard.

Sur le chemin du retour, très animé, il parla avec lucidité de son traitement. Il avoua ignorer s'il en avait tiré profit ou pas ; mais ce traitement était important, dit-il, dans la mesure où il constituait une sorte de ligne de partage sentimentale. Il aurait dû de toute façon passer par la dépression, raisonnait-il, et cela aurait été, selon ses mots, une rude épreuve. Mais, en étant ponctué par des électrochocs, ce processus lui avait imposé une structure et un calendrier. Son traitement et sa guérison comportaient un commencement, un milieu et une fin — une durée stricte. Et c'était en cela, conclut-il, que l'électrothérapie l'avait aidé, quel que soit l'effet que les charges électriques aient eu sur son cerveau. Il avait suivi son traitement, c'était terminé et simplement savoir qu'il ne lui restait plus de séances à subir lui donnait l'impression d'avoir franchi quelque chose. Il avait négocié ce passage difficile et maintenant qu'il était de l'autre côté, il était prêt à tout recommencer.

Il se tourna vers Hope et sourit.

« Je sais que je vais mieux, dit-il. Je sais que je me porte de nouveau fondamentalement bien parce que j'ai pu apprendre la nouvelle sans ciller. Avant les électrochocs, vois-tu, ça m'aurait tué, j'en suis sûr. »

Hope lui jeta un bref coup d'œil. La nuit était glaciale et elle conduisait avec une prudence redoublée. Elle sentait le verglas cerner quasiment la voiture — le chauffage était au maximum, les vitres opaques de condensation —, elle avait l'impression de rouler à travers de minces et solides échardes de froid, comme si le trajet de la voiture était marqué par un nuage, une poussière argentée de particules de glace.

« Quelle nouvelle ? » dit-elle.

Il frotta ses mains l'une contre l'autre, comme un chirurgien se lavant avant d'opérer.

« Tu te rappelles quand tu es venue me voir, juste après mon déménagement ?

— Un dimanche.

— Oui. Et je t'ai dit que le travail allait bien, que j'étais tout près de trouver ? Que j'avais découvert cet ensemble.

— L'Ensemble Clearwater. »

Il eut un rire ironique.

« Eh bien, j'ai été battu. Quelqu'un y est arrivé avant moi. »

Il écrivit une formule sur la buée de la vitre :

$$Z \rightarrow Z^2 + c.$$

« Irréel, dit-il. Stupéfiant. Mais c'est quelqu'un d'autre qui y a pensé.

— Tu sais, ça ne veut rien dire pour moi.

— C'est *tellement* simple. Et c'est pourquoi c'est superbe. Si tu savais, si seulement tu savais ce qu'on peut faire avec ça. Si tu savais ce que ça implique... »

$$Z \rightarrow Z^2 + c.$$

Elle regarda l'innocente formule, qui pleurait à présent sur la vitre, mystérieuse et inconnaissable. Pour la première fois depuis très longtemps, elle éprouva de nouveau cette envie familière à l'égard de John.

« Tu vois à quel point je vais mieux, rit-il, pas très convaincant. Je peux regarder ça » — il l'effaça d'un revers de main — « et ne pas éclater en sanglots. »

LE DERNIER THÉORÈME DE FERMAT II

Dehors, je vois un troupeau sur la plage. Trente grosses vaches blanches avec des bosses et des cornes absurdes. Des bourrelets de peau, comme le triple menton d'un vieillard, leur pendent du cou. Le bouvier, un grand garçon maigre, originaire du Nord, contemple l'océan avec une franche admiration. Peut-être est-ce la première fois qu'il le voit, remplissant tout son horizon d'une eau bondissante ?

Il avance avec précaution jusqu'à la dernière collerette pétillante d'une vague pour y tremper sa main. Il la goûte. Crache le sel.

Je me remets à mon travail.

Avec effort et diligence, mon gros dictionnaire à côté de moi, je traduis une lettre du français en anglais pour Gunther. Elle émane du directeur d'une usine d'aluminium au Maroc.

Quelque chose s'insinue dans son esprit et me tracasse.

Nous sommes déjà passés par là, je sais, mais peut-être allons-nous arriver quelque part.

Le Dernier Théorème de Fermat est-il vrai ? Cela se pourrait, avons-nous décidé. Mettons qu'il soit vrai, mais impossible à prouver. Peut-être existe-t-il une petite série d'affirmations qui sont vraies, mais qui ne peuvent être prouvées par aucune de nos méthodes de preuves reconnaissables ? S'il en est ainsi, qu'en conclure... ?

Je ne peux pas le prouver, mais je sais que c'est vrai. Il y a des moments où ce genre de remarque m'apparaît entièrement raisonnable.

Si je dis à ce garçon, le bouvier, sur la plage, que les vagues se briseront sur le sable jusqu'à la fin des temps et qu'il me réponde : prouvez-le, y serai-je obligée ? Tout effort de ma part pour produire une méthode acceptable de preuve aurait-il une importance quelconque en l'occurrence ? J'y réfléchis en contemplant les vaches osciller et se mouvoir impatiemment. Il n'y a rien à manger sur la plage.

Il me semble qu'il existe des affirmations à propos du monde et de nos vies qui n'ont pas besoin d'une méthode de preuve formelle.

Je retourne à ma lettre et au prix de la bauxite.

Je me demandais autrefois — à l'occasion — si je pouvais me décrire justement comme une optimiste ou une pessimiste. Ma réponse dépendait toujours de mon humeur. Si je me sentais intelligente, je me considérais pessimiste et fière de l'être, quelle que fût ma chance récemment. Ce n'était que dans mes humeurs idiotes que je me sentais optimiste. Plus stupide j'étais, plus je présumais que les événements tourneraient en ma faveur. Je m'aperçois maintenant qu'il y avait une erreur dans ces catégorisations tranchées : de temps en temps, mon intelligence déguisait à quel point j'étais stupide.

Je pense que j'ai dû traverser une de ces phases durant les neuf jours de notre capture par Amilcar. Je vivais sans réfléchir dans des limbes brumeuses, existant par instinct aveugle, faisant confiance à la chance, animée par des réserves d'énergie que j'ignorais posséder. En d'autres termes : une optimiste classique. Quand les soldats m'entourèrent dans ce village au bout de la digue, tout cela céda brusquement. Je m'effondrai. Je m'évanouis. J'avais passé la journée assise sous un soleil brûlant, je n'avais pas mangé depuis vingt-quatre heures et je vivais sur la corde tendue à crier de mes pauvres nerfs traumatisés.

Ils me racontèrent plus tard, ces soldats, qu'ils avaient failli, par pitié, me donner le coup de grâce. Je suis sûre qu'ils plaisantaient, mais, après tout, qu'avaient-ils vu sinon un être échevelé et sale brandissant un drapeau et hurlant ce qu'ils prenaient pour des injures.

Les deux Blancs étaient des mercenaires belges. Ils me témoignèrent une attention inhabituelle parce que, derrière eux, avec l'unité principale de l'armée fédérale, m'attendait mon véritable sauveur, un homme nommé Mr. Doblin, un deuxième secrétaire rattaché officieusement au consulat de Norvège (les Norvégiens avaient la responsabilité des intérêts britanniques dans le pays, faute de *chargé d'affaires* anglais). Mallabar avait aidé aussi : une récompense de 5 000 $ était offerte à quiconque viendrait à notre rescousse.

La moitié de la somme avait déjà été réclamée par un capitaine d'état-major chanceux. Une fois débarrassé assez facilement de ses poursuivants, Ian s'était caché pour le reste de la nuit et le plus clair du lendemain avant de retourner à l'école de la mission et de la découvrir transformée en quartier général d'un bataillon de l'armée fédérale.

J'appris tout cela par Mr. Doblin. Le temps que l'on me conduise à l'aéroport le plus proche et que je regagne en avion la capitale au sud, Ian était déjà de retour à Grosso Arvore, réunie à Roberta. Mr. Doblin avait vingt et quelques années, peut-être était-il même plus jeune que moi. Il était brun, trop gros et presque toujours d'une débordante joyeuse humeur grâce à son rôle dans le succès de notre sauvetage. Il me complimenta sur mon sang-froid. Mr. Vail, dit-il, avait été très mal en point.

« Je crois qu'il était absolument convaincu que vous étiez morte, me confia-t-il. Il faut que nous lui annoncions immédiatement que vous êtes saine et sauve. » J'en convins. Je laissai le soin à Mr. Doblin de communiquer la bonne nouvelle à Grosso Arvore.

Nous nous envolâmes vers le sud à bord d'un petit avion de transport aux ailes hautes avec un train d'atterrissage fixe aux grandes roues évasées — un Castor ou un Bulldog ou un nom de

313

ce goût — accompagnés par huit soldats de l'armée fédérale blessés et maussades, qu'on avait embarqués sans cérémonie comme autant de rouleaux de tapis. Je demandai à Mr. Doblin pourquoi ils paraissaient aussi hargneux et pourquoi personne ne prenait la peine de les soigner.

« Ce sont des automutilés. Ils se sont tous tirés dessus eux-mêmes, expliqua-t-il d'une voix discrète à peine audible par-dessus le bruit des moteurs. Ils volent vers le poteau d'exécution. »

Une heure plus tard environ, l'avion vira de l'aile sur la ville. Je regardai par le hublot le vaste ramassis de toits en tôle ondulée, pareil à un immense collage cubiste, tout en gris et bruns. Je vis le sol se rapprocher et plus de détails se dessiner tandis que l'avion, suivant la courbe géante du fleuve, descendait lentement vers l'aéroport.

Nous atterrîmes et passâmes devant la rangée de Mig garés sur l'aire de stationnement. Je pensai immédiatement à Usman, mais sans cet élan de joie anticipée auquel je m'attendais. J'étais encore très fatiguée, abrutie par mes épreuves, décidai-je.

On ne nous débarqua pas dans les bâtiments de l'aérogare, mais nous fûmes emmenés vers une petite cabane en bois sur le périmètre de l'aéroport où les blessés furent livrés à la police des frontières. Mr. Doblin et moi fûmes obligés de repartir à pied, sous la chaleur de midi, vers le hall d'arrivée. Ce ne fut qu'en y pénétrant et en voyant un kiosque offrir de la bière, des limonades et des magazines que je me rendis compte que je n'avais rien : pas de passeport, pas d'argent, pas d'autres possessions que les vêtements que je portais.

Mr. Doblin me rassura. Un passeport britannique me serait fourni au plus tôt. En attendant, il me donna une généreuse somme d'argent pour laquelle je dus signer un reçu à l'aspect officiel. Il m'annonça qu'une chambre avait été réservée à l'Hôtel de l'Aéroport et que toutes les autorités concernées avaient été informées de ma libération. On parla de certains journalistes britanniques se proposant de venir spécialement de Londres pour m'interviewer, mais Mr. Doblin doutait qu'on leur accordât des visas d'entrée.

« Restez à l'hôtel quelques jours, me conseilla-t-il gentiment.

314

Attendez-y vos documents. Détendez-vous, mangez, nagez, profitez. » Il se couvrit la bouche de la main et murmura avec un air de conspirateur : « C'est le gouvernement britannique qui recevra la note. » Il me mit dans un taxi et me promit de me rendre visite à l'hôtel d'ici à deux jours. De toute évidence, Mr. Doblin ne s'était pas autant amusé depuis des siècles.

Rien n'avait changé à l'hôtel. Il n'y avait d'ailleurs aucune raison au monde pour qu'il en fût autrement, mais je fus vaguement déçue. Quand on a soi-même souffert considérablement, il est difficile de s'adapter à l'indifférence du reste de l'univers à l'égard de votre expérience, et encore plus troublant de voir combien cet univers en demeure peu marqué. On devient incapable de comprendre sa perpétuelle préoccupation du banal.

Je pris la clé de ma chambre. Bien qu'ayant fait un brin de toilette depuis ma libération, j'avais besoin d'un bain et d'une nouvelle tenue. Mais, pour l'instant, je voulais voir Usman.

Je traversai les jardins de l'hôtel et me dirigeai le long de l'allée cimentée vers son bungalow avec un sentiment tout neuf de douce résignation. Mr. Doblin avait raison : il me fallait quelques jours d'inactivité totale et égoïste.

Je frappai à la porte d'Usman sans obtenir de réponse. Je collai mon nez à la vitre de sa fenêtre et vis que ses vêtements et ses affaires étaient toujours là. Les surprises ne marchent jamais avec moi : les gens sont absents, les complices parlent trop, les fleurs sont livrées à la mauvaise adresse. En tout cas, je lui laisserai un mot. « Devine qui ? » écrirai-je, et je lui donnerai le numéro de ma chambre ; cela, au moins, serait une toute petite surprise.

Une obligeante femme de chambre m'ouvrit la porte. J'entrai. Je sentis son odeur. La chambre était plongée dans le noir et je la traversai pour aller allumer la lampe. Et je marchai sur quelque chose qui s'écrasa avec un petit bruit satisfaisant — comme si j'avais piétiné du chaume dans un champ ou glissé sur une coquille de noix. Je retournai à la porte pour allumer le plafonnier.

Une demi-douzaine des minuscules aéroplanes-mouches d'Usman gisaient sur le sol. Deux avaient été broyés — absolument pulvérisés par moi. Les quatre autres se trouvaient là où

ils étaient tombés. J'en ramassai un. La mouche était complètement desséchée, une cosse, ses pattes repliées, serrées. Je
ramassai les autres et les posai avec soin sur le bureau d'Usman.
Il était inutile de laisser un mot.

A l'aéroport, j'attendis dans une pièce vide à l'entrée du poste
de garde. Les mesures de sécurité étaient devenues plus sévères
— personne ne pouvait désormais approcher du hangar où les
Mig étaient parqués. Quelque chose avait changé, en tout cas.
J'attendis une heure ou presque et fumai trois cigarettes avant
que quelqu'un arrive. Finalement, un impeccable officier de
l'armée de l'air vint me voir. Il avait une peau brun pâle, et des
petits yeux, très enfoncés. Je lui expliquai que j'étais une amie
proche d'Usman Shoukry et que je me demandai où il était.
L'officier me l'annonça sur-le-champ et sans détour : Usman
Shoukry n'était pas rentré d'une mission.
Je suppose que c'était la nouvelle que j'attendais mais, pour
une raison ou une autre, je rougis. Les yeux me brûlaient.
« Que s'est-il passé ? »
Il haussa les épaules :
« Une panne d'instruments de navigation, je crois.
— Une panne. » Je me souvins de ce que Usman m'avait dit :
ton équipage au sol est ton pire ennemi. « Puis-je parler aux
autres pilotes ? » demandai-je. J'essayai de me rappeler leurs
noms.
« Il n'y a pas d'autres pilotes. » Une expression de vague
tristesse se forma sur son visage puis se dissipa : « Pouvez-vous
me prêter une cigarette ?
— Naturellement. » Je lui tendis le paquet, il en choisit une et
me le repassa. « Où sont les autres pilotes ? m'enquis-je.
« Tous les autres pilotes sont partis après la disparition
d'Usman Shoukry. » Il paraissait grave. « Trop de pannes
d'instruments, ils ont dit. » Il écarta les mains : « Voyez-vous,
nous n'avons encore jamais perdu un appareil sous le feu de
l'ennemi. Et pourtant nous en avons perdu sept, non, huit, à
cause de pannes d'instruments. Et d'autres infortunes.

— Que voulez-vous dire ?

— Un avion a été volé. Deux autres ont été endommagés dans un accident de parking. »

Je rejetai une bouffée de fumée et regardai autour de moi. Je recommençai à me sentir faible.

« Une panne d'instrument... Pourrait-il s'être posé en catastrophe quelque part ?

— Je suppose. » Il se tut et réfléchit : « En théorie. » Il ôta un bout de tabac de sa langue et considéra d'un air critique le bout de sa cigarette.

« Ce sont des américaines ?

— Non. Des Tusker.

— Qu'est-ce que c'est que ça ?

— Une marque locale. Vous ne la connaissez pas ?

— Je ne fume que des marques étrangères...Vous aimez ça ?

— Oui.

— Bon Dieu !

— Avez-vous une idée de l'endroit où son avion aurait pu tomber ?

— Non. Il se trouvait très au nord, sur le front .

— Ah !

— Personne ne l'a vu. » Il réfléchit encore. « Il peut s'être crashé mais nous n'avons aucun appareil pour faire des recherches. » Il me sourit d'un air de regret puis, voyant ma triste mine, il ajouta : « Qui sait ? Peut-être qu'il retrouvera tout seul son chemin. Un jour. »

DEUX SORTES DE CATASTROPHES

La théorie de la catastrophe est celle que nous avons attendue, l'étude du changement abrupt, le catalogue de la discontinuité. Elle dit que les myriades de désastres, de chutes, de cataclysmes et de calamités, grandes et petites, de l'insupportablement tragique au moyennement irritant, dérivent de sept archétypes fondamentaux.

Il y a sept types de catastrophes. Toutes formes de changement soudain tombent dans la catégorie de l'un ou l'autre de ces archétypes. Ils sont connus comme Pli, France, Queue d'aronde et Papillon. Il y a trois variétés de Queue d'aronde et deux de Papillon. Mais les deux qui nous intéressent sont les catastrophes Pli et France : elles sont de très loin les plus communes.

Prenez un exemple simple de changement brusque dans le monde — l'éclatement d'un ballon. Quand un ballon éclate, il n'y aucun moyen de le déséclater, si j'ose dire. La catastrophe Pli est ainsi, conditionnée par un seul facteur. C'est le plus simple exemple de changement. Le ballon éclate, la catastrophe s'est produite. Impossible de retourner en arrière.

La vie est une catastrophe Pli avec pour seul et unique facteur de contrôle le temps. La catastrophe survient quand le temps s'arrête. Dans le langage de la théorie des catastrophes, notre vie suit le même modèle mathématique que le gonflement et l'éclatement d'un ballon. Les catastrophes Pli sont irréversibles.

Les catastrophes France sont différentes. Dans une France, il existe toujours une chance de récupération, une possibilité de retour à l'état précatastrophique. Être assommé par un coup de poing ressortirait de la catastrophe France, de même qu'une dépression nerveuse ou une crise d'épilepsie ou faire bouillir de l'eau.

Considérez la vie de n'importe qui. Considérez la vôtre. Dans la longue catastrophe Pli qui compose vos soixante-dix ans vous rencontrerez beaucoup de catastrophes France.

Hope dormit très mal sur le canapé. Elle réussit, avant l'aube, à trouver une heure ou deux de sommeil un peu meilleur, mais, en se réveillant, elle se sentit mal fichue avec une petite douleur sourde au bas des reins. Elle but du thé fort et mangea dans la cuisine une épaisse tranche de toast tartinée de concentré de bœuf, en essayant de couper court aux sensations d'irritabilité nerveuse qui la rendait bizarrement agacée et tendue. Qu'avait-elle donc ? Peut-être était-ce simplement les effets de se réveiller avec un mal au dos après une nuit d'un sommeil léger, interrompu. Ou la bruine fine qui tombait dehors qui signalait une journée humide et inconfortable dans les bois... Ou le fait d'avoir son ex-mari de nouveau chez elle, dormant là-haut dans son lit tout chaud.

Elle roula jusqu'à Knap House le long d'allées bourbeuses. Les nuages couraient bas, denses et sans forme, et laissaient filtrer une lumière pâle et peu flatteuse. Dans le rétroviseur, Hope trouva son visage grumeleux et livide. Elle gara sa voiture dans la cour des écuries et grimpa l'escalier de bois menant au bureau du projet.

« Vous allez bien ? s'enquit Munro avec sollicitude. Vous avez l'air un peu pâlotte.

— Je n'ai pas très bien dormi. Je... » Elle prit un ton plus dégagé. « Je pense qu'il faut que je vous dise que John est de retour ici. Il restera avec moi quelques jours.

— Oh ! Bien. » Comment va-t-il ? signifiait le sourire poli de Munro.

« Il va beaucoup mieux. J'ai pensé, vous comprenez, que s'il rencontrait ces ouvriers...

— Je m'assurerai que tout le monde est au courant.

— Il ira faire des promenades, et cetera. »

Le bureau était surchauffé et suréclairé. Une vague soporifique submergea Hope. Elle aurait voulu s'allonger sur le plancher et dormir.

« Avez-vous réfléchi à ma proposition ? demanda Munro, d'un ton prudent. Je veux dire... » Il n'élucida pas ce qu'il voulait dire : c'était une timide excuse codée pour l'audace qu'il montrait en posant la question.

Hope n'avait en fait guère pensé à son offre, mais elle répondit tout de suite : « Oui. Oui. Parfaitement. J'aimerais l'accepter. »

La joie de Munro était touchante.

« Merveilleux, dit-il. Eh bien... eh bien, voilà qui ensoleille une vilaine journée. » Il poursuivit ses gentils compliments, répétant à Hope combien il était heureux, mais elle l'écouta à peine. Elle, en revanche, se demandait pourquoi elle s'était aussi spontanément engagée à rester à Knap jusqu'à l'été suivant. Il n'y avait qu'une seule explication.

Elle passa quelques heures à travailler avec obstination dans les bois trempés. La pluie avait forci et Hope semblait se déplacer dans un univers fait d'une succession de variations sur le thème de l'eau : terre et eau ; arbres et eau ; air et eau. L'après-midi s'assombrissait encore ; Hope décida de rentrer. Elle avait plein de paperasserie à faire. Peut-être même se coucherait-elle très tôt. Puis elle se rappela que son lit était occupé.

Elle gara la voiture devant le cottage. Les lumières brillaient à toutes les fenêtres et son tourne-disque était en marche. Elle entra par la porte de service, se débarrassa de sa grosse doudoune et de son pantalon de ciré mouillés puis ôta ses bottes d'un coup de pied.

« Coucou, je suis de retour », cria-t-elle avec autant de gaieté qu'elle le put.

La petite cuisine était sens dessus dessous. Assiettes et casseroles s'empilaient dans l'évier. Une boîte de thon vide gisait sur la planche à pain à côté d'une miche mal coupée.

Le salon disparaissait dans la fumée de cigarettes. John était assis à la table surchargée de livres et de papiers. Sur un bras du canapé, une assiette avec quelques restes de pâtes desséchées se maintenait en équilibre. A portée de main de John, il y avait une bouteille de vin rouge à moitié vide. A l'entrée de Hope, John se leva et traversa la pièce pour venir l'embrasser.

« Tu m'as l'air gelée », dit-il en s'emparant sur un fauteuil d'un journal qu'il jeta dans le feu. Elle s'assit docilement, et sentit la colère lui pincer les narines.

« Superbe journée, poursuivit-il. Brillante.

— Comment ça ?

— Le travail. Comme sur des roulettes. Un verre de vin ?

— Je croyais qu'on n'était pas censé boire quand on prenait ce truc-là. Le lithium.

— Un verre ou deux ne font pas de mal. Mmmm ?

— Juste une goutte. » Elle lui prit son verre des mains.

« Ouais, brillant, répéta-t-il comme s'il ne pouvait se croire lui-même.

— Qu'est-ce que tu fais ?

— De la topologie. Essentiellement. Du pavage. Très intéressant.

— Que...qu'as-tu organisé pour ton déjeuner?

— Je me suis cuisiné un petit frichti avec du thon, du fromage et des spaghettis. Tout liquidé, j'en ai peur. Je mourais de faim. »

Hope jeta la dernière bûche du panier sur le feu. Elle sirota son vin sans plaisir. Elle n'en avait pas envie — ce n'était pas l'heure —, mais elle pensa que cela l'aiderait à calmer ses nerfs. Elle avait besoin de bannir toutes ses irritations mesquines, égoïstes — le désordre, la nourriture, la colonisation de son espace — avant de lui parler.

« J'ai vu Munro aujourd'hui.

— Qui est-ce? »

Elle expliqua. Elle lui expliqua la prolongation de sa mission, le nouveau travail requis sur les prés inondés et les pâturages de collines.

« Que lui as-tu répondu? demanda John.

— J'ai dit oui. »

Il réfléchit une seconde avec un hochement d'approbation.

« Bien. Bonne idée. J'avais oublié à quel point je me plaisais ici.

— *John! Tu ne comprends donc pas!*

— Du calme... Bon Dieu. » Il paraissait blessé.

Elle s'assit.

« Il faut que tu t'en ailles, dit-elle carrément, avec simplicité. Tu ne peux pas rester ici. »

Il la regarda. A présent il avait une expression de vive surprise sur son visage. Hope remarqua de petits dépôts de salive séchée aux coins de sa bouche, de petites traînées aux commissures des lèvres. Le lithium provoquait ce genre de réactions, elle s'en souvint.

« Je suis désolée », dit-elle.

Il écarta les bras :

« Écoute, Hope, je comprends. Ne t'en fais pas. Je venais juste de... » Il se tourna et fit un geste en direction des papiers et de son bureau. Mon bureau, corrigea intérieurement Hope.

321

« Je suis désolée, Johnny, répéta-t-elle. Inutile de ne pas être franche.

— Je vais emballer tout ça.

— Bon Dieu, il n'y a pas le feu. Il fallait simplement que je te dise, c'est tout. Il fallait que ce soit dit. C'était ça le problème. Reste encore deux jours. Trois. Comme ça te chantera. Il faut simplement que nous sachions où nous en sommes.

— Je vais peut-être… si ça ne te fait rien. Rester. Juste un jour ou deux. Je ne me sens pas tout à fait prêt pour Londres.

— Pas de problème. » Elle sourit. « Mais je ne pouvais pas continuer gentiment à faire semblant…

— Non. Non, certainement pas. Tu as raison. » Il se força à sourire. « Je suis foutrement triste. » Il eut un petit rire ironique. « Mais tu as raison. »

Elle se leva et vint vers lui. Elle mit sa main sur son épaule et il posa sa tête, un instant, sur son avant-bras. Elle remplit leurs verres de vin. Elle se sentit envahie d'un gigantesque soulagement.

« Reste deux ou trois jours, dit-elle. Ça me ferait plaisir. Ne te presse pas. »

INVARIANTS ET HOMÉOMORPHES

Après une tempête, la plage change toujours d'une certaine manière — ici le sable a disparu révélant les rochers au-dessous pour aller s'entasser en dune quatre cents mètres plus loin. Un jour, sur ce qui avait été une grande zone plate, un lagon de vingt mètres de long se forma derrière une solide barre de sable. Puis, la semaine suivante, arriva une grosse marée accompagnée d'un fort vent, et le lendemain matin le lagon avait disparu. La géographie de la plage change en permanence et pourtant elle demeure toujours la même.

Quand je demandai à John pourquoi il était passé de la turbulence à la topologie, il me répondit que c'était parce qu'il était fatigué du changement et voulait désormais étudier le constant dans un objet, quelle que fût la force ou l'échelle de sa transformation. Quand une chose est pliée, étirée ou tordue, certains caractères résistent à la transformation. Il voulait étudier ces traits permanents. Il me dit le nom qu'on leur donnait : invariants topologiques.

Jetez un galet dans une mare et observez les rides se propager. Pour la majorité des gens, les cercles qui s'élargissent représenteraient le changement. Mais pour un topologiste, m'expliqua John, un cercle qui s'élargit est un symbole de permanence. Un cercle est une courbe fermée : cela constitue son invariant topologique, qu'il s'élargisse ou qu'il rétrécisse. Je veux étudier les choses qui durent, conclut John, même si tout ce qui les entoure change.

La plage dure, me dis-je en l'arpentant, tout en changeant constamment. Quel est son invariant... ? Dans la palmeraie, je vois deux vieilles femmes du village en train de ramasser des noix de coco tombées des arbres.

En topologie, les objets qui ont les mêmes invariants sont considérés comme équivalents, quelle que puisse être leur différence d'aspect. Le disque froissé d'un ballon de foot dégonflé possède les mêmes invariants qu'un ballon gonflé, même s'ils se présentent et fonctionnent différemment. Les objets qui possèdent cette équivalence sont appelés homéomorphes.

Je m'avance dans la palmeraie et salue les deux vieilles femmes. Elles me rendent mon salut. Et nous voilà donc, je crois, trois homéomorphes... Oui, il me semble que nous partageons les mêmes invariants. Les différences entre nous sont superficielles. Les femmes sourient modestement tandis que je leur dis au revoir avant de poursuivre ma promenade, puis elles se penchent et recommencent à ramasser leur butin.

J'attendis patiemment dans ma chambre l'appel de la réception m'annonçant l'arrivée de Hauser. J'avais reçu un message de Grosso Arvore : Hauser viendrait me chercher pour me ramener au camp « de façon à y discuter les termes de mon contrat ». Je n'étais pas du tout sûre de ce que cela voulait dire ou impliquer et je n'avais aucune envie non plus de me retrouver là-bas ; mais je savais que je ne pouvais tarder davantage. Je devais y retourner, n'était-ce que pour y récupérer mes quelques possessions.

Quelqu'un frappa à la porte. C'était un des directeurs adjoints, un jeune Ghanéen du nom de Kwame. Il m'informa que l'hôtel vidait la chambre de Mr. Shoukry et que le directeur se demandait s'il y avait un objet que j'aimerais garder en souvenir. Je fus surprise par tant d'attention. Nous quittions ma chambre quand le téléphone sonna : Hauser m'attendait dans le hall. Il pouvait bien attendre encore un peu.

Debout dans le salon d'Usman, je regardai autour de moi, un peu incertaine et troublée. Kwame était resté discrètement à la porte. Derrière lui se profilaient deux femmes de chambre avec des cartons et des sacs de plastique à la main.

Je m'approchai du bureau et ouvris un tiroir. J'aperçus le passeport d'Usman, des documents, un peu de monnaie. Rien pour moi là-dedans. Dans la chambre, j'ouvris le placard. Ses quelques vêtements pendaient sur des cintres au-dessus de quatre paires de chaussures. J'éprouvais une étrange panique. Je savais que je devais prendre quelque chose, que je regretterais plus tard d'avoir raté l'occasion. Mais quoi ? Je poussai les cintres. Voulais-je cette veste de lin ? Ces cravates... ? Une soudaine sensation de nausée me submergea. L'idée d'un souvenir — une « chose » — comme substitut pour Usman me parut d'une grossière indignité. J'écartai un autre cintre : son uniforme officiel de l'armée de l'air, distribué à tous les pilotes et qu'ils ne mettaient jamais. Sur l'étagère au-dessus, je vis sa casquette encore dans son emballage de plastique, à côté du cuir brillant de son ceinturon. Le ceinturon ? Un objet utile, au moins, que je pourrais porter.

Au ceinturon s'accrochait un bel étui marron. Le cuir avait été façonné en forme de haricot stylisé. J'ouvris l'étui. Il contenait le petit revolver italien d'Usman. Je le sortis et le soupesai.

Je pensai avec un soudain déchirement à Usman en caleçon de bain, ce jour-là à l'aéroport, me montrant son avion avec tant de fierté.

Son porte-bonheur, affirmait-il. Pourquoi ne l'avait-il pas emporté ? me dis-je, furieuse.

Mes doigts caressèrent ses initiales sur la crosse.

Je sus immédiatement que c'était lui que je voulais garder. Je le glissai dans ma poche et revins dans le salon. Une chose idiote à faire, me dis-je, mais je l'avais voulu, l'impulsion avait été trop forte. C'était le seul objet dans tout le bungalow qui me ramenait l'image d'Usman. Je poursuivis cependant mes recherches, pour la forme.

Dans un placard du salon, je tombai sur un carton rempli du matériel qu'utilisait Usman pour fabriquer ses avions-mouches : scalpels et lames de rasoir, un petit étau à hameçons, des lamelles de bois et de balsa, le papier de soie transparent, presque impalpable. Ceci me renvoya au bureau et, dans un tiroir du bas, je découvris un mince dossier rempli de délicats dessins de prototypes. J'informai Kwame que c'était là ce que je souhaitais prendre. Je quittai la chambre, et les femmes de chambre entrèrent timidement.

« Vous avez très bonne mine, répéta Hauser. Non, vraiment bien. Enfin, on ne croirait jamais...

— Je me sens bien. Je suis tout à fait reposée. Rien de terriblement dramatique ne s'est passé. »

Nous roulions depuis plus d'une heure. Hauser, à ma surprise, m'avait embrassée sur les deux joues lorsque nous nous étions finalement rencontrés dans le hall de l'hôtel. Il avait paru content de me voir et débordant de compliments. Nous avions conversé, non sans prudence pour commencer, en évitant diplomatiquement les sujets délicats, mais je sentais les questions se bousculer impatiemment dans sa tête. Je résolus d'en affronter quelques-unes.

« Comment va Eugène ? m'enquis-je avec une totale hypocrisie.

— Ah ! » s'exclama Hauser, sa joie manifeste frisant l'indécence. Il se reprit et arbora un air solennel. « Bonne question. Pas très bien. Non, il ne va pas très bien. Depuis votre départ. On ne l'a pas beaucoup vu. » Il me jeta un coup d'œil. « Ginga a plus ou moins pris les choses en main. Je crois qu'Eugène », il marqua une pause pour choisir ses mots, « a souffert d'un genre de, de dépression. Épuisement nerveux, dit Ginga.

— Eh bien. C'est normal, que voulez-vous.

— Que s'est-il passé ?

— Quand ?

— Le jour de votre départ. Que s'était-il donc passé, Hope ? Allons. » Il me sourit. « Vous pouvez tout de même le dire à Anton, non ?

— Eh bien... je n'en suis pas si sûre.

— Tout a changé. Le livre est retardé. La zone nourricière artificielle a été fermée. Que lui avez-vous fait ?

— Nous nous sommes disputés. »

Hauser me regarda avec scepticisme et comprit que je ne dirais rien de plus pour l'instant. Il continua à parler.

« Bien entendu, l'endroit est tout chamboulé depuis que vous avez... disparu. Maintenant que vous êtes saine et sauve et que Ian est rentré, nous sommes presque revenus à la normale. Mais ça a été bizarre.

— Comment va Ian ? »

Hauser fit une moue de sympathie. « Il essaie de ne pas le montrer, mais je crois, voyez-vous, qu'il a été traumatisé. Pauvre garçon. » Il me jeta un autre coup d'œil. « Enfin, comparé à vous, il *est* définitivement traumatisé.

— Les apparences sont souvent trompeuses. »

Hauser éclata de rire : d'un rire haut et saccadé.

« Non, non, Hope, dit-il. Non, non. Vous êtes drôlement plus solide. »

Son amusement était ennuyeusement contagieux et je me surpris à lui sourire. Pourquoi avais-je tant détesté Hauser tous ces derniers mois ? La tyrannie de la première impression, je suppose. Puis je repensai à l'incident du bébé chimpanzé à moitié dévoré. Je devais me montrer plus prudente.

« Pourquoi avez-vous fermé la zone nourricière ? demandai-je.

— Vous plaisantez ?

— Comment ça ?

— On a dû vous le dire. La guerre. La guerre des chimpanzés, on l'appelle. Les chimpanzés nordistes — ils ont tué systématiquement les sudistes. » Il attendit ma réaction. « Vous êtes donc au courant ?

326

— C'est moi qui l'ai découvert. »

Suivit un long silence. Hauser baissa la tête comme pour s'excuser.

« C'est Eugène qui l'a découvert, dit-il.

— Non.

— C'est pourquoi le livre est en train d'être réécrit.

— C'est moi qui l'ai découvert. Et c'est pourquoi j'ai dû partir.

— Écoutez, nous savons tous que c'est arrivé quand il était sur le terrain avec vous. Mais », il se tut puis énonça lentement, « c'est Eugène qui s'est rendu compte de ce qui se passait...

— Je le lui avais raconté depuis des semaines. »

Hauser fronça les sourcils :

« Ce n'est pas ainsi — comment vous dire ? — que les événements sont présentés au camp. »

Je sentis ma tête se serrer comme si on avait cerné mon crâne d'une ceinture. « Bon Dieu de bon Dieu ! »

« Je serai franc. Tout le monde suppose qu'Eugène vous avait fait... des avances.

— Pour l'amour du ciel !

— Nous ne savons rien. On vous voit filer. Eugène disparaît en pratique. Ginga prend la direction. Vous comprenez...

— Eh bien, vous avez tout faux.

— Je suis désolé. Et ravi de l'apprendre.

— Demandez à Ian. Il vous le dira. J'ai découvert ça il y a des semaines. Mallabar a refusé de m'écouter. » Je regardai Hauser. « Ian n'a rien dit ?

— Eh bien, non... Il ne s'est pas vraiment remis au travail.

— Sacré Ian ! »

Je me tournai vers Hauser avec un vieux reste d'hostilité :

« En tout cas, vous devriez savoir aussi. Après avoir incinéré ce bébé chimpanzé.

— Ce bébé babouin... Non, Hope, je le jure. C'était vraiment un babouin. Nous nous sommes gourés tous les deux. »

Je regardai par la vitre défiler la brousse. Une belle ironie du sort. Un sentiment de frustration montait en moi, qui me faisait arrondir les épaules et fourmiller le crâne.

« De toute manière, dit Hauser d'une voix apaisante, c'est

merveilleux de vous récupérer. Nous avons deux nouveaux chercheurs, mais vous nous manquez, Hope. Sincèrement. »

La dernière chose que l'on apprend sur soi, c'est son effet sur les autres. Je me tournai vers Hauser : « Hélas, franchement, je ne crois pas que je resterai très longtemps. »

Je trouvai dérangeant d'être de retour à Grosso Arvore : l'endroit m'apparut à la fois familier et étrange. Nous arrivâmes au crépuscule. De la cantine venait la lueur trouble des lampes tempête. Nous allâmes tout droit nous restaurer et Hauser me présenta aux deux nouveaux chercheurs — des jeunes gens, des Américains de l'université de Stanford qui vivaient dans ma tente-case reconstruite. Je dînai rapidement et rentrai dans la baraque des recenseurs faire mon mince bagage. Il n'y avait eu aucun signe d'Eugène et de Ginga Mallabar, pas plus que de Ian ou de Roberta Vail.

Assise sur mon lit, dans la longue pièce sombre, je songeai à l'accueil tiède pour ne pas dire inexistant que j'avais reçu. Seuls Hauser et Toshiro avaient paru contents de me voir. D'autres lits meublaient la baraque, apportés depuis mon départ et le cadre d'une partition destinée à diviser la pièce se dressait déjà en place. Les temps heureux étaient de retour à Grosso Arvore, cela du moins était clair.

Je m'abandonnai à la succession rapide de mes humeurs. Je me sentis tour à tour apathique, boudeuse, brimée, amère, frustrée, déconcertée, blessée et, finalement, pleine de mépris et d'indépendance. Mallabar, « épuisement nerveux » ou pas, essayait, de toute évidence, de mettre en chantier un programme destiné à limiter les dégâts, et d'incorporer mes découvertes sur les chimpanzés dans son *opus magnum* avant qu'il ne fût trop tard. Je commençai à regretter ma note hâtive l'informant de mes plans de publication.

J'entendis un coup discret à ma porte. Ian Vail, me dis-je, en allant répondre, il était grand temps. Mais non, Ginga. Elle m'embrassa, s'enquit de ma santé physique et morale et me complimenta sur mon allure calme et reposée.

Elle portait des jeans et une chemise de coton bleu marine. Un bandeau de velours retenait ses cheveux et dégageait son visage ridé et anguleux. Elle semblait elle-même fraîche et sereine.

« Comment va Eugène ? »

Elle réfléchit avant de répondre, les yeux au sol :

« Il ne m'a jamais raconté ce qui s'était passé ce jour-là, dit-elle.

— Il a essayé de me tuer. » Un instant puis : « Je pense. »

Elle détourna la tête, d'un geste brusque. Elle porta les deux mains à son front et le lissa : « Je ne peux pas croire ça, protesta-t-elle.

— Il est devenu fou, ou presque. Il m'a frappée. Violemment. Si je ne m'étais pas enfuie... »

Elle me regardait de nouveau, l'air farouche, comme si elle accumulait des réserves d'énergie et de détermination. Puis elle dit, à voix basse :

« Il faut que tu comprennes ce que cela lui a fait, Hope, ces massacres. Les attaques. Il faut essayer de comprendre.

— Écoute, c'est moi qui l'ai mis au courant. Il a refusé d'entendre quoi que ce soit. Je n'essayais pas de... me montrer plus maline que lui ni rien.

— Je sais, je sais. Et le fait que quelqu'un comme toi... enfin, une nouvelle recrue ait... » Elle balaya l'air d'une pichenette « ait tout mis sens dessus dessous.

— Je suppose... » Je me retins de manifester ma raisonnable nature britannique. Aucune bouée de sauvetage ne me serait offerte ici.

« Il n'est pas bien, poursuivit Ginga. Très déprimé. C'est difficile.

— Je suis désolée, dis-je. Puis-je le voir ? »

Ginga parut soudain honteuse, tout son maintien et ses réserves de sang-froid évanouis. Je n'avais encore jamais vu son visage exprimer cette sorte d'émotion ; et qui chez elle paraissait absurde, totalement hors de son caractère, comme une fausse moustache ou un nez de clown.

« Il ne te recevra pas, dit-elle. Il refuse.

— Oh, très bien... Et que dois-je en conclure ? »

Ginga s'était reprise.

329

« Eh bien, tu comprends... Il t'est impossible de continuer à travailler ici, ma chère. »

Je fermai les yeux un instant, puis me levai et me promenai autour de la chambre, me comportant comme si j'avais encore le choix et que ma décision nécessitât une réflexion profonde. Ginga attendit avec une patience exemplaire.

« Tu as raison, dis-je. C'est impossible. Étant donné les circonstances.

— J'ai pensé que tu en conviendrais. »

Elle sortit des papiers de son sac et les étala sur le bureau :

« C'est simplement une lettre de décharge officielle. Si tu veux bien signer ici... Et j'ai un chèque », elle tapota une enveloppe, « représentant ce qui t'est dû pour le reste de la durée de ton contrat.

— Très généreux de ta part. »

Elle réagit vivement à mon sarcasme :

« Ceci n'a rien à voir avec moi, comprends-le bien, Hope. Nous sommes amies, ou du moins j'aime à le penser. Mais ceci importe peu. Je me dois d'aider Eugène. Grosso Arvore doit continuer. Sans lui... Enfin, tu sais comment ça marche... »

Je m'interrogeai, pour la première fois, sur la véritable gravité de l'épuisement nerveux de Mallabar.

Je signai. Ginga me sourit, tristement, pensai-je.

« Il y a une autre chose, dit-elle. Je m'excuse beaucoup.

— Quoi donc ?

— Voici l'original de ton contrat. » Elle tourna quelques pages du document. « Te rappelles-tu cette clause ? »

Je lus. Je fus obligée de sourire. Le copyright de toute publication, disait en gros le texte, basée sur des recherches conduites à Grosso Arvore, appartenait à la fondation de Grosso Arvore, sauf permission spécifique. Toutes notes et papiers étaient protégés pareillement et devaient être remis à la fin de la période d'emploi à la fondation pour ses archives.

« Non, dis-je. Vous ne pouvez pas faire ça. N'y compte pas.

— Tu seras abondamment citée dans le livre. Eugène le promet. Je te le promets.

— J'en ai rien à foutre. Vous ne pouvez pas m'empêcher. »

Ginga se mit rapidement debout.

« Ne dis rien de plus, ma chérie. Tu risquerais de le regretter. » Elle avait pris son ton ferme et maternel. « Je te verrai demain matin avant ton départ. Non, je t'en prie, ne dis rien. Martim te ramènera en ville. » Elle me sourit bravement et partit.

Je sortis fumer une cigarette. Les papillons de nuit se cognaient et ricochaient sur la lanterne pendue au-dessus de l'entrée de la baraque du recensement. Trois geckos tachés de brun s'accrochaient patiemment, immobiles, au mur de bois, attendant que les insectes se posent. L'air retentissait des cris stridents des grillons, et les rires d'une discussion animée arrivaient de la cuisine, portés par la brise.

Ce qui, par association d'idées, me secoua d'un pauvre ricanement — un ricanement drôlement larmoyant, résigné. Je fis les cent pas, fumant ma cigarette aussi impitoyablement qu'un condamné sur le point d'affronter le peloton d'exécution, me demandant en vain que faire, soupesant les maigres options dont je disposais. Chose bizarre, je me sentais soulagée, comme on l'est après avoir finalement reconnu sa défaite. Au moins on peut s'arrêter de lutter, vous dites-vous. Au moins cet épisode est terminé et on peut tourner la page.

Je soupirai. Je secouai la tête, je hurlai silencieusement aux étoiles dans le ciel noir. Une expression me revint en tête que John avait apprise en Amérique : baisé, blessé et tatoué. Oui, voilà ce qui m'était arrivé, j'avais été baisée, blessée et tatouée...

Hauser m'avait invitée à venir prendre un verre plus tard, si cela me tentait. C'était le cas maintenant et je traversai la Grand-Rue en direction de son bungalow. Le clair d'étoiles projetait l'ombre brisée d'un hagania sur la route poussiéreuse. Je pensais : Que dois-je faire ? Où vais-je aller ? Qui viendrait avec moi ?

Souriant, Hauser ouvrit sa porte :

« Ah, Hope, dit-il. J'ai une surprise pour vous.

— Non, merci, répliquai-je. J'ai eu assez de surprises pour la soirée. »

331

J'entrai. Près du garde-manger, Toshiro ouvrait une bière. Assis à la table, se trouvaient Ian et Roberta Vail.

Tout se passa bien, pas mal, si l'on considère, rien d'aussi embarrassant ni tendu qu'on aurait pu l'imaginer. Nous parlâmes durant des heures de notre enlèvement, d'Amilcar et des Atomique Boum, de l'école de la mission et de l'attaque. Je leur racontai les derniers jours, le beau canon et ses obus lilas trop petits, la mort stupide d'Amilcar et la courtoisie intriguée des mercenaires belges. Et ce fut aussi une conversation curieusement réconfortante après ma déprimante entrevue avec Ginga. Il régnait un vague esprit de retrouvailles dans cette pièce, ce soir-là, qui était encourageant. Hauser et Toshiro nous remplissaient nos verres de bière et les deux nouveaux chercheurs — Milton et Brad, je crois — furent invités à venir entendre nos récits de guerre. La radio de Hauser était branchée sur les ondes courtes, et une station d'Europe de l'Est qui diffusait du jazz des années cinquante. Roberta fuma deux ou trois de ses cigarettes au menthol sans se faire rembarrer par Ian.

Ian lui-même m'apparut plus mince et je fus un instant surprise de retrouver son visage rasé de près. Il réussit à garder un calme et une assurance convaincants, mais je sentais sa gêne et son inquiétude se masser nerveusement derrière cette façade.

Il attendit la fin de la soirée qui se prolongea jusqu'après minuit. Nous étions tous devant le bungalow de Hauser en train de bavarder, répugnant à mettre un brusque terme à cette franche gaieté. Voyant Roberta en vive conversation avec Milton et Brad, Ian en profita pour m'attirer un peu à part.

La lumière de la lanterne projetait de grandes ombres sur son visage. Je ne voyais pas ses yeux.

« Écoute Hope, dit-il doucement, d'une voix rauque à demi étranglée. Cette nuit-là, quand je me suis enfui..

— Oui.

— J'essayais de les distraire. J'essayais de les éloigner de toi. Je n'étais pas... », il s'éclaircit la gorge. « ne crois surtout pas que je m'enfuyais. Que je t'abandonnais. C'était pour les tromper, autrement nous...

— Je sais, dis-je simplement. Ne sois pas stupide. Tu m'as sauvée. »

Je le sentis plus que je ne le vis se détendre complètement. Ce soulagement — de son âme, je suppose — parut émaner de son corps comme un soupir. Il allait me dire encore quelque chose quand Roberta l'interrompit en lui criant une question sur un doyen ou professeur de faculté quelconque qu'ils avaient connu à Stanford. Je touchai le bras de Ian d'un geste rassurant et tournai les talons. Je dis bonsoir à Hauser, Toshiro et les autres, et retraversai la Grand-Rue pour regagner mes pénates. Je n'avais raconté à personne que je partais le lendemain matin.

Comme promis, Ginga vint assister à mon départ. Seule. Elle se montra ferme, mais gentille, avec moi, comme une directrice d'école aimante que la sagesse oblige à renvoyer son élève préférée. Garde le contact... Que vas-tu faire...? Donnons-nous rendez-vous à Londres... Nous nous conduisîmes de manière adulte, civilisée et exemplaire. Ginga laissa tomber ses défenses un instant et cet étrange embarras réapparut quand elle laissa entendre qu'une fois Eugène « rétabli », peut-être un arrangement serait-il possible. Je ne lui demandai pas de spécifier en quoi cet arrangement pourrait consister.

Elle prit mes deux mains, m'embrassa sur les deux joues et dit avec une émotion du style Eugène : « Ah, Hope, Hope ! » puis me relâcha.

Je décidai de conduire, et Martim se poussa à la place du passager. Je tenais à revivre pleinement, et pour la dernière fois, ce moment où nous abordions en cahotant la route du Sud et son macadam-béton à Sangui. Je priai Ginga de faire mes adieux aux autres, mis le moteur en marche et démarrai.

A Sangui, je stoppai devant chez João. La maison était fermée et les volets clos.

« Où est-il ? demandai-je à Martim.

— Ils ont déménagé, maâm. Il travaille plus pour le projet, alors il peut pas vivre pour la maison. »

Je le regardai sans comprendre.

« Mais où habite-t-il alors ? »

Martim me guida le long d'une allée défoncée vers une vieille case en torchis au milieu d'un enclos de nattes, à la lisière du village. João était là, assis devant la porte, un morceau de tissu drapé autour de la taille, mâchonnant un bout de canne à sucre. De le voir inactif, et sans son uniforme kaki, me fit une impression un peu troublante. Sa poitrine maigre était couverte d'un gribouillis de poils gris. Il paraissait soudain dix ans plus vieux.

Mais il fut content de me voir et se mit sincèrement en colère lorsque je lui annonçai que j'avais été renvoyée, moi aussi.

« Ça, mauvais temps, maâm, dit-il, l'air sombre. Très mauvais temps.

— Oui, mais pourquoi *toi,* João ?

— Il dit y a pas de job pour moi maintenant. Maintenant tous les chimps sont partis.

— Tous ? » Je ressentis un choc. Et de la honte. Je me rendis compte que je n'avais pas accordé une seule pensée à mes sudistes survivants.

« Excepté Conrad », dit-il, puis il haussa les épaules : « Peut-être. »

Il m'expliqua que Rita-Mae avait disparu peu après mon départ. Rita-Lu avait alors rejoint le groupe nord, désormais établi fermement et, semblait-il, de manière permanente au cœur de la zone sud. João lui-même avait découvert le corps de Clovis deux jours plus tard, ses jambes en moins et « très déchiré ». Il avait continué à repérer Conrad sporadiquement jusqu'à la semaine dernière. Mais Mallabar l'ayant renvoyé, il n'était plus retourné dans la forêt. Alda aussi était parti pour essayer de trouver du travail en ville.

Je sus brusquement ce que je voulais faire. Je retournai à la Land Rover et demandai à Martim de m'attendre au village. Je lui dis simplement que je partais pour un petit tour avec João et que je reviendrais d'ici deux ou trois heures. Il parut intrigué, mais parfaitement content de m'obliger. Je lui fis promettre de ne pas retourner au camp.

João et moi filâmes sur le village aux buts de football. C'était juste au-delà, dit João, qu'on avait vu Conrad pour la dernière fois. Il semblait rôder autour des flancs les plus sud de l'escarpement, pas loin du village. Des gamins du cru l'avaient surpris une ou deux fois dans les champs de maïs et l'avaient chassé à coups de pierre.

Arrivé au village, João refusa de m'accompagner dans la forêt. Dr Mallabar l'en avait banni, répéta-t-il, et il ne voulait pas se créer d'autres ennuis. Quand la nouvelle station de recherches serait construite, il y aurait peut-être un travail pour lui. Inutile de contrarier le docteur.

Je le laissai donc avec la Land Rover pour aller grimper et explorer les pentes sur lesquelles Conrad avait été repéré le plus récemment.

Je pris les sentiers de brousse qui serpentaient à travers les arbres, au-dessus du village, à la recherche de possibles sources de pitance pour des chimpanzés. Si Conrad se confinait lui-même dans cette zone précise, il y avait une bonne chance de l'y trouver en train de manger. J'étais à la fois contente et mélancolique d'être de retour dans la forêt, en quête de mes chimps pour la dernière fois. En ce milieu de matinée, le soleil atteignait sa pleine force, éclaboussant les sentiers de ronds de lumière. Une légère brise, venue du fond de la vallée, faisait crépiter les feuilles desséchées des frondaisons et osciller l'herbe blonde avec un bruissement aride. Les pluies étaient très en retard cette année.

Je marchais de source de nourriture en source de nourriture, suivant les instructions de João, mais sans succès. Au bout d'une heure et demie d'errance, mon optimisme sentimental commença à s'évaporer, et moi à m'en vouloir d'avoir conçu un plan aussi ridicule. Qu'espérais-je donc accomplir exactement ? Quel était le but de ce retour nostalgique dans la zone sud ? Et si je retrouvais Conrad, que ferais-je ?

Juste après midi, je m'assis sous un arbre pour manger les sandwiches au pâté de poisson que la cantine m'avait préparés. J'hésitai entre continuer mes recherches une heure ou deux ou bien simplement regagner la Land Rover. Tout ceci était futile et absurde, me dis-je, cet adieu romanesque, ce dernier regard.

Je me trouvais à vingt minutes du village quand j'entendis, pas très loin, les cris furieux de singes colobes. Je courus sur le sentier jusqu'à ce que je les aperçoive, se jetant avec une aisance téméraire de branche en branche, devant moi. Ils étaient une douzaine ou plus à la poursuite d'un chimpanzé qui s'enfuyait maladroitement en jappant de peur panique.

Conrad tomba lourdement sur le sol dans un grand remuement de feuilles arrachées et fila d'un bond dans le sous-bois. Les colobes abandonnèrent leur chasse et retournèrent se nourrir sur l'arbre fruitier qu'ils occupaient. Je suivis Conrad de mon mieux.

Je le retrouvai quelques minutes plus tard assis sur les basses branches d'un arbre et scrutant une petite vallée au-dessous. Il était maigre, l'air mal en point, avec à la cuisse une plaie rouge chatoyante, pareille à un badge de métal brillant. Il se retourna, nerveux, à mon approche et je m'accroupis immédiatement, faisant semblant de chercher des graines dans la poussière et les feuilles mortes. Chaque fois que je levais la tête, je rencontrais le regard fixe de Conrad, ce regard humain au point d'en être déconcertant. Ses yeux bruns ne me quittaient pas. Je lui découvris aussi deux coupures cicatrisées sur le front et le museau.

Finalement, ma présence cessa de l'alarmer et il reprit son examen de la vallée.

Cette vallée étroite était creusée par une rivière qui se traînait languissante au milieu de l'herbe livide qui tapissait son lit. A un momen donné, la rivière passait sur la saillie prononcée d'un rocher en pente et tombait de quelques pieds dans un bassin naturel peu profond et caillouteux, avec un crépitement bruyant que je pouvais entendre de ma position au flanc de la petite falaise.

Je vis que Conrad contemplait attentivement un bosquet de mesquinhos, de grands buissons avec de petites feuilles pointues au revers argenté comme celles d'un olivier, dont les fruits, de grosses grappes de graines noires en forme de bouton, renfermaient une amande floconneuse au goût sucré-salé. J'avais déjà goûté des fruits de mesquinhos. Pressés entre le pouce et l'index, ils s'ouvrent parfaitement. On suce la pâte qui enrobe l'amande

336

et il reste un petit noyau brun brillant. Ces fruits sont bons à manger quand on a soif, ils contiennent un élément chimique qui active les glandes salivaires.

Conrad affamé, l'œil sur les grappes noires, se demandait s'il était prudent de descendre. Il hésita pendant une heure avant de se décider et de se frayer un chemin, avec précaution et quelque inconfort, au flanc de la vallée, puis de traverser en pataugeant la rivière pour atteindre les buissons. Je l'observai un moment se repaître avec hâte et concentration, fourrant les grappes de graines noires dans sa bouche et les avalant, écorces comprises.

Je n'entendis rien, et lui non plus, à cause du crépitement de l'eau tombant du rocher. Quand il leva la tête, alerté par d'autres bruits interférant avec le bruit de la cascade, les chimpanzés nordistes le cernaient déjà.

FINESSE

John Clearwater me raconta qu'au XVIIe *siècle, au début des développements du calcul, un long débat s'ouvrit sur la rigueur de certaines preuves. Il y avait des manques, disaient les mathématiciens plus orthodoxes, les additions ne concordaient pas toujours, on notait des inconsistances dans les définitions de certains termes. Impossible de réfuter ces arguments mais, quelle que fût leur validité, on ne pouvait pas nier non plus que le calcul, malgré tout, fonctionnait. Les résultats qu'il fournissait étaient exacts et utiles.*

Blaise Pascal (1623-1662) prit la défense de ces petites inexactitudes, ces nuances et ces ambiguïtés du calcul. Les demandes formelles de la logique, dit-il, ne peuvent pas toujours avoir le dernier mot. Si le calcul fonctionnait, mais échouait à remplir les plus rigoureuses définitions de la preuve, eh bien, en fin de compte, cela n'avait pas d'importance. L'idée de base était saine. Elle semblait juste, même si elle ne pouvait pas être pleinement ni doctement démontrée.

C'est là où, dit Pascal, votre intuition compte plus qu'une preuve rigoureuse. Faites confiance à votre cœur pour vous indiquer s'il s'agit de la bonne décision mathématique à prendre. Dans de pareils cas, l'attitude correcte devant le problème à résoudre devient de « finesse » plutôt que de « raisonnement », finesse étant employé ici dans son sens original, qui signifie « délicatesse de discernement ».

Je vaque à mes occupations. Je vis dans ma petite maison sur la plage. Je songe à ce qui m'est arrivé, à ce que j'ai fait, et je me demande si mes réactions et ma conduite ont été correctes. Je ne le sais pas. Pas encore. Peut-être est-ce là un domaine dans lequel je devrais utiliser la « finesse » de Pascal. J'aime l'idée de finasser mon chemin vers une réponse correcte, plutôt que de m'en remettre au pouvoir de l'argument logique. Peut-être finasserai-je mon chemin tout le restant de ma vie ?

Hope partit le lendemain matin tôt, une fois de plus sans réveiller John. Elle se rendit directement à Bowling Green Wood et mesura des souches toute la matinée. Elle songea à rentrer à la maison pour le déjeuner, mais y renonça. Mieux valait laisser s'écouler un intervalle décent de quelques heures avant que John et elle se revoient.

Ils avaient parlé tard, raisonnablement, sans rancœur ni colère. John semblait calme et résigné, et non pas perdu et déprimé comme elle l'avait craint. Ils s'étaient fait les promesses habituelles d'amitié et de relations futures, et avaient concédé à contrecœur qu'aucun d'eux ne pouvait plus rien faire pour sauver leur mariage. Ni l'un ni l'autre, affirmèrent-ils, ne regrettait un instant d'avoir vécu ensemble. Et ils reconnurent tous deux, tristement, qu'essayer de raccommoder les choses, de s'engager sur une voie boiteuse, génératrice de souffrances réciproques, serait une erreur, voire une faute grave.

Tout en travaillant, Hope resongeait à leur discussion. Elle éprouvait en elle-même un immense soulagement doublé d'une vague insatisfaction. Bizarre, non, se dit-elle, comme les attitudes rationnelles et tolérantes vous laissaient curieusement démunis. Un comportement raisonnable était la dernière chose que l'on souhaitait. Comme si la solution des problèmes humains exigeait passion et déraison brutales, cris et injures. Cette absence de récriminations, d'accusations et de contre-accusations, le manque de ressentiments longtemps tus, de rancunes brusquement déterrées et brandies dans le feu de la discussion, la troublaient. Ni John ni elle n'appartenaient à ce genre d'individu, alors pourquoi s'étaient-ils montrés aussi sereins et civilisés... ? Elle, à cause de John et de sa maladie, sans doute. Mais lui ? N'avait-il pas eu envie de la traiter de noms ignobles ? De la traîner dans la boue rien que pour panser son amour-propre blessé ? N'eût-ce pas été plus naturel que toute cette sinistre sagesse en bémol ?

Elle ne s'était fâchée qu'à une seule occasion. De but en blanc, il lui avait demandé si elle avait une liaison. « Y a-t-il quelqu'un d'autre ? Si, si, je le sais. Qui est-ce ? Tu peux me le dire, ne t'en fais pas, je comprendrai. » Elle l'empêcha de poursuivre sur cette voie par l'intraitable véhémence de ses dénégations. Tout en pensant : ça te va bien de parler ainsi. Et il parut la croire sur parole : il laissa tomber le sujet aussi brusquement qu'il l'avait soulevé. Mais peut-être devrait-elle s'inventer un amant ? Juste pour rendre les choses plus moches, plus *réelles*... S'inventer une liaison avec Graham Munro, littéralement pour le plaisir de la bagarre (autrement, l'idée était inimaginable pour ne pas dire hilarante, en ce qui la concernait), mais en tout cas cela risquait de provoquer une bonne raison de se voler dans les plumes : ils pourraient ainsi déverser leur bile et se purger de leur mûre rationalité.

Elle poursuivit sa réflexion l'après-midi en explorant le sous-bois à la recherche de différentes espèces de fleurs et de graminées, prélevant ici et là des échantillons pour confirmation et vérifications ultérieures. Au moins, il ne pleuvait pas, se dit-elle, debout tête nue sous une lumière d'étain et les arbres dépouillés de leurs feuilles, tout en ôtant de la pointe de son canif la terre incrustée sous ses ongles.

Elle se sentait indûment fatiguée. La présence de John, ces deux derniers jours, l'avait rendue nerveuse, mal à l'aise. Un moment, elle se posa la question de savoir si elle possédait le caractère nécessaire pour vivre avec un autre homme —

n'importe quel homme, ajouta-t-elle, cynique — si elle appartenait, en fait, à l'« espèce mariable »... Puis elle se rappela que
oui : pendant un temps sa vie avec John Clearwater avait été
aussi parfaite qu'elle aurait pu le souhaiter. Ce qui la rendit
triste, alors, et lui fit éprouver un curieux respect pour la dignité
contrainte et tourmentée de John. Il avait ses propres problèmes, John, qu'elle ne pouvait pas partager ni vraiment
comprendre. Elle résolut sur le chemin du retour de se montrer
ce soir-là d'humeur affectueuse et charitable.

En arrivant, elle trouva le cottage vide, bien que les lumières
et les radiateurs fûssent branchés. Ses velléités d'affection et de
charité s'atrophièrent et moururent. Il y avait un mot sur la
table : « Parti en promenade. De retour pour le thé. J. » Hope
changea de vêtements, rangea un peu le salon et la cuisine et mit
la bouilloire sur la cuisinière. Elle s'assit pour attendre le retour
de John.

Elle ne sut pas pourquoi l'idée lui vint soudain à l'esprit, mais
elle la frappa avec une force et une conviction irrésistibles. Elle
sortit par la porte de service et traversa la bande de gazon et les
plates-bandes de rosiers battus par les vents qui composaient le
jardin. Au fond, une petite cabane verte en bois contenait une
tondeuse couverte de toiles d'araignée et un tas de bûches.
Quelques outils de jardinage pendaient à de gros clous rouillés.
Hope ouvrit la porte. La pelle avait disparu de sa place sur le
mur.

Elle resta plantée là, raide de colère et de déception, à jurer
durant une bonne minute. Espèce de foutu crétin d'idiot. Salaud
de foutu crétin de dingue ravagé à la con. Et ainsi de suite. Non,
elle n'allait pas recommencer à s'emmerder avec ces histoires.
Non, elle ne pouvait plus supporter tout ça. Le plus tôt il
partirait, le mieux ce serait.

Elle savait où le trouver.

Encore tremblante, positivement vibrante de colère, elle alla
chercher sa torche électrique et prit la voiture pour descendre au
lac, près du manoir en ruine. Elle gara au bout de l'allée et fila à
grands pas à travers la hêtraie. Il faisait presque nuit et de plus
en plus froid. Elle fit le tour de la masse opaque des ifs pour
découvrir devant elle le lac étalé comme du chrome sale. Une

mince bande d'un gris jaune sulfureux marquait sur l'horizon le coucher du soleil. Les couleurs des arbres et des buissons avaient virtuellement disparu et les ombres envahissaient les pentes douces des prés herbeux, au bord de l'eau.

Elle ne le voyait pas. Elle tendit l'oreille. Rien. Le vent. Un pigeon ramier. Les sales croassements de quelques corbeaux. Elle cria plusieurs fois son nom. Pas de réponse. Elle promena au hasard le rayon de sa torche à la recherche d'une trace de ses excavations, mais ne vit rien. Elle n'aurait pas dû venir en voiture ici, elle s'en rendait compte à présent : il était reparti à pied par la ferme de Blacknoll et, de toute manière, la nuit l'aurait fait rentrer bien assez tôt.

A cinquante mètres environ au-delà des ifs, au bord de l'allée, elle buta du pied sur la pelle abandonnée. La torche éclaira quelques mottes d'herbes et le petit trou creusé à côté.

Le souffle coupé, Hope regarda autour d'elle, les oreilles remplies du bruit des cascades qui se déversaient dans le lac et du bruissement de l'eau se faufilant à travers les bassins d'algues vertes, autour des roches soigneusement placées, des grottes et des charmilles envahies par les plantes.

Hope traversa la hêtraie en direction de la rivière. Sentiers et marches, moussus et usés, couraient le long de la rive. Ils avaient été conçus comme une promenade complémentaire de l'allée, une autre descente scénique plus intime vers le lac. Sur les bassins plus importants, aux cascades plus pittoresques, des bancs de pierre sculptés avaient été placés à l'intention de ceux qui souhaitaient se reposer un instant pour s'adonner à une petite rêverie de commande. Sur un de ces bancs, Hope trouva le portefeuille de John et un carnet de notes.

« John, hurla-t-elle en vain. Johnny... Johnny, c'est moi ! »

Il n'y eut pas de réponse.

Elle s'obligea à éclairer le bassin à ses pieds. C'était une soucoupe peu profonde pavée de pierre et de six mètres de diamètre. La cascade qui l'alimentait faisait quatre mètres de haut, mais passait sur tant de mousse et de mauvaises herbes que l'eau suintait et gouttait plutôt qu'elle ne tombait. Vernes et saules cachaient le creux où se nichait le bassin, envahi par une végétation indisciplinée, une charmille devenue folle, faisant écran au ciel et à toute lumière ambiante, un lieu obscur, immobile où régnait une curieuse odeur de champignon comme dans une cave humide.

La lumière se refléta sur la surface de l'eau, la rendant opaque et brillante. Hope descendit avec précaution les quelques marches de pierre menant au bord du bassin et brandit sa torche à l'oblique.

John gisait face contre le sol dans un mètre d'eau, tout habillé, dans la position d'un plongeon plat, les talons plus haut que la tête, les mains apparemment croisées sur sa poitrine. La posture était raide et pas naturelle : il ressemblait à une statue jetée à bas de son socle.

Tenant sa torche de façon à ce que le rayon éclaire la surface, Hope entra dans le bassin, ne faisant guère attention au froid ni à l'eau qui se déversait à l'intérieur de ses bottes de caoutchouc. Quand elle atteignit John, elle était enfoncée jusqu'aux cuisses. Elle attrapa une cheville à deux mains et tira. Elle se rendit compte, avec un petit sanglot de désespoir, que le visage de John traînait contre le fond du bassin. Il paraissait anormalement lourd.

Elle tendit le bras sous la surface et réussit à le retourner au prix d'immenses efforts. Il n'avait rien de cette légèreté, de cette manœuvrabilité huilée que les corps possèdent habituellement dans l'eau. Elle comprit pourquoi. Le bout carré d'un gros fragment de pierre — une marche, une partie de banc ? — saillait entre les revers de sa veste de tweed. Sa veste était boutonnée soigneusement — trois boutons — et ses deux mains étaient insérées à l'intérieur, dans un double geste à la Napoléon, serrant fort le lourd rectangle de roc contre sa poitrine et son ventre.

Avec des doigts glacés, elle libéra ses mains et réussit à déboutonner la veste. La pierre roula lentement sur lui, et le visage livide, aux yeux grands ouverts, complètement calme, enfin léger, monta facilement les trois pieds d'eau verte, ses cheveux frisés raides — pour une fois dans sa vie — libérés et fluides, avant de percer la surface, d'y danser un peu, puis de s'y installer, sourd et indifférent à la misère aiguë des hurlements déchiquetés de Hope.

LE FEU LANGUIDE

Chaque jour nous inhalons et exhalons cent quatre-vingt mille litres d'air. Combien d'inhalations fallut-il à John pour remplir ses poumons d'eau glacée ? Deux ? Trois ?

Cent quatre-vingt mille litres d'air par jour. Comme nous avons besoin de cet élément ! Pour nourrir notre sang, nous aider à brûler, servir de carburant à ce feu languide qui nous réchauffe à l'intérieur... C'est la froideur des morts qui est si déroutante. Et aussi leur immobilité parfaite. L'acteur qui feint la mort sur la scène ne peut pas dissimuler le minuscule mouvement de sa poitrine et de son ventre, contrôler totalement chaque infime sursaut et tremblement de ses milliers de muscles. Il n'est pas immobile. Ses systèmes internes pompent et filtrent, décomposent et consument. Mais l'immobilité absolue des morts est de toute évidence non humaine. Le corps inerte, inanimé, n'est plus qu'une chose − tout ce mouvement s'est arrêté pour toujours. L'être humain est devenu un rouleau de tapis, un sac de pommes de terre, un morceau de bois.

Je me mis à crier et à hurler comme une folle tout en dégringolant le flanc de la vallée pour les rejoindre, mais les chimpanzés semblaient ne pas m'entendre ou bien ne pas s'en soucier. En tout cas, ils faisaient eux-mêmes un vacarme infernal, et Conrad vociférait rageusement de souffrance et de terreur. Je voyais Darius lui taper des deux poings sans pitié sur la tête tandis que Sébastien et Pulul le maintenaient plaqué à terre.

Je traversai le fond de la vallée en direction des buissons de mesquinhos sans cesser de crier, une main fouillant ma sacoche à la recherche du revolver d'Usman.

Ils étaient huit mâles adultes à tabasser Conrad, chacun plus fort qu'un homme solide. Tout en pataugeant dans l'herbe livide au bord du ruisseau, la pensée de ce qui pourrait arriver s'ils m'attaquaient m'arrêta dans un sursaut de peur. Un instant, je ne bougeai plus. Puis j'entendis les hurlements de Conrad atteindre une nouvelle intensité avant de s'interrompre brusquement.

Ils étaient rassemblés sur la berge en face de moi, piétinant les buissons et sautant avec une folle excitation sur le corps de Conrad. Je tirai un coup en l'air et ils se retournèrent, jacassant et jappant. Darius arracha une branche de mesquinho et en frappa le sol. Americo et Pulul se précipitèrent dans le ruisseau vers moi, bombant le torse, glapissant, montrant leurs dents jaunes. Darius se cabra, le poil hérissé, les bras écartés. Le bruit était grotesque, un son métallique déchirant, à l'écho multiple, vif, rude.

« PARTEZ ! leur criai-je, en braquant mon revolver. FILEZ ! FILEZ ! » Mais qu'était un revolver pour eux, *Homo Troglodytes* ? Et qu'étais-je, moi ? Juste un autre étrange singe bipède, paradant, bruyant, menaçant.

Deux autres traversèrent le ruisseau. Pulul s'approcha en courant de quelques pas vers moi, s'arrêta et recula. Darius beuglait et arrachait frénétiquement des branches de mesquinho. Je vis Americo soulever une pierre dans le lit du ruisseau et l'expédier maladroitement dans ma direction. A trois mètres sur ma gauche, Pulul sautait sur place, et tambourinait le sol. Gaspar avançait peu à peu sur ma droite. Je jetai en hâte un regard sur les buissons de mesquinho, à la recherche d'un signe de Conrad.

Puis Pulul fonça sur moi.

Ma première balle le frappa à la poitrine, haut sur le côté et l'envoya valser puis perdre l'équilibre. Darius franchit le ruisseau d'un bond et arriva en galopant. Je lui tirai en plein dans la figure alors qu'il se trouvait à moins de deux mètres. Je vis son crâne se désintégrer et des fragments tourbillonner en l'air comme des pièces de monnaie. Je me retournai et tirai sur Sébastien et Gaspar qui s'enfuyaient, mais je les ratai. Puis ils disparurent tous, bondissant hors de la vallée, hurlant de peur.

Et ce fut de nouveau le silence. Pas de cris d'oiseaux, simplement le bruit de la cascade.

Pulul était encore vivant. Je m'approchai de lui avec prudence, l'œil sur sa jambe agitée d'un spasme. Il gisait sur le flanc et je vis qu'en sortant la balle avait fait dans son dos un trou de la taille de mon poing. Je lui tirai une balle dans la tête, à cinquante centimètres de distance.

Darius gisait sur le dos, ses bras écartés comme ceux d'un homme qui se bronze au soleil. Ce qui restait du haut de sa tête, des orbites au-dessus, se réduisait à une longue frange coagulée de chair et d'os en bouillie.

Je traversai le ruisseau en pataugeant pour chercher Conrad. Je le découvris, tordu et ensanglanté, sous les buissons de mesquinhos. Sa main droite avait été arrachée à hauteur du poignet et il brandit son moignon vers moi dans une parodie d'agression. Sa figure était rouge et pulpeuse, labourée par les poings et les ongles de Darius. Mais ses yeux bruns me regardaient toujours aussi fixement. Accusant ? Plaidant ? Hostiles ? Stupéfaits ?

Je me mis à quatre pattes derrière lui pour qu'il ne me voie pas et je tirai à bout portant dans son crâne.

Je m'assis sur un rocher pendant un moment. Quand j'eus cessé de frissonner, je plongeai ma figure dans le ruisseau. Puis je remplis mes poches de noix de mesquinhos, contournai les corps de Darius et de Pulul et rentrai au village où João m'attendait patiemment.

Je me sentais beaucoup mieux. J'étais contente d'avoir tué Darius et Pulul. J'étais contente d'avoir été là pour mettre fin aux souffrances de Conrad. Je retrouvai très vite mon calme et mon sang-froid. Je savais que ma conscience ne serait jamais troublée parce que, pour une fois, j'avais fait ce qu'il fallait.

La guerre des chimpanzés était finie.

Épilogue

Epilogue

Je regarde la plage, dehors. Une grosse averse vient de prendre fin. Les planches chaudes de ma terrasse fument visiblement comme si une lessiveuse bouillait en dessous. Au large sur la mer le ciel est encombré de meubles en nuages mous — poufs bosselés, canapés soufflés, coussins de kapok éventrés. Le vent les pourchasse et me laisse, à moi comme à chacun, la plage lavée et lisse.

Ma maison, vous l'aurez deviné depuis un moment, est celle d'Usman. Le legs qu'il m'a fait. J'ai dépensé le plus gros de mon indemnité de licenciement de Grosso Arvore à la rénover et j'y ai déménagé dès qu'elle a eu un toit. J'ai fait encadrer les jolis dessins des avions-mouches, et ils décorent maintenant le mur de mon salon au-dessus de mes étagères de livres. Usman et ses brillants rêves d'envol...

Et qui n'étaient que des rêves. J'ai acheté un livre (je ne sais pas pourquoi — parce qu'il me manque, si vous voulez), une histoire de l'exploration de l'espace. A la réflexion, je n'aurais pas dû être tellement surprise, mais je dois dire que j'ai ressenti un certain choc en apprenant qu'il n'existait pas d'astronautes égyptiens. Pas un seul. Il y a un Vietnamien, un Indien, un Syrien, un Mexicain et un Saoudien, mais pas un seul Égyptien. Pourtant le mensonge d'Usman ne me gêne pas vraiment : son rêve m'a enchantée un moment, ce qui lui donne une sorte de validité, je trouve.

Usman a beaucoup occupé mes pensées récemment. Il y a une semaine, les journaux se sont remplis d'une histoire bizarre. Dans une contrée d'Amérique du Sud, une demande a été déposée auprès d'une compagnie d'assurances pour le remboursement d'un Mig 15 Fagot accidenté au décollage. En examinant l'épave, les experts ont découvert — d'après les numéros de séries de certaines pièces — que ce même jet s'était déjà crashé ici, dans ce pays, il y a un an, victime d'une panne d'instruments alors qu'il revenait d'un raid sur les positions de FIDE dans les montagnes du Centre.

On a révélé depuis que, sur les huit Mig perdus à la suite d'une panne d'instruments, seules trois épaves avaient été retrouvées. Il y a eu des rumeurs de scandale dans l'air, un bourdonnement d'aigres accusations. Un ancien ministre de la Défense a été contraint de démissionner à cause de ses relations d'affaires avec un marchand d'armes du Moyen-Orient. Rien ne peut être prouvé, mais on soupçonne fortement qu'au moment où la guerre battait son plein, ces avions ont été systématiquement volés par leurs pilotes, emmenés dans un pays étranger, repeints et revendus sous le manteau.

Bien entendu, je me rends compte qu'il y a eu de vraies pannes d'intruments, de vrais accidents, et donc qui sait ? Qui peut être sûr de quoi que ce soit ? Mais j'ai de fortes intuitions, moi aussi, et un curieux sentiment qu'un de ces jours l'ex-propriétaire de cette maison de plage pourrait bien passer vérifier l'état des travaux.

Et, chose étrange, où que j'aille maintenant, je crois le voir. Il y a beaucoup de Syriens et de Libanais par ici et mon regard ne cesse de se poser sur des hommes moustachus ou barbus (pour une raison quelconque, j'imagine qu'il s'est laissé pousser la barbe...).

Cela me rappelle l'époque avant ma rencontre avec John Clearwater, lorsque ma vie était pleine de l'anticipation de notre réunion, l'air rempli de son imminence.

Je sors sur la terrasse et plisse les yeux pour scruter l'horizon, par-dessus l'océan éblouissant, le soleil chaud sur mon visage.

John Clearwater.

J'espérais trouver un message dans le carnet abandonné sur le banc de pierre, mais il n'y avait rien, à part quelques gribouillis d'équations runiques. J'en suis donc réduite à mon imagination et j'imagine qu'il a agi spontanément, très vite, en l'espace de quelques secondes Il a commencé à creuser et, brusquement, il n'a plus pu supporter ce que lui réservait l'avenir et il est parti vers le bassin. C'est l'avenir qui abat celui qui se suicide — tout ce temps, à attendre.

John choisit son bloc de pierre, le sortit de son trou moussu, le serra contre lui, pataugea jusqu'au centre du bassin et se laissa tomber en avant. Une seule aspiration par la bouche dut suffire. Ce qui ne peut pas être évité doit être bien accueilli, comme disait Amilcar.

Je regarde ma montre. J'ai rendez-vous avec Ginga dans une heure. Vous serez peut-être surpris de l'apprendre, mais je travaille encore pour le projet. Je vais chercher les gens à leur descente d'avion, j'organise en ville les transports et le ravitaillement pour les deux stations de recherche. L'idée est de Ginga : maintenant qu'il a doublé de volume, le projet a besoin d'un contact ici, d'un administrateur. On me paie raisonnablement bien : les fonds ne manquent pas depuis la parution du livre. *Primate : la société d'un grand singe.* Consultez-le, vérifiez. Lisez l'énorme note en bas de la page 74 : « Nous tenons à rendre hommage ici à l'inestimable travail du Dr Hope Clearwater... »

Je ne suis pas retournée à Grosso Arvore — Ginga juge prudent de me tenir à l'écart —, mais j'ai revu Eugène Mallabar, trois fois, brièvement. Il m'accueille affectueusement, mais avec une solennité distante — un faux charme avunculaire. « Ma chère Hope... », « Ah, Hope, vous êtes un ange... » Il passe beaucoup plus de temps en Amérique désormais, à donner des conférences. Ginga et Hauser dirigent les stations au quotidien. Rien n'a jamais été dit au sujet de cette séance dans la forêt. Et personne, autant que je sache, n'a jamais retrouvé les corps de Pulul, Darius et Conrad.

Je descends sur la plage. La grosse pluie a nivelé les replis et effacé les empreintes de pas. Le sable est pointillé comme une balle de golf, ferme et humide.

Et maintenant ? Que va-t-il se passer ? Toutes ces questions. Tous ces doutes. Si peu de certitudes. Mais j'ai trouvé réconfort et refuge dans la doctrine qui conseille à ceux qui recherchent la tranquillité de préférer à la certitude la mise en sursis permanente de tout jugement.

Je me promène sur la plage goûtant pleinement mon indécision, mes limbes morales. Mais ça ne dure jamais très long-temps. La plage demeure, les vagues déferlent.

Deux chiens surgissent derrière les arbres et viennent renifler les débris de la marée. Mon gros Syrien de voisin, arborant un caleçon de bain indigo, descend au petit trot de son châlet. Il me salue gaiement au passage. « L'eau est toujours plus fraîche après la pluie », crie-t-il avant de s'enfoncer en se dandinant dans l'eau. J'agite ma main en retour. Un gamin surveille trois chèvres en train de brouter dans la palmeraie. Un crabe regagne son trou. Quelqu'un rit aux éclats dans le village. L'ombre palmée du filet de volley-ball se détache nettement sur le sable lisse. Ces jours-ci, j'examine avec soin ces documents du réel. La vie que l'on ne soumet pas à l'examen ne vaut pas d'être vécue.

IMP. SEPC À SAINT-AMAND (CHER)
DÉPÔT LÉGAL : AVRIL 1991. N° 12509-3 (1054)